Napoléon

Du même auteur
aux Éditions J'ai lu

Les rois qui ont fait la France :

Clovis et les Mérovingiens, *J'ai lu* 6082
Henri IV, *J'ai lu* 6106
Charlemagne, *J'ai lu* 6470
Saint Louis, *J'ai lu* 6477
Louis XIV, *J'ai lu* 6478
Louis XVI, *J'ai lu* 6966

Georges Bordonove

Napoléon

L'impartiale postérité ne verra pas sans étonnement un jeune homme sans fortune et sans protection, issu d'une famille plébéienne, sortir de la petite ville d'Ajaccio, s'asseoir sur un des premiers trônes du monde, obtenir la main d'une archiduchesse d'Autriche, se faire couronner par le Pontife de Rome, soumettre à sa domination presque toutes les puissances de l'Europe, donner des lois à Moscou et au Caire en Égypte, et établir successivement ses frères sur les trônes d'Espagne, de Naples, de Hollande et de Westphalie. Ces événements, quelque extraordinaires qu'ils paraissent, la frapperont peut-être moins encore que la chute de ce colosse, abattu en quelques jours, en 1814, puis relevé, comme par miracle, en 1815, et précipité pour toujours, trois mois après, par les forces réunies des puissances qu'il avait tenues jusque-là sous sa domination... On se demandera alors avec empressement quel était donc cet homme qui, pendant vingt ans, a occupé toutes les bouches de la renommée; on recherchera avec avidité jusqu'aux plus petits détails de sa vie domestique. On voudra savoir par quels moyens il est parvenu à la domination universelle et quelles sont les causes principales de sa chute.

CHAPTAL, *Mémoires*

Il n'est pas de grandes actions suivies qui soient l'œuvre du hasard et de la fortune; elles dérivent toujours de la combinaison et du génie. Rarement on voit échouer les grands hommes dans leurs entreprises les plus périlleuses. Regardez Alexandre, César, Annibal, le Grand Gustave et autres, ils réussissent toujours; est-ce parce qu'ils ont du bonheur qu'ils deviennent ainsi de grands hommes? Non, mais parce qu'étant de grands hommes, ils ont maîtrisé leur bonheur. Quand on veut étudier les ressorts de leurs succès, on est tout étonné de voir qu'ils avaient tout fait pour l'obtenir.

NAPOLÉON à Las Cases

LE MANUSCRIT VENU DE SAINTE-HÉLÈNE

Le 21 septembre 1817, Napoléon déclarait à Bertrand: « Je serais tenté de composer un ouvrage comme le *Manuscrit de Sainte-Hélène*, dans lequel j'indiquerais la cause de tous mes actes et mes projets. Mais il me faudrait au moins six cents pages. Le premier chapitre en serait mon enfance et Toulon, le deuxième: l'Italie, le troisième: l'Égypte, le quatrième: Brumaire et le Consulat, le cinquième et suivants: l'Empire et les divers événements de l'Empire. Au total, dix chapitres. »

Le petit livre auquel il faisait allusion s'intitulait en réalité: *Manuscrit venu de Sainte-Hélène d'une manière inconnue*. Il avait été publié sans nom d'auteur, en avril 1817, par un libraire de Londres. Napoléon crut y reconnaître la plume de Benjamin Constant. De son côté, Gourgaud note dans son *Journal* que cet anonyme est Roederer. Aujourd'hui on est presque certain qu'il s'agit du Genevois Lullin de Chateauvieux, un familier de Mme de Staël et de Benjamin Constant. En tout cas cet opuscule (qui fit grand bruit en Europe!) est écrit dans une langue incisive et dénote un esprit des plus sagaces.

L'Empereur y raconte sa vie en s'exprimant à la première personne. D'où la réaction du captif de Sainte-Hélène ainsi mis en cause et craignant tout de bon qu'on l'en crût l'auteur. D'où ce projet immédiat de composer lui-même sa biographie; on doit regretter qu'il s'en tînt seulement au plan, mais lui savoir gré d'en avoir au moins indiqué les points forts.

Tel est en somme le prétexte de ce livre. Il manquait peut-être à la collection des biographies, hagiographies, études sectorielles, libelles ou pamphlets consacrés à Napoléon. En effet cette vie, dont les dimensions et le mouvement donnent le vertige, chaque époque, chaque école, chaque régime, l'ont racontée à leur manière, presque toujours en fonction de la conjoncture politico-sociale, voire d'un système idéologique. Ainsi l'Ogre de Corse vilipendé par Chateaubriand est-il devenu l'Homme du Destin cher aux poètes allemands, puis le Prométhée enchaîné des Romantiques, l'étendard brandi par les libéraux opprimés par le pouvoir, le destructeur de la liberté et le continuateur de la Révolution, et encore le héros revanchard de Barrès, avant de devenir, à tort ou à raison, l'archétype de l'homme d'État moderne.

Le Manuscrit venu de Sainte-Hélène n'échappe pas à cette règle. Il est la première tentative, sinon de justification, du moins d'explication de l'Empereur. Le portrait qu'il suggère annonce, et prépare, la statue monumentale que sera le *Mémorial* de Las Cases. C'est dire qu'il épouse, dans une large part, les vues mêmes de Napoléon : et ce ne sont pas les rares observations qu'il griffonna dans les marges qui nous démentiront. Il met en avant « le continuateur de la Révolution », l'aspect « siècle des Lumières », libéral, européen. Mais il est en même temps un manifeste. Sous son apparente objectivité, il traduit les appréhensions des démocrates en face des excès de la Restauration et des menaces de la Sainte-Alliance. Il est donc à priori suspect aux yeux d'un historien qui ne prétend ni juger ni justifier, mais constater. Juge-t-on la mer, un ouragan, une éruption volcanique ? On essaie de comprendre ces phénomènes. Il doit en être de même de l'épopée napoléonienne, de la personnalité de Napoléon. Et d'autant que cette personnalité ne peut se réduire à une équation ; qu'elle est multiple, surabondante, donc remplie de retours et de contradictions, avec cependant ses lignes de force. Ce sont celles-ci que l'on se propose de suivre : sans irritation ni complaisance, sans esprit de système ni caution politique d'aucune sorte, sans tenir compte des modes historiques actuelles ou inactuelles, avec pour seul but d'atteindre l'homme ! L'homme tel qu'il fut, et non tel qu'il se voulut ou que le dessinent les jugements de la postérité ! L'homme-Napoléon à travers les événements essentiels de sa vie, mais aussi des faits mineurs quoique signifiants, également à travers les masques dont il crut devoir s'affubler et des personnages qu'il assuma avec un talent exceptionnel de publiciste, comme à travers ses harangues et ses confidences à des intimes. Le démiurge ? oui, avec ses raisons et ses déraisons, ses fulgurances et ses aveuglements. Mais, plus encore, la créature intensément intelligente et vivante qu'il sut être. C'est dire que l'on entendra souvent sa voix, tout autant que celle de ses détracteurs, car, en lui comme en chacun de nous, le vrai et le faux s'imbriquent : et c'est une autre erreur de croire que la vérité passe par la ligne médiane. On l'a comparé à César, à Alexandre le Grand, parce qu'ils inspirèrent à coup sûr certaines de ses chimères et plusieurs de ses décisions. Ces comparaisons n'ont aucune valeur. Il ne fut que lui-même, d'une essence différente, sans autres liens avec le Romain et le Grec que ceux de trompeuses apparences. Non tout d'une pièce, facile à saisir, à décrire, non seulement un jacobin couronné, un conquérant ou un dictateur, mais une volonté en marche, moins dominatrice qu'esclave de l'événement et plus soucieuse de l'opinion qu'il ne semble ! Ce n'est point par hasard que le peuple des campagnes ou des armées se reconnaissait en lui. D'une certaine manière il était le peuple, autrement dit un homme parmi ses semblables, avec ce que cela suppose d'ingénuité, d'enthousiasme et de fraternité souffrante. Et cet homme-là a pour nous autant d'importance que le personnage historique. Car, disait le vieux Plutarque, « nous n'écrivons pas des histoires, mais des vies ».

Première partie

L'APPRENTISSAGE

(1769-1793)

I

L'ENFANCE

Ma noblesse date de Montenotte.

NAPOLÉON

Les époux Bonaparte étaient prolifiques, ils eurent douze enfants, dont huit survécurent, presque tous appelés à devenir rois ou princes !

Napoléon naquit le 15 août 1769 à Ajaccio. Joseph, son aîné, était né en 1768. Le père, Charles-Marie Bonaparte, avait alors 23 ans et la mère, Letizia Ramolino, 19 ans. Une légende veut que la naissance du futur empereur ait eu lieu sur le tapis du salon de la casa Bonaparte, tapis représentant, comme par hasard, les héros de l'*Iliade*. Mais plus tard, dans ses confidences au baron Larrey, Madame Mère précisa qu'il n'y avait pas de tapis dans les maisons corses et « encore moins en plein été qu'en hiver ». La vérité est que Letizia, assistant à un office à la cathédrale d'Ajaccio, fut prise de douleurs et dut rentrer précipitamment chez elle. Arrivée rue Malerba, elle n'eut pas le temps de gagner sa chambre. Elle accoucha tout de go, sur le pavé, d'un garçon assez malingre pour qu'on se contentât de l'ondoyer : ce qui épargnait les frais du baptême ! Les Bonaparte n'étaient pas riches, quoique le beau Charles, disert et plastronnant, affichât des goûts de grand seigneur. L'oncle Lucien, archidiacre de la cathédrale, tenait les cordons de la bourse ; c'était lui qui gérait les biens de la famille. Cependant Napoléon avait beau dire à Roederer qu'il était « né dans la misère » et Chaptal affirmer que les Bonaparte étaient des « plébéiens », la famille occupait un rang honorable, non seulement à Ajaccio, mais dans le patriciat corse. Mais qu'était-ce que ce patriciat ? Là-dessus Napoléon s'est très clairement expliqué : « Il y avait en Corse, disait-il à Bertrand, trois sortes de nobles : les anciens seigneurs, les caporats, les étrangers. Les anciens seigneurs sont en petit nombre, ce sont les anciens seigneurs féodaux du pays... Les caporats sont ceux qui, aux Xe et XIe siècles, révoltèrent tout le pays contre les anciens nobles et voulurent secouer leur joug : de ces familles sont les Casabianca, les Arrighi. Enfin, les étrangers sont ceux qui sont venus du continent, de la Toscane, de Gênes s'établir en Corse, comme les Bonaparte et presque toutes les familles établies sur la côte de Bastia, Ajaccio et Calvi, etc. Les Bonaparte figuraient en 1400 comme podestats d'Ajaccio... L'oncle parlait à tous de cela. Je n'ai jamais, moi, fait grand cas d'un parchemin original qui en somme était peu de chose, mais les Allemands en firent grand cas. Le roi de Bavière voulait absolument me faire une généalogie. Je m'en moquai. »

Plus tard en effet, quand Napoléon fut devenu empereur, des généalogistes complaisants, et intéressés, voulurent le faire descendre de la gent Julia, des anciens empereurs de Byzance, de Clovis et... du Masque de Fer ! De fait les Bonaparte se rattachaient à une famille toscane du même nom, dont une branche avait dû s'exiler de Florence au XIVe siècle, par suite des troubles désolant alors cette ville. Ils s'agrégèrent tout naturellement à la noblesse corse, laquelle ne jouissait d'aucun privilège particulier, contrairement à la noblesse de France. On la respectait, certes, mais à condition qu'elle se montrât digne de l'être et capable soit de commander, soit de remplir une charge publique. En effet les Corses se considéraient comme tous égaux, à la réserve près qu'ils obéissaient fort exactement au chef de leur clan, à la façon des Écossais si l'on veut. Les nobles corses exerçaient leur influence sur une ou plusieurs « pièves », ils en assumaient le plus souvent les magistratures et, si l'on peut dire, les commandements militaires. Ces « pièves » étaient des sortes de communes dont le découpage territorial résultait du relief extrêmement tourmenté et compartimenté de l'île. Pour cela même leurs habitants y menaient une existence isolée, caractérisée par un goût véhément, presque farouche, de l'indépendance. Autre singularité : l'importance d'une famille résultait moins de la possession de la terre que du nombre de cousins et d'alliés, lesquels répondaient sans hésitation à l'appel de leur chef naturel. Les populations citadines étaient à peine différentes. Les Bonaparte par exemple, qui étaient membres du conseil des Anciens d'Ajaccio depuis le début du XVIIe siècle, s'ils possédaient plusieurs maisons dans la ville, le domaine des Milleli, plusieurs vignes et moulins, comptaient aussi une soixantaine de « cousins » !

Peu après la naissance de Napoléon, Charles Bonaparte partit pour Pise afin d'y achever son doctorat de droit, diplôme qu'il obtint d'ailleurs sans difficulté. De retour en Corse, il se mit en quête d'une situation. Ayant été l'un des plus chauds partisans de l'indépendance corse, il avait combattu aux côtés de Paoli, en qualité d'aide de camp. Était-il sincère, ou seulement désireux de jouer un rôle et de se pousser ? Rappelons que Paoli, après avoir chassé les Génois, avait été pendant treize ans le maître quasi souverain de l'île ; que les Génois, de guerre lasse, avaient fini par vendre leurs droits à la France, mais que les Corses n'acceptèrent pas davantage la présence des Français. Charles Bonaparte avait participé à la fameuse victoire de Borgo. Ce fut, très précisément, dans cette période où l'on pouvait croire l'indépendance de la Corse définitivement assurée, que Napoléon avait été conçu. À la manière des héroïnes de l'Antiquité, la belle Letizia suivait son jeune époux aux armées, partageait la vie et les périls des partisans, vie superbe, mais semée de quelles aventures ! Toutefois des renforts débarquèrent, Louis XV ayant décidé l'annexion (on disait alors, joliment, « réunion »), et ce fut la sanglante défaite de Ponte-Novo, en mai 1769. Pascal Paoli s'enfuit en Angleterre. Les derniers partisans, parmi lesquels Charles Bonaparte et sa femme, se retranchèrent sur le mont Rotondo ; ils tentèrent vainement de provoquer une insurrection générale. Les Français eurent l'adresse de pardonner. Charles et Letizia purent donc réintégrer leur domicile et Napoléon dut à cette circonstance de naître à Ajaccio. Plus tard, Letizia prétendra que, pendant cette grossesse assez frénétique, elle sentait l'enfant se débattre furieusement dans ses entrailles. En tout cas, le sang qui irriguait le futur empereur sentait déjà la poudre !

N'ayant plus rien à espérer du parti de l'indépendance, Charles Bonaparte tourna casaque. Il se mit en devoir de servir un nouveau maître : M. de Marbeuf, aimable Breton. Ce dernier ne pouvait repousser les avances d'un notable de cette importance ; il estimait avec raison que cette adhésion fortifierait le parti « français ». À force de soins, de prévenances et de compromissions (Marbeuf était fréquemment reçu rue Malerba, ce qui fit jaser !), Charles Bonaparte décrocha plusieurs prébendes : avocat au conseil supérieur de la Corse puis député de la noblesse. Il avait pris soin de faire certifier sa propre noblesse et, lors de son séjour à Pise, de la raccorder à celle des patriciens toscans pour en consolider l'ancienneté. Mais tous ces honneurs n'augmentaient pas les revenus. À la maison Bonaparte, la vie continuait, sous la férule de Letizia, laquelle se débattait avec les bergers, les meuniers, les vignerons et tenanciers du petit domaine, cependant que le mari paradait dans les réceptions et consommait fort joyeusement, non seulement ses gains personnels, mais une forte part des ressources familiales. Cette existence modeste, Napoléon en gardait une sorte de nostalgie : « Dans ma famille, disait-il, le principe était de ne pas dépenser. Jamais d'argent que pour les objets absolument nécessaires, tels que les vêtements, meubles, etc., mais pas pour la table, excepté l'épicerie : le café, le sucre, et le riz qui ne venaient pas en Corse. Tout, autrement, était fourni par les terres. La famille avait un moulin banal où tous les villageois allaient moudre et qui payaient avec une certaine quantité de farine, un four banal qui se payait avec des poissons. On récoltait le vin. On apportait le lait, les fromages de chèvre, même la viande de boucherie ne se payait pas. On avait un compte avec le boucher, et on donnait en échange de la viande de boucherie tant d'équivalence en moutons, agneaux, chevreaux ou même bœufs. L'important était de ne pas dépenser d'argent... Il n'y avait à Ajaccio que deux jardins d'oliviers: l'un appartenait à la famille Bonaparte, l'autre aux Jésuites. Depuis, ils se sont multipliés... La famille récoltait également du vin. Elle tenait à l'honneur de n'avoir jamais acheté ni pain, ni vin, ni huile. "Jamais, disait le vieil oncle Lucien avec orgueil, la famille Bonaparte n'a acheté de pain, vin ou huile." On avait des cerises génoises qui étaient très bonnes. Il me semble n'avoir jamais mangé rien d'aussi bon. On achetait des pâtes d'Italie, quoiqu'on en fît dans la maison[1]. »

Vie patriarcale, d'ailleurs commune à la menue gentilhommerie de l'époque, et qui situe, par cela même, très exactement le rang social des Bonaparte: de très petits nobles, ni riches ni pauvres, proches du peuple, quasi constamment mêlés à lui. Il est de ce fait permis de penser que Napoléon n'eut pas une enfance privilégiée et qu'il fut élevé parmi les galopins du quartier dont il partageait les jeux et les criailleries. Le reste est légende, oripeaux naïfs dont on s'efforce toujours de parer l'enfance des génies futurs. Napoléon ne fut pas un enfant prodige, encore que certaines assertions de Madame Mère laissent entendre qu'il préférait l'étude aux amusements de son âge.

On le mit au collège d'Ajaccio pour y apprendre à lire, en compagnie de son frère Joseph, dans la classe de l'abbé Rocco. Joseph fut placé dans la division dont l'emblème était, paraît-il, l'étendard de Rome avec la fameuse

1. *Cahiers de Sainte-Hélène* (Bertrand).

inscription : SPQR ; Napoléon, dans la division de Carthage. Il n'eut de cesse d'avoir troqué sa place contre celle de son frère, ne pouvant supporter d'être dans le parti des vaincus. L'anecdote, complaisamment rapportée par Joseph dans ses *Mémoires*, est piquante, mais peu significative. Quel enfant doué d'un peu d'imagination n'eût fait de même, surtout à cette époque où la grandeur de Rome commençait à obnubiler les esprits ?

Mais que pensait l'enfant-Napoléon du parti de Paoli et du ralliement de Charles Bonaparte ? Aimait-il ce père auquel il ne ressemblait que par la couleur gris-bleu des yeux alors que sa mère lui avait légué ses traits sculpturaux et son teint ? Il est plus raisonnable de se dire que, comme tous les enfants, il aimait tendrement sa mère et que, pour le reste, il grandissait à la façon des plantes sauvages et des jeunes animaux. En tout cas, jamais il n'oublia les charmes de la terre natale : « Tout y était meilleur, disait-il, il n'était pas jusqu'à l'odeur du sol même ; elle lui eût suffi pour le deviner les yeux fermés ; il ne l'avait retrouvée nulle part. Il s'y voyait dans ses premières années, à ses premières amours ; il s'y trouvait dans sa jeunesse, au milieu des précipices, franchissant les sommets élevés, les vallées profondes, les gorges étroites[1]... »

1. *Mémorial de Sainte-Hélène* (Las Cases).

II

LE BOURSIER DU ROI

En 1776, Charles Bonaparte sollicita pour l'un de ses fils une place dans une des écoles militaires du roi. La demande fut renouvelée par le gouverneur de la Corse, le cher M. de Marbeuf, en 1778 ; elle fut accordée la même année par le ministre de la Guerre. Il faut spécifier qu'en 1777 Charles Bonaparte était parvenu à se faire élire délégué des États de Corse à Versailles, et que ce mandat fut renouvelé l'année suivante. Il s'embarqua donc en décembre, avec ses deux fils, Joseph et Napoléon, le demi-frère de sa femme, Fesch[1], et l'abbé Varèse, un cousin de celle-ci. Il laissa le jeune Fesch au séminaire et conduisit Joseph et Napoléon à Autun, ainsi que l'abbé Varèse. Ses deux fils entrèrent au collège de cette ville le 1er janvier 1779. Il poursuivit ensuite vers Paris où le ministre de la Guerre lui confirma l'agrément de la candidature de Napoléon pour l'école militaire de Tiron, cet agrément ne devenant toutefois définitif qu'après l'acceptation de M. d'Hozier de Sérigny, juge d'armes de la noblesse de France : les candidats devaient en effet produire leurs preuves. Il faut croire que touchant les Bonaparte ces preuves furent jugées suffisantes, puisque le sévère d'Hozier délivra l'attestation

1. La mère de Letizia Ramolino avait épousé en secondes noces un capitaine génois du nom de Fesch, d'où ce Joseph Fesch, futur cardinal.

nécessaire. Au mois de mars, le ministre fit savoir à Charles Bonaparte que son fils entrerait, non pas à l'école militaire de Tiron, mais à celle de Brienne où des vacances s'étaient produites.

On ne sait rien du bref séjour de Napoléon au collège d'Autun. Ne subsiste qu'une lettre d'un professeur, l'abbé Chardon, qui écrivait: « Je ne l'ai eu que trois mois, il a appris le français de manière à faire librement la conversation et même de petits thèmes et de petites versions. » Car les fils de Charles Bonaparte, il convient de le signaler, ne parlaient pas le français, mais le corse.

Les deux frères durent se séparer, Joseph étant destiné à l'état ecclésiastique, pour lequel d'ailleurs il se sentait peu de goût! Joseph pleurait sans retenue. Napoléon ne versa qu'une larme, mais le sous-principal du collège, assez psychologue, déclara à Joseph: « Elle prouve autant que les vôtres. » Napoléon quitta Autun le 21 avril, et arriva à Brienne le 15 mai. On lui fit aussitôt subir une sorte d'examen de passage, à la suite duquel il fut placé en classe de septième. Entré à Brienne en 1779, donc à l'âge de 10 ans, il ne devait en sortir qu'en 1784.

Cet établissement, il faut le préciser, n'avait rien de militaire. Les douze écoles de même dénomination, où l'on préparait les enfants de la noblesse pauvre à devenir officiers, n'étaient en fait que des collèges du type classique. On y enseignait le français, le latin, les mathématiques, l'histoire et la géographie. L'école de Brienne était tenue par des Minimes, férus d'Antiquité, moins intéressés par les sciences exactes. Contrairement à ce que l'on pourrait croire, l'instruction religieuse n'y était pas trop contraignante. Ces bons pères du siècle des Lumières se laissaient gagner par les idées nouvelles. L'un d'eux détourna même le jeune Pichegru (le futur général), alors répétiteur de mathématiques, d'entrer dans les ordres. Inévitablement le scepticisme ambiant déteignait sur les élèves, bien qu'on leur fît suivre les offices et faire leur première communion. « Au collège, racontait Napoléon, j'entendis un sermon, où un prédicateur disait que Caton, César, etc., étaient damnés. J'avais

11 ans. Je fus scandalisé d'entendre que les hommes les plus vertueux de l'Antiquité seraient brûlés éternellement pour n'avoir pas suivi une religion qu'ils ne connaissaient pas… Quoi ! un homme vertueux, parce qu'il aura mangé gras et qu'il mourra le lendemain serait damné, cela est absurde. Dès ce moment, je n'eus plus de religion[1]. »

Il va sans dire qu'avec sa mine de papier mâché, son teint olivâtre et sa petite taille, le jeune Napoléon ne produisait pas grand effet. On raillait son accent corse, sa mauvaise connaissance du français. On le surnommait *la paille au nez*, car c'était ainsi qu'il prononçait lui-même son prénom : « Napoillioné ». On le taquinait sur son île natale et sur la défaite de Ponte-Novo. Piquasseries d'enfants, plus bêtes que méchantes, mais dont on admettra qu'elles n'étaient pas de nature à l'apprivoiser. Coupé de sa famille, en terre étrangère pour lui, tout le déconcertait dans ses nouveaux compagnons. Il cherchait en vain le sérieux imperturbable, la passion ardente de ses congénères, ne trouvait que la légèreté française. Le climat même l'opprimait. Un matin d'hiver, il trouva de la glace dans son pot à eau. « Eh ! s'écria-t-il, qui a mis du verre dans mon pot ? » On se moqua de lui. Le maître de quartier intervint : « Pourquoi vous moquez-vous de Monsieur ? Il est né dans un pays où il n'y a pas de glace, il n'en a jamais vu. » – « Comment ! il n'y a pas de glace chez lui ? Oh ! que c'est simple ! » Qu'il ait souffert de son isolement, moralement et physiquement, cela se conçoit. Mais fut-il le garçon solitaire et farouche que suggèrent les *Mémoires* de Bourrienne ? De même faut-il créditer les anecdotes faciles du petit jardin défendu à coups de pied et de poing contre les importuns, ou du combat à coups de boules de neige organisé par le stratège en herbe ? Ce sont là de trop beaux sujets pour images d'Épinal. De toute façon, Brienne laissa un bon souvenir à Napoléon. Au temps de sa gloire, ce fut avec plaisir qu'il revit sa vieille école

1. *Cahiers de Sainte-Hélène* (Bertrand).

et il n'oublia ni ses vieux maîtres ni ceux de ses condisciples qu'il put retrouver. Cette fidélité à son enfance, à sa jeunesse, est l'une des constantes de son caractère.

Fut-il studieux ? Sans aucun doute. Il était trop conscient du médiocre état de fortune de ses parents et il avait trop de curiosité, pour ne l'être pas. Mais il ne fut pas un brillant élève, sauf en mathématiques. Il n'avait pu mordre au latin qui, étant une langue morte, ne présentait pour lui aucun intérêt. Il n'avait pu davantage tout à fait assimiler la grammaire française. Lorsque le chevalier de Kéralio, inspecteur des écoles militaires, vint à Brienne et interrogea le jeune Bonaparte, il émit l'opinion suivante : « Constitution, santé excellentes, caractère soumis, doux, honnête, reconnaissant, conduite très régulière, s'est toujours distingué par son application aux mathématiques. Il sait très passablement son histoire et sa géographie. Il est très faible dans les exercices d'agrément. Ce sera un excellent marin, digne d'entrer à l'école de Paris. » Mais Napoléon n'avait pas l'âge requis. Il dut attendre l'année suivante pour être nommé cadet-gentilhomme à l'école militaire de Paris, sur proposition du chevalier de Monts, successeur de Kéralio décédé entretemps. On ignore pourquoi il avait alors renoncé à la marine, et l'on peut rêver sur le destin qu'il aurait eu s'il avait suivi cette voie, et sur le destin de l'Europe !

Quoi qu'il en soit, le 19 octobre 1784, il arrivait à Paris, par le coche d'eau, en compagnie de quatre camarades. L'école militaire occupait, dans la plaine de Grenelle, le splendide palais bâti par Gabriel de 1751 à 1756. L'intérieur en était aussi luxueux et raffiné que l'extérieur. Les cadets étaient encadrés par des officiers d'élite, éduqués par d'excellents maîtres, servis par de nombreux domestiques. Louis XV avait voulu que ses futurs officiers fussent de vrais aristocrates : à la fois militaires exacts et hommes du monde accomplis, capables de commander mais aussi de paraître avantageusement à la Cour. L'esprit de caste régnait sur l'école et d'autant qu'une partie des élèves étaient fils de grands seigneurs, pensionnaires payants, imbus de leur jeune supériorité parce qu'assurés de leur avenir. Venant de Corse où l'on a vu ce qu'était la noblesse, imbu du caractère profondément, viscéralement, démocratique des insulaires, comment Napoléon n'eût-il pas senti le ridicule de ces jeunes nobliaux dont le seul mérite avait été de naître ? Néanmoins on peut être sûr qu'il s'adapta promptement et prit, ne fût-ce que du bout des lèvres, le ton de la maison. D'un autre côté, il devait être assez fier d'endosser l'uniforme des cadets qui, selon leur ancienneté, portaient des épaulettes de couleurs différentes. La particule étant en France signe de noblesse (ce qui est bien entendu une erreur), il signait désormais ses lettres : Napoléon de Bonaparte (ou Buonaparte).

Qu'était-ce donc que cette école et qu'y enseignait-on ? C'était, toutes proportions gardées, une sorte de Saint-Cyr, mais l'art de la guerre, le métier de soldat, les principes du commandement à ses différents niveaux, y étaient, chose incroyable, à peine évoqués ! Les cadets se perfectionnaient en mathématiques, en grammaire française, en histoire et en géographie. On leur enseignait l'allemand (langue obligatoire), l'escrime, l'équitation et la danse, mais on ne leur donnait qu'un seul cours sur les fortifications. Ils étaient soumis à une discipline assez stricte, à la fois militaire et religieuse, mais n'apprenaient guère à faire l'exercice. On estimait qu'une fois nommés officiers et affectés dans un régiment, ils compléteraient eux-mêmes leur éducation. De telles conceptions nous surprennent, mais il faut comprendre que l'art de la guerre, en cette fin du XVIIIe siècle, restait fort simple : il était surtout affaire de coup d'œil.

Il fallait normalement trois ou quatre années de préparation pour se présenter à l'examen de sortie avec quelque chance de succès. Le petit Bonaparte fut reçu au bout d'un an, au prix d'un travail acharné. Son père, déjà très souffrant, était passé le voir à Brienne en novembre 1784, pour y conduire Lucien. Le lendemain il emmena sa fille Élisa à Saint-Cyr. De là, il se rendit à Montpellier pour y consulter trois célèbres médecins. Son état s'aggrava brusquement. Le 24 février 1785, il était mort, à 39 ans ! L'autopsie révéla un cancer de l'estomac. Ce décès imprévisible venait encore aggraver la situation familiale. Dès lors on comprend que le jeune Napoléon ne pouvait attendre deux ou trois ans l'épaulette de lieutenant, qu'il devait être reçu dès la première année pour faire face aux difficultés qui l'attendaient. On comprend aussi que ce deuil, ces soucis précoces, ne fussent guère de nature à dissiper son humeur déjà morose. Et qu'il se jetât littéralement dans l'étude.

Il avait choisi de préparer l'artillerie, en raison de ses connaissances en mathématiques. Parmi ses camarades figuraient Alexandre des Mazis qui devait devenir un jour chambellan et, pour l'heure, en sa qualité d'ancien, l'initiait à l'infanterie, et le célèbre Phélippeaux, son rival de Saint-Jean d'Acre. Le Picard de Phélippeaux était poitevin ; il appartenait à une famille ardemment royaliste. Il détesta d'emblée le petit Corse, fils d'un compagnon de Paoli, rebelle au roi. Picot de Peccaduc, leur condisciple et leur « sergent-major », raconta qu'il avait été obligé de se placer entre eux pendant les heures d'étude, mais que, recevant les coups de pied qu'ils se décochaient sous la table, il avait dû renoncer, ayant les jambes toutes noires. Contre-révolutionnaire impétueux, Phélippeaux devait rallier l'armée de Condé, puis faire évader du Temple le redoutable commodore Sidney Smith, suivre celui-ci pendant sa croisière en Méditerranée jusqu'à Saint-Jean-d'Acre où son génie d'artilleur fit basculer la fortune de Napoléon. Cette haine coriace avait pris naissance sur les bancs de l'école ! Quant à Picot de Peccaduc, reçu au même examen de sortie, il devait connaître une destinée non moins singulière, puisque l'empereur d'Autriche finit par l'élever au rang de feld-maréchal, en raison de ses éminents services à la cause des « Alliés » et par lui confier le commandement des troupes d'occupation de Paris. Un autre élève était également appelé à se distinguer, mais dans le parti français : et c'était le jeune Davout ; cependant, il était de la promotion de 1785 et Napoléon ne put que l'apercevoir ! En effet, reçu 42e sur 58, le cadet Bonaparte reçut son brevet de lieutenant en second au régiment d'artillerie de La Fère, à compter du 1er septembre 1785. Il avait exactement 16 ans et 15 jours.

À Sainte-Hélène, il déclara, fortement, à Gourgaud: « Je ne suis pas corse: j'ai été élevé en France, je suis donc français, mes frères aussi... À Lyon, une fois, un maire, croyant me faire un compliment me dit: "C'est étonnant, sire, que n'étant pas français, vous aimiez tant la France et fassiez autant pour elle!" Ce fut comme s'il m'avait donné un coup de bâton! Je lui tournai les talons. » Certes, il vivait en France depuis sept ans, c'étaient des maîtres français qui l'avaient éduqué, et le roi de France avait payé ses études! Il avait vécu parmi de jeunes Français venus de toutes les provinces, seul boursier originaire de son île, à l'âge où, précisément, le caractère prend ses assises et se forme. Pour autant se sentait-il aussi français qu'il l'affirma plus tard? Il est hors de question d'ajouter foi, ou d'accorder quelque importance, à l'insinuation de Bourrienne selon laquelle le jeune Bonaparte aurait lâché cet aveu: « Je ferai à tes Français tout le mal possible! » En supposant qu'il ait réellement prononcé ces paroles, ce dut être dans un mouvement de colère. Mais enfin, s'il demanda la garnison de Valence, n'était-ce pas pour se rapprocher de la Corse? Valence en était sur la route. Par surcroît deux compagnies du régiment de La Fère cantonnaient en Corse et Bonaparte espérait sans doute s'y faire affecter. Il n'avait pas revu les siens depuis si longtemps! En outre, par suite de la mort de son père, on avait besoin de lui à Ajaccio: Joseph étant à Pise pour y faire son droit, le vrai chef de famille était désormais Napoléon. Mais, surtout, il avait le plus vif désir de revoir cette île dont, pendant son exil à Brienne, sa jeune imagination n'avait cessé d'enjoliver le souvenir. Cette Corse idéalisée, le séjour à Paris n'avait pas amoindri son attrait, au contraire! À 16 ans, comme il est naturel, Napoléon cherchait encore sa voie. Son grand homme était Paoli, fondateur d'une république admirée par Jean-Jacques Rousseau lui-même! Napoléon rêvait d'aider Paoli à reconquérir l'indépendance, à restaurer le régime démocratique. Il portait l'uniforme du roi de France ; ce n'était en fait qu'une livrée pour lui. Il était déjà tout lui-même dans ce mélange de chimères et de réalisme. Car nul homme n'associa jamais, au même degré, le goût de la précision la plus rigoureuse, du réalisme le plus poussé, de l'investigation la plus minutieuse, aux dons de l'imagination la plus débridée. Ainsi se vantait-il de connaître les logarithmes de plus de trente à quarante nombres ; mais, dans le même temps, il se donnait de la Corse cette image d'une république illusoire.

III

LE JEUNE OFFICIER

L'honneur d'être simple
lieutenant d'artillerie.

NAPOLÉON

Napoléon se présenta à Valence au début de novembre 1785 et fut affecté à une compagnie de bombardiers. Il loua une chambre chez une demoiselle Bou et prit ses repas à l'hôtel des Trois-Pigeons, avec plusieurs autres lieutenants. Il n'avait qu'une solde de 1 120 livres, mais la vie n'était pas chère et, sans faire bombance, on pouvait avec cette somme vivre décemment. Le règlement exigeait que les officiers issus des écoles militaires apprissent leur métier avant de prétendre commander. Autrement dit, ils étaient astreints à un stage probatoire d'environ trois mois. On était d'abord simple soldat, puis on faisait le service de sous-officier, enfin l'on était admis à remplir l'emploi de son grade. Ayant accompli son noviciat, Napoléon dut s'initier à la balistique, à la tactique et à la stratégie. L'artillerie et la marine passaient alors pour être les corps les plus savants d'Europe. À Sainte-Hélène, Napoléon louera – en termes émus – la bienveillance et la capacité de ses supérieurs, le chevalier de Lance, colonel du régiment, et le lieutenant-colonel d'Urtubie : « Des chefs entièrement paternels, les plus braves, les plus dignes gens du monde, purs comme de l'or... Les jeunes gens se moquaient d'eux mais les adoraient et ne faisaient que leur rendre justice. »

Cependant les exercices au polygone de tir n'absorbaient pas toutes les journées. Le sous-lieutenant Bonaparte n'avait pas assez d'argent pour faire le galant ou se dissiper dans les cafés. Il n'avait pas davantage le goût des réunions mondaines, encore qu'il fût reçu chez Mme du Colombier, laquelle tenait à Valence le haut du pavé et possédait une fille qui ne déplaisait pas au jeune officier. Alors, toujours un peu sauvage et solitaire, il préférait aux plaisirs la compagnie des livres. Il se rendait chez le libraire Aurel, empruntait les ouvrages qu'il ne pouvait s'offrir et courait s'enfermer dans sa chambre. C'était sa façon de goûter à la liberté et de se distraire. Il est à peine besoin de souligner que cette attitude intriguait non seulement ses camarades mais la société de Valence. Peu lui importait ! Tout ce qui lui tombait sous la main, il le dévorait, mais la plume à la main, notant les idées et les faits qu'il estimait importants ou utiles, s'essayant même à écrire pour son propre compte. Le premier manuscrit que l'on ait retrouvé de lui est daté du 26 avril 1786. C'est une déclaration assez naïve en faveur de Paoli et de l'indépendance corse, mais il renferme plusieurs concepts qui méritent d'être notés.

Sur le droit du peuple à l'insurrection il écrivait : « Écoutons le cri des préjugés : les peuples ont toujours tort de se révolter contre leurs souverains. Les lois divines le défendent. Qu'ont de commun les lois divines dans une chose purement humaine ? Mais, concevez-vous l'absurdité de cette défense générale que font les lois divines de jamais secouer le joug même d'un usurpateur ? Ainsi, un assassin assez habile pour s'emparer du trône après l'assassinat du prince légitime est aussitôt protégé par les lois divines et tandis que, s'il n'eût pas réussi, il aurait été condamné à perdre, sur l'échafaud, sa tête criminelle. Ne me dites pas qu'il sera puni dans l'autre monde, parce que j'en dirais autant des criminels civils. S'ensuivrait de là qu'ils ne doivent pas être punis dans celui-ci. Il est d'ailleurs simple qu'une loi est toujours indépendante du succès du crime qu'elle condamne. »

Sur le contrat du prince et de son peuple : « Quant aux lois humaines, il ne peut pas y en avoir dès que le prince les viole. Ou c'est le peuple qui a établi ces lois en se soumettant au prince ; ou c'est le prince qui les a établies. Dans le premier cas, le prince est inviolablement obligé d'exécuter les conventions par la nature même de sa principauté. Dans le second, ces lois doivent tendre au but du gouvernement qui est la tranquillité et le bonheur des peuples. S'il ne le fait pas, il est clair que le peuple rentre dans sa nature primitive et que le gouvernement, ne pourvoyant pas au but du pacte social, se dissout par lui-même ; mais disons plus : le pacte par lequel un peuple établit l'autorité souveraine dans les mains d'un corps quelconque, n'est pas un contrat, c'est-à-dire que le peuple peut reprendre à volonté la souveraineté qu'il avait communiquée. » Il est clair que Rousseau – celui du *Contrat social* – a laissé son empreinte dans cette tête de 16 ans, mais aussi qu'en un sens la Révolution s'est déjà faite en elle ! Napoléon n'aura même pas à se demander s'il doit émigrer ou non, puis servir ou non la jeune République. Il était déjà jacobin, en 1786, sans le savoir ! Toutefois, en écrivant ces pages exaltées, ce n'était pas à la France qu'il pensait, mais à la Corse. Et l'on peut lire sous la plume de cet étrange petit officier : « Ainsi, les Corses ont pu, en suivant toutes les lois de la justice, secouer le joug génois et peuvent en faire autant de celui des Français. Amen. »

Parfois le découragement, ou l'ennui, le gagnait, à moins que ce ne fût la fatigue cérébrale : ses lectures dispersées, incessantes, formaient un véritable chaos. Sous l'influence de quelle déception écrivit-il cette page que le jeune Werther n'eût pas désavouée : « Toujours seul au milieu des hommes, je rentre pour rêver avec moi-même et me livrer à toute la vivacité de ma mélancolie. De quel côté est-elle tournée aujourd'hui ? Du côté de la mort. Dans l'aurore de mes jours et je puis encore espérer de vivre longtemps. Je suis absent depuis six à sept ans de ma patrie. Quels plaisirs ne goûterai-je pas à revoir dans quatre mois et mes compatriotes et mes parents ! Des tendres sensations que me fait éprouver le souvenir des plaisirs de mon enfance, ne puis-je pas conclure que mon bonheur sera complet ? Quelle fureur me porte donc à vouloir ma destruction ? Sans doute, que faire dans ce monde ? Puisque je dois mourir, ne vaut-il pas autant se tuer ? Si j'avais déjà dépassé 60 ans, je respecterais le préjugé de mes contemporains et j'attendrais patiemment que la nature eût achevé son cours ; mais puisque je commence à éprouver des malheurs, que rien n'est plaisir pour moi, pourquoi supporterai-je des jours que rien ne me "prospère" ? Que les hommes sont éloignés de la nature ! Qu'ils sont lâches, vils, rampants ! Quel spectacle verrai-je dans mon pays ? Mes compatriotes chargés de chaînes et qui baisent en tremblant la main qui les opprime. »

Crise d'adolescence et mal du pays, penseront les prosaïques. Mais ne peut-on aussi déceler dans ces lignes – en ce sens tout à fait exemplaires – la première manifestation d'une supériorité qui se cherche et que les apparences contrarient ?

Les hommes de l'Ancien Régime finissant étaient l'indulgence même. Après dix mois de service à Valence, le sous-lieutenant Bonaparte obtint un congé de six mois pour se rendre dans sa famille. Ces vieux traîneurs de sabre en perruque poudrée entendaient fort bien que le jeunot eût besoin de revoir sa terre natale et mettaient tout bonnement certaines de ses bizarreries, voire son peu d'attrait pour le métier, sur le compte de l'ennui.

Voilà notre Bonaparte en Corse ! Il ne connaît plus personne et personne ne le connaît. Il débarque dans son fringant uniforme bleu sombre à parements rouges d'officier du roi, ce qui n'est pas la meilleure recommandation auprès des Paolistes. Autre singularité, il apporte une grosse malle bourrée de livres, sa seule richesse. Retrouvailles ! Letizia pousse devant elle ses derniers enfants : Pauline née en 1780, Caroline qui est de 1782, et le petit Jérôme qui n'a que 3 ans. Ils ouvrent de grands yeux sur cet « inconnu ». Après quelques jours de bavardages, Napoléon reprend ses habitudes : « celles d'un jeune homme appliqué et studieux, selon Joseph Bonaparte ; mais il était bien différent de ce que le présentent les auteurs des *Mémoires*, qui tous transmettent religieusement la même erreur, dès qu'elle a été émise une fois. Il était alors admirateur passionné de Jean-Jacques, ce que nous appelions être *habitant du monde idéal* ; amateur des chefs-d'œuvre de Corneille, de Racine, de Voltaire, que nous déclamions journellement. Il avait réuni les œuvres de Plutarque, de Platon, de Cicéron, de Cornélius Népos, de Tite-Live, de Tacite, traduites en français ; celles de Montaigne, de Montesquieu, de Raynal... Je ne nie pas qu'il n'eût aussi les poèmes d'Ossian, mais je nie qu'il les préférât à Homère. »

Joseph prend la peine d'indiquer que son frère s'efforçait de parler la langue du pays, car il projetait d'écrire une histoire de la Corse. Mais Napoléon devait aussi s'occuper des affaires de la famille, en particulier de l'avenir de ses frères et sœurs. Malgré les efforts de Letizia, la plantation de mûriers, concédée naguère par « le tyran » de la Corse, les pépinières périclitaient. Le vieil oncle Lucien souffrait de la goutte et c'était une complication de plus. Napoléon effectuait les démarches, rédigeait des suppliques, tout en se documentant auprès des survivants des guerres paolistes et en furetant dans les vieux papiers.

Il avait tant à faire qu'il sollicita une prolongation de congé, qui lui fut accordée ! Il ne quitta la Corse que le 22 septembre 1787, mais pour se rendre à Paris. Il s'était mis en tête d'obtenir une indemnité pour sa mère, afin de remettre en état la fameuse pépinière. Il se rendit dans les bureaux, se fit recevoir par Loménie de Brienne. Il découvrit aussi la capitale, qu'il n'avait pas eu loisir de visiter pendant son séjour à l'école militaire. En passant au Palais-Royal, il se fit accrocher par une prostituée bretonne qui le déniaisa. De retour chez lui (à l'hôtel de Cherbourg), il s'empressa de noter le récit de cette rencontre : pour lui, rien n'était banal, tout ce qui le concernait prenait un relief extraordinaire, méritait d'être couché sur le papier et daté : « L'heure, la taille, sa grande jeunesse ne me firent pas douter qu'elle ne fût une fille. Je la regardais : elle s'arrêta non pas avec cet air grenadier des autres, mais un air convenant parfaitement à l'allure de sa personne. Ce rapport me frappa. Sa timidité m'encourageant, je lui parlai… Je lui parlai, moi qui, pénétré plus que personne de l'odieux de son état, me suis toujours cru souillé par un seul regard… Mais son teint pâle, son physique faible, son organe doux ne me firent pas un moment en suspens (*sic*). Ou c'est, me dis-je, une personne qui me sera utile à l'observation que je veux faire, ou elle n'est qu'une bûche. »

Bonaparte veut-il être auteur ou militaire ? On peut se le demander. C'est en tout cas un étrange touriste, car il trouve moyen, à Paris comme ailleurs, de s'enfermer dans sa chambre et d'écrivailler sans fin !

27 novembre (1787), 11 heures du soir.
J'ai à peine atteint l'âge… et cependant je manie le pinceau de l'histoire. Je connais ma faiblesse… mais peut-être pour le genre d'écrit que je compose, c'est la meilleure situation d'âme et d'esprit. J'ai l'enthousiasme qu'une étude plus profonde des hommes détruit souvent dans nos cœurs. La vénalité de l'âge viril ne salira pas ma plume. Je ne respire que la vérité.

Toujours à Paris, il rédigea un discours sur l'amour de la patrie et l'amour de la gloire où il opposait la vanité des héros de la monarchie à la grandeur des Spartiates et des héros de l'indépendance… corse. Il écrivit encore une lettre supposée de Théodore (cet aventurier allemand qui s'était proclamé roi de Corse en 1736) à Milord Walpole. On y relève cette phrase symptomatique : « Vous souffrez et vous êtes malheureux. Ce sont bien deux titres pour avoir droit à la pitié des Anglais. Sortez donc de votre prison et recevez 3 000 livres de pension pour votre subsistance. » En 1815, ce ne sera pas une pension que la générosité britannique offrira à Napoléon, mais Sainte-Hélène !

Les démarches parisiennes n'aboutissant pas et l'argent s'amenuisant, Napoléon retourna en Corse.

D'une prolongation à l'autre, toujours sous le prétexte d'arranger ses affaires de famille, il tira vingt mois de congé. Quelque débonnaire que fût l'administration, il fallait rejoindre. Ce qu'il fit en juin 1788. Le régiment de La Fère cantonnait alors à Auxonne, petite ville de Bourgogne et siège d'une école d'artillerie commandée par le général du Teil. Là, Napoléon partagea son temps entre l'étude de l'artillerie et la lecture. Jamais ses activités intellectuelles n'avaient été aussi intenses, les manuscrits en font foi. Ils traitent de problèmes fort complexes, de balistique, mais aussi d'une foule de questions : la République de Platon, le gouvernement des anciens Perses, la géographie et l'histoire de la Grèce, le gouvernement d'Athènes, celui de Lacédémone, les pyramides d'Égypte, Carthage, l'Assyrie, l'histoire des établissements et du commerce des Européens dans les deux Indes (par l'abbé Raynal), l'histoire de l'Angleterre, Frédéric II, les mémoires de l'abbé de Terray, contrôleur général des finances, la Compagnie des Indes, les mémoires du baron de Tout sur la Turquie, les lettres de cachet, les lettres de l'Espion anglais sur le règne de Louis XV et de Louis XVI, l'*Histoire naturelle* de Buffon, l'histoire des Arabes, le *Discours sur l'histoire universelle* de Bossuet, etc.

Il étudiait aussi l'*Essai général de tactique* de Guibert. C'était alors la bible des officiers dignes de ce nom. Qu'enseignait Guibert ? Le maniement d'une armée « nationale » et non plus « mercenaire ». Que conseillait-il ? La concentration des forces sur un point donné, la cohésion de tous les corps formant une armée, la rapidité des mouvements pour déconcerter l'adversaire. Autrement dit l'essentiel de la stratégie napoléonienne ! Mais le lieutenant Bonaparte pouvait aussi méditer cette étrange prophétie : « Alors un homme s'élèvera, peut-être resté jusque-là dans la foule et l'obscurité, un homme qui ne se sera fait un nom ni par ses paroles ni par ses écrits, un homme qui aura médité dans le silence, un homme enfin qui aura peut-être ignoré son talent, qui ne l'aura senti qu'en l'exerçant et qui aura très peu étudié. Cet homme s'emparera des opinions, des circonstances, de la fortune, et il dira du grand théoricien ce que l'architecte praticien disait devant les Athéniens de l'architecte orateur : ce que mon rival vous a dit, je l'exécuterai. »

La Révolution menaçait. En avril 1789, Bonaparte fut envoyé à Seurre (Côte-d'Or), avec une centaine d'hommes, pour réprimer une émeute populaire. De retour à Auxonne, il assista au saccage des bureaux d'octroi et, fait plus grave, à une mutinerie des canonniers réclamant la caisse du régiment. Que pensait-il de cette anarchie naissante, des nouvelles alarmantes qui parvenaient de Paris, des mots d'ordre qui circulaient ? Il est à croire qu'il se sentait encore trop peu « français » pour être directement concerné. Il n'éprouvait pas pour la personne du roi l'attachement de la plupart des autres officiers. N'avait-il pas écrit : « Il y a fort peu de rois qui n'eussent pas mérité d'être détrônés » ? Il restait corse avant tout et se demandait si le moment n'approchait pas de profiter des événements pour libérer la terre natale. Il sollicita donc un nouveau congé. Il arriva à Ajaccio en septembre 1789 pour un séjour qui devait durer quinze mois. C'est dire que la situation intérieure de la France ne l'intéressait que peu.

IV

LE PAOLISTE

Napoléon trouva la Corse divisée en deux clans. Elle avait élu, sans trop de difficultés, ses quatre députés aux États généraux : le comte Buttafoco représentant la noblesse, l'abbé Peretti, le clergé, l'avocat Salicetti et le comte Colonna Césari, le tiers. Buttafoco, entraînant dans son sillage l'abbé Peretti, était chef de la faction *française* ; il agissait en liaison étroite avec le commandant des troupes *d'occupation*, le vicomte de Barrin, et avec son adjoint Gafferi. Les paolistes rêvaient toujours d'indépendance, quoique divisés sur la forme institutionnelle qu'il convenait de lui donner. M. de Barrin, sous l'impulsion de la faction française ou, plus exactement royaliste, ne publiait ni les informations ni les instructions de Paris, ni même les décrets de l'Assemblée. Ses soldats continuaient à arborer la cocarde blanche. Première surprise pour le lieutenant Bonaparte !

Pour faire pièce aux royalistes, Salicetti et Colonna avaient saisi l'Assemblée d'un projet de comité composé de vingt-trois membres et qui assurerait démocratiquement l'administration de la Corse. Mais le gouverneur de l'île, parant le coup, s'était empressé de réunir un comité des Douze inféodé à la noblesse locale. Devant une telle situation, tout autre que Bonaparte se fût rembarqué, du moins tenu en dehors du conflit qui s'amorçait. Lui, se démena comme un diable, rassemblant ses amis et parents, leur exposant avec flamme les événements de la capitale, les incitant à prendre la cocarde tricolore et à fonder un club.

Ce qu'apprenant, le gouverneur expédie Gafferi avec un détachement de Salis-Grisons à Ajaccio. Napoléon va-t-il s'opposer par la force à cette intrusion ? Il y renonce devant la disproportion des forces. Au surplus la population ajaccienne lui est acquise ; il sait donc que Gafferi a fait un pas de clerc et qu'il ne lui reste qu'à décamper. Pour la première fois dans sa vie publique, il a choisi entre la rébellion armée et la légalité : et cela est une autre de ses constantes ; il ne consent pas à violer la loi, il la tourne, *légalement*. Le gouverneur s'étant mis en défaut, il le dénonce dans une lettre collective, le premier document de cette nature qu'il ait signé, lettre curieusement adressée « à Nosseigneurs de l'Assemblée nationale ». Elle commence de la sorte : « Lorsque des magistrats usurpent une autorité contraire à la loi, lorsque des députés sans mission prennent le nom du peuple pour parler contre son cœur, il est permis à des particuliers de s'unir, de protester et, de cette manière, résister à l'oppression. »

Après avoir expédié cette diatribe, il se rend à Bastia avec une provision de cocardes nationales. Il les distribue aux habitants, puis forme une espèce de comité révolutionnaire lequel se rend en délégation auprès de M. de Barrin : on lui demande l'autorisation de créer une milice. On tente d'associer l'armée au mouvement. M. de Barrin rétablit l'ordre et expédie l'indésirable lieutenant à Ajaccio. Premier échec ! Très certainement M. de Barrin va rédiger un rapport pour Paris, accusant Bonaparte d'être un fauteur de troubles. Mais Salicetti et Colonna lui coupent l'herbe sous le pied ; ils envoient leur propre rapport et, prenant prétexte de la situation bastiaise, posent à l'Assemblée la question brûlante : la Corse continuera-t-elle à être occupée militairement, comme une colonie ? Sera-t-elle restituée à Gênes, ou déclarée partie intégrante de la monarchie française ? Dans cette dernière hypothèse, il va de soi que les délits insurrectionnels seront amnistiés puisque leur unique but était l'application des lois de l'Assemblée.

L'Assemblée nationale fait droit à cette demande, déclare l'île de Corse partie de l'empire et, comme telle, régie par les lois communes. Bien plus, Mirabeau propose que les Corses ayant combattu pour la liberté puissent rentrer chez eux et jouir d'une amnistie pleine et entière. Motion adoptée, malgré l'opposition de la droite.

À la suite de quoi le lieutenant Bonaparte sollicite un nouveau congé, pour raison de santé, avec certificat médical à l'appui ! Le retour de son idole, le grand Paoli, est en effet annoncé. En outre, il veut activer la rédaction de ses *Lettres sur la Corse*, car il est résolu à se pousser au premier rang et il estime que cet ouvrage attirera l'attention.

En juin 1789, il avait envoyé à Paoli sa lettre fameuse :

Général,

Je naquis quand la patrie périssait. Trente mille Français vomis sur nos côtes, noyant le trône de la Liberté dans les flots de sang, tel fut le spectacle odieux qui vint le premier frapper mes regards.

Les cris du mourant, les gémissements de l'opprimé, les larmes du désespoir environnèrent mon berceau.

Vous quittâtes votre île et, avec vous, disparut l'espérance du bonheur.

L'espérance revenait donc en Corse, grâce à Mirabeau, mais comment Paoli accueillerait-il le fils de Charles Bonaparte ? « Les traîtres à la Patrie, poursuivait Napoléon, les âmes viles que corrompit l'amour d'un gain sordide, ont, pour se justifier, semé des calomnies contre le gouvernement national et contre votre personne. » Dans quel parti s'était donc rangé le pauvre Charles devenu l'ami de Marbeuf et des Français ? Le vieux renard dut penser que Napoléon, en lui écrivant de cette encre, cherchait à se rédimer, à faire oublier la « trahison » de son père, et à se placer ! Mais pourquoi ? N'était-il pas officier du roi, après avoir été éduqué à ses frais, grâce aux complaisances de Charles ? En outre, sur un autre plan, Paoli appréciait-il réellement la décision de l'Assemblée nationale ? N'eût-il pas préféré quelque pacte fédératif associant, mais n'incluant pas, la Corse à la France ? Avant même la rencontre Paoli-Bonaparte il y a cette fissure...

Le retour du vieux chef fut un véritable triomphe. Investi, dès son arrivée, du commandement des milices corses et des pleins pouvoirs pour organiser l'administration, il exerça de fait une véritable dictature. La majorité du peuple était pour lui, principalement le peuple des campagnes. Mais, peu à peu, le « Babbo » se laissa gagner par les royalistes de Buttafoco. C'était un modéré ; les outrances révolutionnaires lui déplaisaient. Est-ce pour cela que Joseph Bonaparte, en dépit des efforts de son frère, ne fut élu président que du district d'Ajaccio, et non de celui de Bastia alors capitale de l'île ? Déjà, une rumeur commençait à se répandre, accusant Paoli de vouloir mobiliser les Corses afin de chasser les Français au profit de l'Angleterre. Cependant, lorsqu'il fut dénoncé par Buttafoco comme traître à la patrie et « charlatan politique », Napoléon prit sa défense ; il se chargea même de rédiger la célèbre *Lettre à Matteo Buttafoco*. Mais son admiration pour Paoli était-elle intacte ? Ou bien, car c'est un autre penchant de son caractère, ne pouvait-il se déprendre si facilement de ce qu'il avait révéré ? On le verra plus tard conserver près de lui et protéger des hommes dont il connaît les vices ou la trahison, simplement parce qu'il leur avait, une fois pour toutes, donné son estime. En sorte quc cette indulgence qui passera pour une faiblesse n'était en réalité qu'une sorte de fidélité.

Datée du domaine de Milleli, 23 janvier 1791, la lettre à Buttafoco n'est qu'une longue diatribe contre les ennemis de la Corse, écrite dans le plus pur style révolutionnaire et dans laquelle Bonaparte invoque, entre autres ténors, Robespierre et Mirabeau.

Le club d'Ajaccio vota par acclamations l'impression de ce petit texte. Après quoi, convaincu d'avoir sauvé la patrie, Napoléon prit le bateau avec son frère Louis. Il devenait urgent pour lui de rejoindre son régiment toujours cantonné à Auxonne. Dès son arrivée (en février 1791), il se mit en devoir de faire imprimer la *Lettre*. Le 14 mars, il en adressa quelques exemplaires à Paoli et lui demanda en même temps de lui procurer des documents pour achever l'histoire de la Corse. Ô déconvenue ! Le vieux Paoli lui répondit par une lettre courtoise mais hostile : « Ne vous donnez pas la peine de démentir les impostures de Buttafoco ; cet homme ne peut avoir de crédit auprès d'un peuple qui a toujours estimé l'honneur et qui maintenant a recouvré sa liberté. Prononcer son nom, c'est lui faire plaisir. » Au sujet de la communication des documents, même réticence : « Je ne puis à présent ouvrir mes caisses et chercher mes écrits. D'autre part, l'histoire ne s'écrit pas dans les années de jeunesse. » Désaveu et refus, avec en filigrane la méfiance : Paoli n'avait nulle envie de voir Napoléon triturer ses papiers, en extraire quelque venimeuse contrevérité ! Pourtant Napoléon ne se tint pas pour battu et fit donner Joseph, auquel le vieux chef répondit sèchement : « J'ai reçu la brochure de votre frère : elle aurait fait plus grande impression si elle avait dit moins et si elle avait montré moins de partialité. J'ai autre chose à penser maintenant qu'à rechercher des écrits et à les faire copier ».

Sur ces entrefaites, Bonaparte fut affecté au 4e régiment d'artillerie et promu (malgré ses absences répétées !) lieutenant en premier. Ce régiment, dit « de Grenoble », stationnait à Valence où Bonaparte retrouva la chambre de Mlle Bou, le libraire Aurel, les amis de naguère. Il s'occupait maternellement de son petit frère dont il s'était improvisé l'instituteur et dont il assurait l'entretien sur sa modeste solde afin d'alléger les charges de sa mère ! Il dévorait toujours les livres d'Aurel et couvrait de ses notes des cahiers entiers. Mais il écrivait aussi pour son propre compte, notamment un discours intitulé *République ou monarchie* et, surtout, le discours sur la question proposée par l'académie de Lyon : *Quelles vérités et quels sentiments importe-t-il le plus d'inculquer aux hommes pour leur bonheur ?*

De plus en plus républicain, il réunissait les sous-officiers de sa compagnie et leur commentait les journaux. Il assistait aux séances de la Société des Amis de la

Constitution. « S'endormir la cervelle pleine des grandes choses publiques et le cœur ému des personnes que l'on estime et que l'on a un regret sincère d'avoir quittées, c'est une volupté que les grands épicuriens seuls connaissent », écrit-il sans rire. Il se demande s'il y aura la guerre, car « l'Europe est partagée par des souverains qui commandent à des hommes et par des souverains qui commandent à des bœufs ou à des chevaux ». Selon lui, les rois qui commandent à des hommes (par exemple le roi d'Angleterre) feraient volontiers des sacrifices pécuniaires pour abattre la Révolution, mais ils n'oseront de crainte qu'elle s'allume chez eux. Quant aux rois qui commandent à des chevaux, ils méprisent la Révolution et croient qu'elle entraînera la chute de la France. C'est un peu simpliste !

Le risque de guerre ne l'empêche point de revenir en Corse dès que le ministre de la Guerre l'y autorise. Septembre 1791 : l'île est en ébullition ! Joseph est candidat à la députation, mais Paoli veille, de plus en plus influencé par les royalistes dont les nouveaux chefs sont Pozzo di Borgo et Péraldi. Joseph ne décroche qu'une petite place au directoire du département. Quant à Napoléon, il est élu, au prix de quelles intrigues misérables, lieutenant-colonel en second d'un bataillon de volontaires ! Négligeons les détails, car entrer dans le dédale des querelles politiques corses, en 1791-1792, c'est s'y perdre ! Là comme ailleurs, la Constitution civile du clergé oppose les habitants des campagnes et ceux des villes. Une émeute éclate à Ajaccio. Napoléon est compromis ; il repart brusquement pour la France, dans le but de se faire réintégrer. On manque d'officiers. À force de provocations, les girondins ont provoqué la guerre. L'atmosphère de la capitale est dramatique. Dans une lettre à Joseph, du 22 juin 1792, Napoléon relate les événements :

« Les jacobins n'ont pas le sens commun. Avant-hier 7000 à 8000 hommes, armés de piques, de haches, d'épées, de fusils, de broches, de bâtons pointus se sont portés à l'Assemblée pour y faire une pétition. De là ils ont été chez le roi. Le jardin des Tuileries était fermé et 15 000 gardes nationaux le gardaient. Ils ont jeté bas les portes, sont entrés dans le palais, ont braqué les canons contre l'appartement du roi, ont jeté à terre quatre portes, ont présenté au roi deux cocardes, une blanche et l'autre tricolore. Ils lui ont donné le choix. "Choisis donc, lui ont-ils dit, de régner ici ou à Coblentz." Le roi s'est bien montré. Il a mis le bonnet rouge. La reine et le prince royal en ont fait autant. Ils ont donné à boire au roi. Ils sont restés quatre heures dans le Palais. Cela a fourni amples matières aux déclarations aristocratiques des feuillantins. Il n'en est pas moins vrai cependant que tout cela est inconstitutionnel et de très dangereux exemple. Il est bien difficile de deviner ce que deviendra l'empire dans une circonstance aussi orageuse. »

Poursuivant ses démarches dans les bureaux du ministère, il obtint non seulement sa réintégration dans le 41ᵉ régiment d'artillerie, mais sa promotion au grade de capitaine. Son brevet est daté du 30 août 1792, « l'an 4ᵉ de la liberté ». Il porte la signature de Louis XVI et le contreseing de Servan. À cette date, le roi n'était plus rien, mais il avait signé des brevets en blanc et l'on s'était servi probablement de l'un d'entre eux.

Le nouveau capitaine venait d'assister à l'insurrection du 10 août qui devait lui laisser un souvenir ineffaçable. Il l'évoquait encore à Sainte-Hélène : « Au bruit du tocsin, confiait-il à Las Cases, et à la nouvelle que l'on donnait l'assaut aux Tuileries, je courus au Carrousel chez Fauvelet, frère de Bourrienne, qui y tenait un magasin de meubles. Il avait été mon camarade à l'école militaire de Brienne. C'est de cette maison que je pus voir à mon aise tous les détails de la journée... Le Palais forcé et le roi rendu dans le sein de l'Assemblée, je me hasardai à pénétrer dans le jardin. Jamais, depuis, aucun de mes champs de batailles ne me donna l'idée d'autant de cadavres que m'en présentèrent les masses des Suisses ; soit que la petitesse du local en fît ressortir le nombre, soit que ce fût le résultat de la première impression que j'éprouvais en ce genre. J'ai vu des femmes bien mises se porter aux dernières indécences sur les cadavres des Suisses. » Le même jour, il écrivait à Joseph : « Si Louis XVI se fût montré à cheval, la victoire lui fût restée. »

Est-ce la chute de la royauté qui le détermina à ne pas rejoindre son régiment ? Il aurait dû s'en réjouir, puisqu'il affichait, en toutes circonstances, le républicanisme le plus ardent. Au lieu de cela, il retira en hâte de Saint-Cyr celle de ses sœurs qui y était élevée et partit pour Marseille. Ce départ précipité ressemblait fort à une fuite. Rien n'appelait plus Bonaparte en Corse. Il était évident qu'il ne pouvait espérer jouer aucun rôle parmi ses compatriotes. Les paolistes faisaient bonne garde. Joseph n'avait même pas pu se faire élire député à la Convention. Paoli n'avait nulle envie de se démettre, ni de prendre le jeune Napoléon comme lieutenant. Pour se débarrasser de lui, il le lança dans une opération hasardeuse : la conquête de la Sardaigne, mais sous les ordres d'un sien neveu. Bien entendu, l'expédition mal préparée échoua piteusement. Ce fut le moment que choisit le petit Lucien (17 ans !) pour accuser, de sa propre initiative, sans même en référer à ses frères, Paoli de menées fédéralistes. La dénonciation faite au club de Toulon fut aussitôt transmise à la Convention. Celle-ci décréta Paoli d'accusation, et délégua plusieurs commissaires, dont Gasparin, avec les pleins pouvoirs. Mais le vieux chef avait plus d'un tour dans son sac. Il mobilisa ses partisans. Les Bonaparte devinrent, par un magistral retournement de situation, des ennemis publics. Arrêté à Bocognagno, Napoléon parvint à s'échapper, rallia Salicetti à Bastia, tenta vainement de s'emparer d'Ajaccio, rejoignit enfin les siens à Calvi et s'embarqua pour la France le 11 juin 1793. L'aventure corse s'achevait. La faute en revenait pour une large part au petit Lucien, mais, pour Napoléon, cette faute était une chance.

V

LE MONTAGNARD

Les Bonaparte arrivèrent à Toulon le 13 juin et s'installèrent, provisoirement, au village voisin de La Valette, avant de se fixer à Marseille. Leur maison ayant été pillée et saccagée par les paolistes, ils ne devaient pas être encombrés de bagages. Napoléon se rendit à Nice pour rejoindre le détachement du 4e régiment d'artillerie qui y était cantonné. Il retrouva dans cette ville Jean du Teil, commandant l'artillerie de l'armée d'Italie et frère du général du Teil naguère commandant des artilleurs d'Auxonne. Du Teil affecta le capitaine Bonaparte à la 12e compagnie et l'envoya à Avignon pour y former un convoi de poudres. Or, à cette époque, des Marseillais rebelles occupaient Avignon. L'armée du général Carteaux marchait contre eux. Selon la tradition, c'eût été la première campagne de Napoléon. Rien n'est moins sûr et, chose bizarre, il n'y fit jamais allusion. Par contre il est certain que ce fut dans cette période que, pour attirer l'attention sur lui (puisqu'il se trouvait en somme contraint d'opter pour la France), il écrivit *Le Souper de Beaucaire*. Peu après, les représentants du peuple, Salicetti et Gasparin, le désignèrent en remplacement du chef de bataillon Dammartin grièvement blessé devant Toulon. « Le hasard nous servit à merveille », écrit Salicetti. C'est à merveille aussi qu'il sert Napoléon ! Le destin des grands hommes tient toujours à un fil. Lorsque Bonaparte paraît à Toulon, il entre de plain-pied dans l'Histoire ; c'est aussi une phase de sa vie qui prend fin.

Arrêtons-nous un instant, pour tenter de le peindre, tel qu'il était en 1793. Il n'existe aucun portrait de lui exécuté cette année-là. Par contre un ami l'a peint en 1791, avec l'uniforme à plastron blanc des volontaires nationaux. Le visage est fin, sans dureté excessive mais non sans noblesse. Les traits sont fermes, avec un nez mince et droit, un menton volontaire et, sous des arcades sourcilières au dessin net, un regard attentif, perspicace, mais non encore impérieux. Les cheveux longs, bien peignés, avec une queue nouée par un ruban. Le teint est basané. On devine la sveltesse nerveuse du corps, aux épaules un peu étroites. C'est un jeune homme presque séduisant. Mais ce qui frappe en lui, dès l'abord, et retient, c'est le regard d'un bleu si dense qu'il semble noir.

À Toulon, il devait être de même, avec, en plus, la gravité républicaine, appuyée, ostentatoire, qui était de mise. Psychologiquement, politiquement, il est malaisé à définir et d'autant qu'il évolue au fil des événements et que ceux-ci vont vite. Le Bonaparte du *Discours de Lyon* n'est plus celui du *Souper de Beaucaire*.

Le Discours de Lyon abondait en naïvetés généreuses. Une citation de Raynal l'éclairait : « Il y aura des mœurs lorsque les hommes seront libres. » L'auteur du *Souper de Beaucaire* est moins lyrique, mais plus engagé. Il s'aligne très exactement sur la conjoncture politique. Il a pris également un autre ton : plus grave, plus précis, moins déclamatoire, moins outré. On perçoit qu'il s'agit d'un homme nouveau : il est conscient de son importance ; il se sent utile à la Patrie ; il est devenu un citoyen de l'Empire français : car les révolutionnaires désignaient ainsi le ci-devant royaume de France et de Navarre et, dès lors, on comprend qu'ils n'auront aucune peine à s'intégrer à l'Empire ; ce n'était pour eux qu'affaire de majuscule ! Pour se pénétrer de l'esprit républicain en 1793, il faut relire Stendhal et les *Souvenirs* du docteur Poumiès. Ce dernier précise que, dans son village périgourdin, le quatrième couplet de *La Marseillaise* se chantait à genoux comme un hymne religieux :

Tremblez, Tyrans, et vous, perfides,
L'opprobre de tous les partis !
Tremblez, vos projets parricides
Vont enfin recevoir leur prix (bis).
Tout est soldat pour vous combattre.
S'ils tombent, nos jeunes héros,
La terre en produit de nouveaux,
Contre vous, tout prêts à se battre.

93 était, pour la jeune République, l'année cruciale. Les Conventionnels avaient tué le roi et la reine et se trouvaient face à leur destin. Au mois de mars, le peuple de Vendée s'était dressé comme un seul homme pour défendre ses autels mais en brandissant les étendards du roi. Le mouvement fédéraliste contestait le pouvoir central, non point seulement de paroles, mais les armes à la main. L'étranger menaçait les frontières. Toulon, plutôt que de subir la dictature du Comité de salut public, s'était donnée aux Anglais et aux Espagnols. Marseille s'apprêtait à l'imiter. Partout le sang coulait et la haine particulière aux guerres civiles, féroce, implacable, se déchaînait. Par bonheur, la France était défendue par une multitude de « jeunes héros », les durs, les purs, de la République, pénétrés jusqu'aux moelles de leur dignité nouvelle d'hommes libres et, comme tels, de leur utilité, non seulement à la patrie, mais au monde. Cette notion d'utilité, si curieuse, Stendhal est le seul historien à l'avoir soulignée : « Nous n'avions aucune sorte de religion ; notre sentiment intérieur et sérieux était tout rassemblé dans cette idée : *Être utile à la Patrie*. Tout le reste, l'habit, la nourriture, l'avancement, n'était à nos yeux qu'un misérable détail éphémère. Comme il n'y avait pas de société, *les succès dans la société*, chose si principale dans le caractère de notre nation, n'existaient pas. Dans la rue, nos yeux se remplissaient de larmes, en rencontrant sur le mur une inscription en l'honneur du jeune tambour Bara. »

Telle était l'atmosphère que découvrit Bonaparte à son retour de Corse, les orientations nouvelles, le durcissement des positions et le caractère des citoyens-soldats qu'il allait commander. *Le Souper de Beaucaire* n'est rien d'autre qu'un manifeste politique, présenté sous forme de dialogue. Que fait le militaire (c'est-à-dire Bonaparte lui-même) au cours de cette soirée passée avec un Marseillais, un Nîmois et un Montpelliérain ? Il prêche contre le mouvement fédéraliste, contre la trahison des girondins. Au lieu de se répandre en invectives (comme dans la *Lettre à Buttafucco*), il écoute attentivement ses partenaires, puis raisonne leur cas avec fermeté. Il leur montre qu'en s'opposant au pouvoir central ils pactisent avec les contre-révolutionnaires vendéens. Ce n'est plus le simple républicain qui s'exprime, celui de 1791 et de 1792, mais un vrai montagnard sous lequel, par instants, perce le proscrit :

« Vous avez, dites-vous, le drapeau tricolore ? Paoli aussi l'arbora en Corse, pour avoir le temps de tromper le peuple, d'écraser les vrais amis de la liberté, pour pouvoir entraîner ses compatriotes dans ses projets ambitieux et criminels ; il arbora le drapeau tricolore, et il fit tirer contre les bâtiments de la République, et il fit chasser nos troupes des forteresses, et il désarma tous les détachements qu'il put surprendre, etc., et il ravagea et confisqua les biens des familles les plus aisées. »

Composant cette prose, il donnait, certes, des gages à Paris, prenait résolument parti, faisait acte de loyalisme envers le Comité de salut public. Mais était-ce de sa part une adhésion de principe, ou bien nourrissait-il à l'égard de Robespierre une admiration réelle quoique passagère ? Il dira plus tard, à Sainte-Hélène (*Mémorial* de Las Cases), qu'il ne croyait à l'Incorruptible « ni talent, ni force, ni système ». Mais en 1793 ? Il est vrai qu'alors Robespierre régnait en maître absolu, qu'il était le pouvoir en place et que Bonaparte cherchait sa voie, ayant perdu beaucoup de temps. Car, s'il plongeait en lui-même, que trouvait-il, sinon des ambitions déçues, l'amertume des occasions manquées et des enthousiasmes flétris, l'incertitude de l'avenir et l'inutilité d'un immense labeur ? Il a lu en effet tout ce qui lui tombait sous la main et tout analysé, avec un emportement étrange, et pas seulement parce qu'il était un jeune officier pauvre. Il a rempli ses cahiers de notes disparates. Ce chaos de lectures, son intelligence l'a clarifié, distillé, inventorié, inlassablement. Son impeccable mémoire en a retenu l'essentiel, on veut dire ce qui pouvait être utile, ce qui pouvait servir. Mais à quoi ? Quelle obscure prescience le portait ainsi à étudier le caractère et la vie des grands hommes, les particularités des peuples, les modes de gouvernement ? Se sentait-il « appelé » ? En effet ce qui le singularise, c'est qu'officier de métier, il ne songe pas encore sérieusement à faire une carrière de soldat. Ce sont des fonctions civiles, des magistratures publiques qui l'attirent, à l'imitation de Paoli. À l'époque où de jeunes hommes (les Hoche, les Marceau...) devenaient aisément généraux et se couvraient de gloire, Bonaparte rêvait de l'indépendance corse ; il s'égarait dans des querelles de clocher, dans des intrigues ridicules. Quoique expert en canons – et il montrera sous peu sa compétence –, il dédaignait l'armée. Pour qu'enfin il se trouve et sorte de l'amateurisme, il faudra que Gasparin et Salicetti lui confient l'artillerie de Toulon. Alors, en quelques jours, il se révélera un organisateur de premier ordre et un entraîneur d'hommes. À point voulu, les enseignements de Guibert et des manuels de tactique, l'expérience acquise aux polygones de Valence et d'Auxonne lui reviendront en mémoire, confortant une intuition déjà infaillible. L'ambiance tumultueuse d'une première bataille et la sombre ivresse d'une première victoire le marqueront pour jamais. L'ambition percera, canalisant des forces jusque-là éparses. Cependant l'attrait des magistratures civiles, le désir bizarre de gouverner les autres hommes persisteront en lui, mais soutenus par de nouveaux moyens.

Toulon, c'est le véritable acte de naissance de Bonaparte.

Deuxième partie

L'ASCENSION

(1793-1799)

Quand Napoléon parut et fit cesser les déroutes continuelles auxquelles nous exposait le plat gouvernement du Directoire, nous ne vîmes en lui que l'utilité militaire de la dictature. Il nous procurait des victoires, mais nous jugions toutes ses actions par les règles de la religion qui, dès notre première enfance, faisait battre nos cœurs ; nous ne voyions d'estimable en elle que l'utilité à la patrie.

Stendhal, *Mémoires sur Napoléon*

I

TOULON

Si l'on était ingrat avec lui, il avancerait tout seul.

Général DUGOMMIER

Indépendamment des volontaires toulonnais, la ville était défendue par une escadre britannique, 6000 Napolitains et 7000 Espagnols. De nombreux forts bien pourvus d'artillerie couvraient sa double rade. Ce n'était donc pas une mince entreprise que de reprendre cette place : d'autant que les représailles exercées dans les villes reconquises par les républicains incitaient à une résistance désespérée. Brest, Lyon, Bordeaux, Marseille n'avaient cependant point commis le crime de se donner aux Anglais ! Les Toulonnais n'avaient donc pas de pardon à attendre, et ils le savaient. L'armée assiégeante était, heureusement pour eux, commandée par un général de vaudeville, le dénommé Carteaux, ci-devant peintre en bâtiment, gendarme et dragon. D'une nullité militaire n'ayant d'égale que sa prétention, il prit un air protecteur pour accueillir le petit capitaine. L'autre le jugea d'un coup d'œil, mais il était résolu à jouer le jeu.

Le matamore doré sur tranche l'emmène inspecter les batteries, réduites à quatre canons et deux mortiers, les munitions à l'avenant ! Malgré lui, Bonaparte marque son étonnement, pose de ces questions brèves, précises, rapides, dont il a le secret. Carteaux ne se démonte pas pour si peu. Il répond « qu'il a tout prévu, qu'il a placé ses canons sur du fumier pour éviter l'incendie, très commun, des plates-formes en solives de bois, qu'il n'a pas voulu établir des grils pour chauffer les boulets, parce qu'il avait trouvé des foyers tout faits dans les cheminées des paysans et que, d'ailleurs, si une sortie de l'armée anglaise arrivait jusqu'à la partie, il aurait bientôt délogé, et, le lendemain sa batterie pourrait être rétablie là où il le jugerait convenable. » Bonaparte lui fait observer que, de cet emplacement, les boulets ne risquent pas d'aller au but. L'autre se récrie. On tire un coup d'épreuve. Le boulet ne parcourt pas le tiers de la distance. Carteaux beugle que les poudres sont gâtées et qu'après tout c'est l'infanterie qui prend les places. Bonaparte réplique qu'en pareil cas, c'est plutôt l'artillerie et, péremptoire : « Faites votre métier et laissez-moi faire le mien. » Le jour même, il se met à l'ouvrage et détermine l'emplacement d'une batterie qu'il baptise Batterie de la Montagne. Le 19 septembre, cette batterie commence à tirer ; elle nettoie l'isthme de deux pontons et d'une frégate qui le barrent. Là, se trouve le nœud de l'affaire. Que l'on se rende maître de la pointe de l'Éguillette qui sépare la petite et la grande rade, et Toulon tombera. Bonaparte a reçu du matériel ; le 20 septembre, il établit une seconde batterie, celle des sans-culottes. Le bombardement s'intensifie. Les Anglais, pris d'inquiétude, lancent une attaque contre les damnées batteries. Par sa présence d'esprit et son courage, Bonaparte sauve la situation. Est-ce en cette circonstance qu'il prend la place d'un canonnier mortellement blessé, saisit le refouloir et contracte la gale dont il devait si longtemps souffrir ? Les représentants du peuple sont enchantés de son zèle et le proposent pour le grade de chef de bataillon. Ils demandent en même temps le rappel de Carteaux qui est bientôt remplacé par un général de son acabit, Doppet, ci-devant médecin. Mais ce dernier, au cours d'un assaut, fait sonner brusquement la retraite, parce qu'il ne supporte pas la vue du sang. C'est un général rousseauiste ! « Toulon est manqué, hurle Bonaparte. Un jean-foutre fait sonner la retraite ! »

Son ami Salicetti, véritable chef de l'armée en sa qualité de représentant en mission, renvoie Doppet à ses malades. Le général Dugommier prend la suite. Plus tard Napoléon dira de lui : « Il aimait les braves et en était aimé. Il était bon, quoique vif, très actif, juste, avait le coup d'œil militaire et l'opiniâtreté dans le combat. » À vrai dire, Dugommier subit l'ascendant de Bonaparte, et redoute un peu son amitié avec Salicetti. Il faut ajouter que la conduite du jeune officier est à citer en exemple : il ne quitte jamais ses batteries ; il y dort, parmi les hommes, enveloppé dans son manteau et probablement partage-t-il leur repas ; c'est une méthode immanquable pour un chef.

Le 25 novembre, le Conseil de guerre, présidé par Dugommier, adopte son plan. Du 11 au 16 décembre, les canons républicains tonnent sans arrêt. Un boulet anglais manque de tuer Bonaparte qui n'hésite pas à s'exposer. Le 17 décembre, au cours de l'assaut général, il a un cheval tué sous lui et il reçoit un coup d'esponton dans la cuisse. Le lendemain, les Anglais évacuent Toulon, après avoir incendié l'arsenal et une douzaine de vaisseaux de guerre français, les plus beaux de la flotte du Levant. Les républicains entrent dans la ville et les fusillades commencent.

On assure que Bonaparte fit ce qu'il put pour sauver des vies humaines. Mais avait-il tellement envie de se compromettre ? Les représentants en mission venaient de le nommer général de brigade à titre provisoire, sans passer par les grades de lieutenant-colonel et de colonel. Ce n'était pourtant qu'un début de notoriété ! Il faut lire à cet égard les *Mémoires* de Barras, la description qu'il fait du petit capitaine venu se plaindre de Carteaux : « (Il) m'offrit quelques exemplaires d'une brochure qu'il venait de composer et d'imprimer en Avignon, *Le Souper de Beaucaire*, et il me priait de permettre qu'il en donnât aux officiers et même aux soldats de l'armée républicaine. Chargé d'un énorme ballot, il disait en faisant sa distribution à chacun :

"On peut voir si je suis patriote ! Peut-on être assez fort en Révolution ? Marat et Robespierre, voilà mes saints !"

Il ne se surfaisait point en annonçant cette profession de foi. Il est impossible de rien imaginer de plus ultramontagnard que cet écrit infernal. »

Barras cherche à accréditer la fable selon laquelle il a « fait » Bonaparte. Il ne nie pas la justesse de ses vues, mais il insiste sur le fait que, sans son appui, personne n'eût écouté le petit capitaine. Il le montre abusant de la générosité de Dugommier lequel, irrité par ses observations, finit par lui intimer l'ordre de « rester dans sa sphère ». Sous-entendu : le vainqueur de Toulon, c'est en réalité Dugommier ! Il montre aussi Bonaparte dans son dénuement : afin qu'il puisse dîner avec les représentants, il lui délivre un bon pour un uniforme ! Lorsque Bonaparte paraît devant les représentants, il se tient à distance respectueuse, humblement, « et toujours le chapeau à la main. Il le portait aussi bas que son bras pouvait descendre ». La malveillance est évidente, bien que la vérité et la calomnie s'imbriquent étroitement dans cette relation. D'ailleurs, n'en déplaise au ci-devant vicomte converti en citoyen-représentant, Bonaparte ne se prenait pas encore pour un bien gros personnage. Son succès de Toulon ne le surprit « pas trop » (nonobstant son inexpérience !). Il s'en réjouit, mais « sans s'en émerveiller ». Et il ajoutait, selon Las Cases : « Vendémiaire et même Montenotte ne me portèrent pas encore à me croire un homme supérieur ; ce n'est qu'après Lodi qu'il me vint dans l'idée que je pourrais bien devenir, après tout, un acteur décisif sur notre scène politique. » Cependant, selon la belle formule de Las Cases : « Là, le prendra l'histoire, pour ne plus le quitter ; là, commence son immortalité. » Et là, le général Bonaparte s'est fait des amis qui le serviront et… le desserviront : Duroc, Junot, Muiron, Marmont et, parmi les représentants en mission, Augustin Robespierre, cadet de l'Incorruptible, dangereuse relation.

Confirmé dans son grade de général de brigade par le Comité de salut public, Bonaparte est nommé adjoint du général Dujard, commandant l'artillerie de l'armée d'Italie. Dans cet emploi, il manifeste la même activité débordante, inspecte les forts de la côte provençale, s'occupe de la marine, veille à la discipline. Le vieux Dujard, subjugué, laisse faire. Puis c'est au tour du général en chef de l'armée d'Italie, Dumerbion. Bonaparte a préparé un plan d'invasion de l'Italie : il essaie de convaincre les représentants Ricord et Robespierre jeune de sa réussite certaine. Que l'armée d'Italie s'enfonce en Lombardie et prenne l'Autriche à revers, cependant que l'armée du Rhin l'attaquera à l'Est, et la paix est gagnée, la République reconnue par l'Europe entière et définitivement assise. Personne ne peut croire que l'armée d'Italie, « forte » de 40 000 pauvres diables, dépenaillés, mal vêtus, mal armés, puisse conquérir la Lombardie, vaincre les troupes de l'empereur d'Autriche. Ce petit général frénétique, fiévreux, bilieux, prend ses désirs pour des réalités ! Les vieux soldats connaissent mieux que lui les difficultés de la guerre. Mais, selon Marmont, « toute lutte de pouvoir avec lui devait cesser, à son apparition, il fallait se soumettre à son influence ». Augustin Robespierre vante son mérite « transcendant ». Mlle Robespierre, sa sœur, peut-être troublée par le fameux regard, se porte garante de son loyalisme : « Bonaparte était républicain ; je dirai même qu'il était républicain montagnard, du moins il m'a fait cette impression : il était partisan d'une liberté large et d'une véritable égalité. » Cependant Carnot ne voulait pas entendre parler du plan d'invasion : pour lui, l'armée d'Italie avait pour rôle exclusif de couvrir la frontière. Quant à Robespierre, il commençait à se méfier sérieusement des épauletiers : « Quand on a douze armées sous la tente, déclarait-il, ce n'est pas seulement la défection que l'on doit craindre et prévenir ; l'influence et l'ambition d'un chef entreprenant, qui sort d'un coup de la ligne, sont également à redouter. » En vain Bonaparte faisait-il valoir les avantages de la conquête. « Il faut nourrir les armées de la République, écrit-il ingénument ou cyniquement. En échange de quoi nous donnons aux Italiens la recette de la liberté. » L'Incorruptible répond, non sans hypocrisie, que ce sont les ci-devant nobles qui doivent subir les spoliations éventuelles, non le peuple. Finalement son frère emporte un début d'adhésion, à moins que ce ne soient les représentants qui aient eux-mêmes pris la décision d'attaquer. Bonaparte ne commande point en chef ; il n'est qu'un des exécutants du plan qu'il a établi. Les instructions remises au commandant en chef Masséna sont de sa main ! Vintimille, Oneglia tombent, le col de Tende est occupé, mais l'on s'en tient à ce demi-succès par ordre du Comité de salut public où Carnot fait encore la loi. Or Carnot penche pour une offensive sur la frontière espagnole !

Au sein de la Convention, et même du Comité, Robespierre se sent menacé. Il voudrait « un sabre ». Pourquoi ne serait-ce pas Bonaparte ? Robespierre jeune tâte le terrain, mais, prudemment et malgré ses convictions « montagnardes », Bonaparte refuse. Toutefois il a hésité. Il éprouve à l'égard de l'Incorruptible une admiration qui ne peut être entièrement simulée. Personnellement, il a aussi quelque ressemblance avec Saint-Just ; il suffit de relire les textes de celui-ci : même style, même science des formules percutantes, même idéologie égalitaire.

Sans se décourager, il s'acharne à provoquer la reprise de l'offensive italienne. Il est à noter que ses plans, à peine retouchés, finiront par aboutir, mais en 1796, sous le Directoire. Tout ce qu'il a étudié, prévu, décidé, calculé avec son incroyable minutie, il l'exécutera pendant la première campagne d'Italie. Peut-être ne met-on pas assez l'accent sur ce point d'histoire : la minicampagne de 1794 est l'ébauche des victoires foudroyantes de 1796-1797. Sous le génie napoléonien, dans sa phase ascendante, il y aura toujours semblable infrastructure, collecte d'informations nombreuses et précises, hypothèses diverses, calculs savants, solutions de rechange, l'action n'étant plus affaire que de coup d'œil et d'audace, d'adaptation rapide à la situation, au détail topographique ou à l'erreur de l'adversaire. Mais déjà, en 1794, Napoléon s'est trouvé tel qu'il ne cessera d'être. Il ne lui restera qu'à se perfectionner.

Le 11 juillet, il part en mission pour Gênes, sur ordre de Ricord et d'Augustin Robespierre. Il s'agit de reconnaître, discrètement, le col de Cadibone et les hauteurs de Montenotte, en vue d'envahir le Piémont. En somme, une mission d'espionnage ! Il rentre à Nice le 9 thermidor (27 juillet 1794), mais n'apprend la chute de l'Incorruptible qu'au début d'août et s'empresse d'écrire (peut-être pour « se dédouaner ») : « J'ai été un peu affecté de la catastrophe de Robespierre que j'aimais et que je croyais pur, mais fût-il mon frère, je l'eusse moi-même poignardé s'il aspirait à la tyrannie. » Il a mis du temps à découvrir cette aspiration : l'exécution des girondins, des dantonistes, des hébertistes, l'effroyable bain de sang de la Terreur, les massacres perpétrés dans toute la France auraient dû lui dessiller les yeux. Peut-être estimait-il ces crimes nécessaires à la survie de la République et croyait-il, comme certains, que Robespierre abhorrait le sang et se montrait cruel malgré lui.

Cependant l'occasion est trop belle de régler les comptes, de faire payer à Bonaparte sa supériorité, son attitude tyrannique, sa hauteur méprisante envers les médiocres. Augustin Robespierre a rejoint son frère. Ricord est parti pour Paris. Salicetti qui n'a peut-être pas la conscience tranquille dénonce à la Convention le plan de campagne « liberticide de Robespierre le jeune et de Ricord, proposé par Bonaparte ». Il précise ensuite l'accusation : « Bonaparte était leur homme, leur faiseur de plans auquel il nous fallait obéir. Qu'allait-il faire à Gênes, en pays étranger ? »

Trois jours après, Bonaparte est arrêté. Selon les uns, il est simplement astreint à garder les arrêts dans une maison amie ; pour les autres, il est incarcéré au Fort-Carré d'Antibes. Ses amis lui proposent de fuir ; il refuse, préférant se disculper, rester dans la légalité. On a saisi ses papiers ; on n'y trouve rien de compromettant. Le 20 août, il est libre, mais non officiellement réintégré dans son commandement. Salicetti a reconnu son erreur, il n'en reste pas moins que Bonaparte a été le complice des Terroristes, il est donc suspect. Mais il n'en a cure et, sans ordres, reprend son service à l'état-major de Dumerbion. Comme il l'avait prévu, l'adversaire, d'abord surpris par l'inaction forcée de l'armée d'Italie, a contre-attaqué ; il devient urgent de rétablir la situation. Une seconde fois, le succès est total ; les Autrichiens font retraite, découvrant le Piémont qu'il serait aisé de conquérir. Mais les représentants en mission paralysent l'action, probablement sur ordre de Paris.

Écœuré, malade, Bonaparte va se reposer à Château-Sallé où réside sa famille. Son frère Joseph vient d'épouser Julie Clary, fille de riches négociants. Napoléon flirte avec sa petite belle-sœur, Désirée. Flirt assez poussé si l'on en croit les confidences faites à Gourgaud ! On parle de fiançailles. Il ne déplaît pas à Désirée de devenir Mme Bonaparte ; elle ignore, la pauvrette, qu'elle sera Mme Bernadotte et reine de Suède ! L'étrange amoureux est sans cesse préoccupé par de nouveaux projets ; il élabore le plan de libération de la Corse, c'est-à-dire de reconquête sur Paoli. Il se rend à Toulon. L'expédition avorte, par la faute des Anglais dont une escadre tient la mer. Le 7 mai 1795, il reçoit l'ordre (daté du 29 mars) de rejoindre l'armée de l'Ouest ; il y a surnombre de généraux d'artillerie ; on lui donne donc le commandement d'une brigade d'infanterie en Vendée.

II

LE 13 VENDÉMIAIRE

Ce fut vers Paris qu'il se dirigea, sans trop se hâter. On a avancé qu'il lui répugnait de verser le sang français. Mais Toulon et les fusillades qui avaient suivi la reddition ? Il est probable que, conscient de n'avoir pas démérité, il avait décidé de plaider sa cause auprès de Carnot. Que les bureaux du ministère de la Guerre lui cherchaient quelque mauvaise querelle, ne fût-ce qu'en raison de son insistance lors des projets italiens. Il se flattait à la fois de plaider sa cause et de faire agréer ses plans. Il ne doutait pas de réussir. Mais les événements allaient vite et les nouvelles ne parvenaient que lentement en province. Bonaparte ignorait les changements intervenus au sein du Comité. Au lieu de Carnot, il trouva Aubry, ci-devant officier d'artillerie, promu divisionnaire et même inspecteur général de l'artillerie par ses propres soins. Le blanc-bec lui déplut. À la vérité Bonaparte se trouvait en situation irrégulière. Il n'avait pas rejoint son affectation, il n'avait pas davantage sollicité un congé ; qui plus est, il prétendait imposer ses vues au ministre ! Aubry, qui en réalité n'avait jamais dépassé le grade de capitaine, s'irrita de l'avancement rapide du jeunot. Tout ce qu'on pouvait accorder à celui-ci, c'était une brigade en Vendée. Bonaparte refusa, se fit mettre en congé de maladie pour quelques mois, s'installa rue de la Michodière en compagnie de Junot, son inséparable, et du petit Louis. Il tuait le temps comme il le pouvait, mangeait peu et mal, heureux de recevoir une invitation à dîner de Mme Permon (mère de la future duchesse d'Abrantès) ou des Bourrienne qu'il accompagnait parfois au spectacle. Paris se transformait. La mode n'était plus aux sans-culottes débraillés. Le luxe réapparaissait, timidement, réservé aux nouveaux riches, aux puissants du jour, le peuple s'enfonçant un peu plus dans la misère. Errant au Jardin des plantes, prenant ses maigres repas dans une gargote du Palais-Royal, sentant son avenir compromis, le général en demi-solde eût fait pitié, sans ce regard aigu, impérieux et toujours en éveil sur lequel les femmes se retournaient. La duchesse d'Abrantès le présente ainsi : « Napoléon était si laid, il se soignait si peu que ses cheveux mal peignés, mal poudrés, lui donnaient un aspect désagréable. Je le vois encore entrant dans la cour de l'hôtel de la Tranquillité, la traversant d'un pas gauche et incertain, ayant un mauvais chapeau rond, enfoncé sur ses yeux et laissant échapper ses deux oreilles de chien qui retombaient sur sa redingote, les mains longues, maigres et noires, sans gants, parce que, disait-il, c'était une dépense inutile, portant des bottes mal faites, mal cirées, et puis tout cet ensemble maladif résultant de sa maigreur, de son teint jaune... »

Stendhal confirme en tous points ce portrait peu flatteur :

« C'était bien l'être le plus maigre et le plus singulier que, de ma vie, j'eusse rencontré. Suivant la mode du temps, il portait des oreilles de chien immenses et qui descendaient sur les épaules. La mise du général Bonaparte n'était pas faite pour rassurer. La redingote qu'il portait était tellement râpée, il avait l'air si misérable que j'eus peine à croire d'abord que cet homme fût un général. Je pensai à un provincial qui outre les modes et, malgré ce ridicule, peut avoir du mérite. Le jeune Bonaparte avait un très beau regard et qui s'animait en parlant. S'il n'eût pas été maigre au point d'en avoir l'air maladif et de faire de la peine, on eût remarqué des traits remplis de finesse. »

Et Napoléon convint lui-même qu'à cette époque il avait assez l'air d'un « parchemin ».

C'était également à cette époque qu'il écrivait, mélancoliquement, à son frère Joseph : « Désirée me demande mon portrait. Je vais le faire faire. Tu le lui donneras si elle le désire encore. La vie est un songe léger qui se dissipe. » Désirée cessa de penser à lui ; l'éloignement est fatal aux jeunes amours. Quant au songe qui achevait de s'évaporer, ce n'était point la vie, mais ce qu'il lui restait de jeunesse ou, plutôt, de juvénilité.

Le vieil Aubry ayant été destitué, Doulcet de Pontécoulant le remplaça. Il écouta Bonaparte avec bienveillance, comprit d'emblée qu'il avait affaire à un talent exceptionnel et résolut de se l'attacher. Il affecta Bonaparte au bureau topographique du ministère de la Guerre, avec pour fonction réelle d'être son conseiller militaire. Bientôt, il le promut chef de ce bureau, promotion « flatteuse », mais qui ne cadrait guère avec les ambitions du vainqueur de Toulon. La Turquie demandait alors des officiers, des ingénieurs pour réorganiser son armée. Bonaparte posa sa candidature, attiré par le mirage oriental. Mais, pour lui, ce mirage n'était rien moins que la carrière d'Alexandre le Grand ! En un moment, Plutarque, les lectures historiques et géographiques lui étaient revenus en mémoire. Il se voyait puissant et riche et, qui sait ! coiffant le turban. Pontécoulant ayant été remplacé à son tour, Bonaparte reçut l'autorisation de partir, cependant qu'un autre arrêté le radiait des cadres : bel exemple d'incohérence administrative ! Mais, peut-être, Aubry n'avait-il pas perdu toute influence au ministère !...

Cependant le destin veillait. Après avoir rogné les ongles des jacobins par les purges de germinal et de prairial (avril et mai 1795), la Convention s'en était prise aux royalistes. Violant la Constitution, elle avait décrété que les deux tiers des députés seraient purement et simplement reconduits. Cette manœuvre visait à rendre les élections inopérantes. L'opinion conservatrice qui avait espéré battre les Conventionnels sur leur propre terrain se rebiffa. Ce qui lui était refusé par la légalité, elle le prendrait par la force. Les meneurs mobilisèrent leurs troupes, placées sous le commandement du général Danican. Devant cette menace, la Convention ne pouvait s'appuyer sur les anciens jacobins ni sur les sans-culottes : elle les avait réduits à néant. Il lui restait l'armée, à condition qu'elle fût conduite par un chef énergique. Le 12 vendémiaire, l'incapable Menou échoua dans une opération menée contre les secteurs de la capitale tenus par les royalistes. On estimait à 25 000 le nombre des insurgés. La Convention disposait de 5 000 hommes. Danican avait décidé qu'au matin du 13 vendémiaire ses colonnes convergeraient simultanément de la rive gauche et de la rive droite vers les Tuileries où siégeait l'Assemblée. Barras était chef en titre de l'armée de l'Intérieur, c'est-à-dire des troupes de Paris. Il destitua Menou, fit chercher Bonaparte et lui offrit le commandement (en second). Bonaparte aurait hésité. Naguère, il avait refusé un pareil concours à Robespierre et s'en était trouvé bien ! Allait-il associer son nom à celui de ce personnage corrompu, cautionner une assemblée en plein discrédit ? Pour quelle aventure ?... Fut-il au contraire tenté, puisque la Révolution se détruisait d'elle-même, de hâter cette destruction en passant au service des Blancs ? Mais il était trop perspicace pour ne pas les avoir jugés et n'avoir pas compris qu'eux aussi, une fois victorieux, se disputeraient le pouvoir. Il n'avait au surplus aucune envie de voir revenir les princes, les émigrés ramenant avec eux les privilèges et le vieil ordre des choses. Le temps pressait. Il accepta l'offre de Barras. Dès lors, sans perdre une minute, déployant une activité quasi plus qu'humaine, il réorganisa la défense de la Convention. En bon artilleur, il pensa d'abord aux canons. Un tir bien ajusté compenserait, et au-delà, l'infériorité numérique de l'infanterie. Dans sa conception, ce n'était pas l'artillerie qui appuyait les fantassins, mais l'inverse. Il envoya aux Sablons 200 chasseurs avec un chef d'escadron superbe, nommé Murat, pour amener au centre de Paris 40 pièces gardées par 15 gendarmes ! Murat devança de très peu une colonne de royalistes expédiée par Danican pour s'emparer, elle aussi, du parc. De six à neuf heures du matin, Bonaparte disposa ses canons aux points stratégiques. Les servants, encadrés par des officiers sûrs, attendirent, la mèche allumée. Un corps de réserve avait été placé au Carrousel. Nullement rassurés par ces dispositifs, les Conventionnels tremblaient pour leur vie : les uns voulaient envoyer des députés faire « diverses propositions » aux émeutiers ; les autres, recevoir les sectionnaires au sein de l'Assemblée « comme les sénateurs romains avaient reçu les Gaulois » ; d'autres enfin, se retirer sur les hauteurs de Saint-Cloud pour y attendre l'armée des côtes de l'Océan, autrement dit décamper au plus vite. Pendant ce temps, les émeutiers se rassemblaient. À trois heures, Danican expédia un parlementaire qui somma les Conventionnels de renvoyer la troupe. Vers quatre heures un quart, la fusillade commença. Une forte colonne avançait par le Pont-Royal. La canonnade éclata, balayant les artères avoisinantes. Prise en écharpe, la colonne du Pont-Royal dut se replier. Deux cents sectionnaires furent foudroyés devant Saint-Roch. Ce fut là, selon l'histoire officielle et la légende, que se joua la partie décisive. À six heures du soir, le calme était revenu.

Il est à peu près certain que, si Danican avait eu la patience d'attendre la nuit, il aurait eu de sérieuses chances de réussir, car les émeutiers eussent pu se faufiler, de maison en maison, jusqu'aux Tuileries sans coup férir, puis donner l'assaut partout à la fois.

Le lendemain, 14 vendémiaire, des colonnes débouchèrent par la rue de Richelieu et le Palais-Royal. Elles ne purent tenir sous les boulets et se débandèrent. Le reste de la journée, les troupes de Bonaparte nettoyèrent la ville, désarmèrent les suspects et affichèrent les proclamations d'usage. La République était sauvée.

Ce fut au cours de la séance de la Convention du 19 vendémiaire (11 octobre 1795) que l'étrange nom de « Buonaparte » fut prononcé pour la première fois. On l'acclama, tout en se demandant, selon le baron Fain, « d'où il vient, ce qu'il a été, par quels services extraordinaires il s'est recommandé ». Car le sauveur en titre, le commandant en chef de l'armée de l'Intérieur, encore une fois, c'était Barras ! Mais ce dernier ne pouvait cumuler les fonctions de député et de général. Le 16 octobre, Bonaparte était donc promu divisionnaire et, le 26, général en chef de l'armée de l'Intérieur. En trois semaines, le petit général famélique était devenu un personnage, logé dans un hôtel particulier situé place des Piques, ci-devant place Vendôme !

III

JOSÉPHINE

Elle était pleine de grâce, au lit comme ailleurs.

NAPOLÉON

Selon Victor Hugo c'était être « une vague de l'océan » que d'appartenir à la Convention. Mais l'océan s'était retiré, laissant une lagune derrière lui, avec de rares flaques où le vieil esprit jetait ses derniers feux. La Révolution était morte avec Robespierre. Il ne subsistait d'elle que des hommes de second ordre. Elle allait se survivre dans sa propre caricature : le Directoire. La Constitution de l'an III marquait une nette régression. Pour éviter le retour de quelque tyran, les Conventionnels avaient institué deux assemblées, les Anciens et les Cinq-Cents, l'une devant être le contrepoids de l'autre, par surcroît élues au suffrage censitaire, c'est-à-dire par une minorité de citoyens. Dans la même perspective, le pouvoir exécutif s'émiettait entre cinq Directeurs. Les « cinq sires », tous régicides (pour leur enlever l'envie de pactiser avec les royalistes), prirent leurs fonctions le 13 brumaire an IV (4 novembre 1795). Afin d'impressionner la population, de rendre plus tangible le changement de gouvernement, ils se rendirent en grande pompe des Tuileries au palais du Luxembourg, où ils s'installèrent. On les connaissait à peine, hormis Barras, héros de thermidor. Ce n'était qu'un roué de l'Ancien Régime, un marquis de Sade à la petite semaine, cynique et débauché, un bourreau d'argent et un flibustier prêt à toutes les compromissions, de plus, tranchant du prince ! Sa personnalité hautement crapuleuse contrastait avec celle de l'honnête Carnot. « L'organisateur de la Victoire » avait servi le Comité de salut public en s'opposant parfois aux outrances de ses collègues, osant même défier l'Incorruptible. C'était un technocrate aux œillères étroites, aux vues courtes, enfermé dans sa spécialité d'ingénieur militaire, ce qui explique qu'on l'ait jugé irremplaçable et qu'il ait échappé à toutes les purges malgré son passé de « terroriste ». Les autres Directeurs brillaient par leur ridicule et leur médiocrité. Reubell s'obstinait à jouer les durs, affichant sans mesure un jacobinisme ardent. La Revellière, ci-devant girondin, se distinguait par sa haine des prêtres et s'employait à créer une religion « naturelle » dont il serait le pape : avec sa grosse tête et ses jambes fluettes, il ressemblait, disait-on, à « un bouchon sur des épingles ». Quant à Letourneur, il ne mérite pas une mention : ce n'était que le double affadi de Carnot. On le constate, le choix des Directeurs n'était pas heureux. Le seul homme capable de gouverner, du moins le croyait-on, c'était le ci-devant abbé Sieyès, le « penseur » de la Révolution, faiseur de constitutions, esprit assez remarquable mais égaré par ses chimères. À force de ménager ses paroles, il avait fini par passer pour profond et par se persuader de l'être. Un simple fauteuil de Directeur lui avait semblé indigne de son génie ; il s'était récusé, dans le ferme espoir que son heure viendrait : elle vint en effet, mais avec Bonaparte ! Les Directeurs crurent adroit de s'affubler d'un costume de satin brodé et surbrodé de palmettes d'or, d'une large ceinture de général en chef, d'un chapeau à panache et d'une cape à la François Ier. Un glaive attaché à un superbe baudrier complétait leur déguisement. Ce fut un éclat de rire dans Paris. « La mascarade luxembourgeoise ! » disait-on. Menacés à gauche par les « terroristes » sans emploi et les jacobins aigris, menacés à droite par les « réacteurs », c'est-à-dire les royalistes joints aux modérés écrasés en Vendémiaire, sans programme défini, sans moyens financiers, n'étant même pas d'accord entre eux sur une orientation politique quelconque, les Directeurs ne pouvaient qu'échouer. Mais leur chute entraînerait nécessairement celle du régime républicain.

Tels étaient pourtant les hommes que Bonaparte, en sa qualité de chef de l'armée de l'Intérieur, devait protéger. Il était en somme responsable du maintien de l'ordre, chargé de réprimer les émeutes et, surtout, de les prévenir, de surveiller l'opinion, de renseigner le gouvernement sur les rassemblements suspects. Rôle policier qui ne convenait guère à son tempérament, s'il lui permettait d'étendre sa connaissance des hommes et de la politique. Il remplit cependant ces tâches ingrates avec la plus grande efficacité et un loyalisme entier. Il réorganisa la police et l'armée de l'Intérieur qui compta bientôt 40000 hommes et fut dotée d'une artillerie nombreuse. Il mit sur pied et peupla de ses créatures la garde du Directoire, laquelle deviendra la garde consulaire. Il tint fort exactement en lisière les sectionnaires des quartiers suspects, mais porta la même attention au club du Panthéon où se réunissait l'opposition de gauche. Les vivres venant à manquer, il contrôla les distributions aux portes des boucheries et des boulangeries. Chose curieuse, ce fut dans le faubourg Saint-Antoine qu'il fut le plus populaire. Ailleurs, il n'inspirait pas confiance ; on le surnommait « Général Vendémiaire ». Son aspect maladif, sa tenue négligée le desservaient : les Parisiens ont toujours aimé le panache ; Bonaparte n'avait pas encore compris cela, ni tout à fait renoncé au « style terroriste ». Cette méchante langue de Barras insinue qu'il ressemblait alors au sinistre Marat, peut-être à cause de cette gale rentrée qui ressortait par plaques et l'enlaidissait. « Il ne marchait jamais, écrit-il, sans être accompagné de ses officiers à moustaches et à long sabre. "Allons, citoyens, disait-il après le dîner, montons à cheval, allons au spectacle faire chanter *La Marseillaise* et corriger les chouans !" Il grimpait sa grande haquenée ; un énorme chapeau à plumet tricolore, les cornes renversées ; des bottes retroussées, un sabre pendant, plus grand que celui qui le portait : tel est l'équipage dans lequel se présentait dans différents spectacles le général en chef de l'armée de l'Intérieur. »

Mais le général Thiébault[1] rectifie le tableau : « Je vois encore son petit chapeau surmonté d'un panache de hasard assez mal attaché, la ceinture tricolore plus que négligemment nouée, son habit fait à la diable, et un sabre qui, en vérité, ne paraissait pas l'arme qui dût faire sa fortune. »

Subjectivité des témoignages !...

À la suite du 13 Vendémiaire, un ordre du jour avait interdit aux Parisiens, sous peine de mort, de conserver des armes. Eugène de Beauharnais raconte qu'il ne put se résoudre à se séparer du sabre de son père, le général de Beauharnais, guillotiné en 93. Il demanda audience à Bonaparte : « Ma sensibilité et quelques réponses heureuses que je fis au général lui firent naître le désir de connaître l'intérieur de ma famille, et il vint lui-même le lendemain me porter l'autorisation que j'avais vivement désirée. Ma mère l'en remercia avec grâce et sensibilité. Il demanda la permission de revenir nous voir et parut se plaire de plus en plus dans la société de ma mère. » Fait que Napoléon a confirmé à Sainte-Hélène, mais que certains historiens contestent. Il est d'ailleurs possible que l'entrevue d'Eugène et de Bonaparte ait été « arrangée » par cette fine mouche de Joséphine et que le bon fils se trompe complètement en affirmant qu'il a en somme été l'auteur du mariage. La « veuve Beauharnais » était une personne trop en vue pour que Bonaparte ne la connût pas, au moins de réputation. Tout le monde savait qu'elle avait été la maîtresse de Barras, parmi d'autres. Elle appartenait au petit groupe de jolies femmes (jolies et galantes) que Notre-Dame de Thermidor (la belle Mme Tallien) réunissait à « la Chaumière » : dîners fins, cadre somptueux, tendres entrevues, le reste à l'avenant, Barras régnant en maître et butinant de fleur en fleur. Pour le

1. Dans ses *Mémoires*.

petit Bonaparte aux coudes râpés, aux broderies déteintes et aux bottes éculées, elle représentait le grand monde, la très haute société, celle qui gravite autour du pouvoir, donc la plus utile ! Mais la réalité était moins brillante. Joséphine, mère de deux enfants, vivait d'expédients ; elle était criblée de dettes et ne surnageait qu'avec la protection de Barras. Dès qu'il la vit, Bonaparte n'eut d'yeux que pour elle et devint amoureux fou. Il est vrai que la mode du temps la mettait en valeur. Elle portait à ravir de souples robes de dentelles des Indes, des écharpes de gaze voilant à demi une gorge qu'elle avait belle. Sa chevelure châtain clair à bouclettes retombantes, ses yeux bleu foncé, son sourire, l'élégance de ses gestes et de ses attitudes, ajoutaient à sa langueur créole, à ce charme indéfinissable qui avait séduit Barras et qui retenait les admirateurs. Cependant elle était née en 1763. Les premières rides apparaissaient sous ses fards et la dentition n'était plus très bonne. Ces atteintes de l'âge échappèrent à l'observation de Bonaparte.

Le 1er pluviose an IV (21 janvier 1796), Barras donna un grand dîner[1] et, malicieusement, plaça Bonaparte entre Joséphine et sa fille Hortense (future reine de Hollande !). Peu farouche, au surplus bien élevée, Joséphine prêtait à son voisin une attention polie. Mais lui, emporté comme il l'était et, faut-il ajouter, sans grande éducation, se tint très mal. Il négligea le reste de l'assistance pour ne s'adresser qu'à Joséphine. « Pour lui parler, raconte Hortense dans ses *Mémoires*, il s'avançait toujours avec tant de vivacité et de persévérance qu'il me fatiguait et me forçait à me reculer… Il parlait avec feu et paraissait uniquement préoccupé de ma mère. » Barras le surveillait du coin de l'œil ; faisant la cour à Mme Tallien, il apercevait un moyen commode de se débarrasser de Joséphine qui devenait encombrante. Que deviendrait celle-ci sans l'appui de Barras ? Il ne lui restait d'autre alternative que de se trouver un mari « rentable » ou de retourner à la Martinique, son île natale. Les déclarations enflammées (et combien

---

1. Pour fêter l'anniversaire de l'exécution de Louis XVI.

livresques!) du petit général l'amusaient. Ensuite, elles flattèrent sa coquetterie. Enfin, elles l'intéressèrent. Ils devinrent amants, ce qui n'était, certes, pas difficile. Mais Bonaparte, transporté de reconnaissance, crut avoir réduit une place forte! Il devint tout à fait aveugle sur les défauts de sa maîtresse. Fort experte en pratiques amoureuses, elle ne tarda guère à le lier par les sens. Excessif en tout, apportant en tout sa manie d'organisation, même dans le désordre d'une passion, il décida de mettre un terme à cette situation et de convoler. Stupeur de Joséphine, feinte ou demi-réelle!

Hostilité à peine voilée d'Eugène et Hortense qui adoraient leur mère et craignaient de la perdre. Mais comment, quand on est une femme « sensible », résister à des missives de ce genre: « Je me réveille plein de toi. Ton portrait et l'enivrante soirée d'hier n'ont point laissé de repos à mes sens... Un million de baisers, mais ne m'en donne pas, car ils brûlent mon sang » ?

Elle ne l'aime pas; elle ne l'aimera qu'au moment de le perdre, mais jouera sa carte avec une entière loyauté et saura lui rendre d'immenses services, ne fût-ce que celui de « lui gagner des cœurs ». Les amis qui fréquentent le petit hôtel de la rue Chantereine (dont le luxe éblouit le petit Corse!) la pressent d'accepter. Ces amis, qui ne déplaisent pas trop à Bonaparte, sont les débris de l'ancienne Cour: les marquis de Ségur et de Caulaincourt, Mmes de la Galissonnière, d'Aguillon, de Lameth, M. de Montesquiou, le duc de Nivernais. Ils compensent un peu les mauvaises fréquentations de la maîtresse de maison.

Hésitant encore, ne se souvenant que trop des infidélités du vicomte de Beauharnais et de l'échec cruel de son premier mariage, elle écrivait à une amie:

« Ayant passé la première jeunesse, puis-je espérer de conserver longtemps cette tendresse violente qui, chez le général, ressemble à un accès de délire? Si, lorsque nous serons unis, il cessait de m'aimer, ne me reprochera-t-il pas ce qu'il aura fait pour moi? Ne regrettera-t-il pas un mariage plus brillant qu'il aurait pu contracter? Que répondrai-je alors? Je pleurerai... La belle ressource! »

Barras et Carnot lui conseillaient le mariage. Ils lui répétaient que Bonaparte avait des mérites, un avenir exceptionnels. Joséphine céda et les bans furent publiés. On a très souvent insinué qu'elle n'avait donné son consentement qu'après avoir reçu la promesse de Barras d'accorder à Bonaparte le commandement de l'armée d'Italie. Or la publication des bans est du 7 février, cependant que la démission de Schérer, commandant l'armée d'Italie, parvint à Paris vers le 15 février. Schérer repoussait avec véhémence le plan de campagne élaboré par Bonaparte ; il osait écrire :

« Que celui qui l'a conçu vienne l'exécuter ! » Le 19 février, il exhalait sa fureur dans une lettre à Masséna : « J'ai besoin du rapport d'Aubernon pour fermer la bouche à ces faiseurs qui, de Paris, prétendent que nous pourrions beaucoup mieux faire que nous n'avons fait. Vous devinez de qui je veux parler, de Buonaparte, qui assiège le Directoire et le ministre de projets plus insensés les uns que les autres et qui a quelquefois l'air de se faire écouter... » Devant l'obstination de Schérer, le Directoire convoqua Bonaparte et lui demanda d'exposer à nouveau son plan. Il le fit avec une conviction si emportante que le Directoire l'adopta sur-le-champ. Carnot proposa que le jeune général fût chargé de l'exécution. Les quatre autres Directeurs approuvèrent, dont Barras : mais peut-être ce dernier avait-il soufflé l'idée au bon Carnot. Le 2 mars, Bonaparte était nommé commandant en chef de l'armée d'Italie. Aussitôt, il demanda des cartes et des ouvrages techniques au Dépôt du ministère. En attendant la célébration de son mariage, nul doute qu'il ne se mît à dépouiller, joyeusement, ces documents. L'amour, c'était pour le soir !

Le 2 mars, on signa le contrat de mariage chez le notaire Raguideau, lequel estimait que sa cliente faisait une bêtise d'épouser cet aventurier sans fortune et ne se gênait pas pour exprimer sa désapprobation. Il eut même l'audace de préparer un contrat inusité de non-communauté de biens, pis que la séparation de biens et nettement défavorable au mari. Mais qu'importait à Napoléon, sinon la proie convoitée ! Le mariage eut lieu le 9 mars, à neuf heures du soir, à la mairie du 2e arrondissement, en présence de Barras et de Tallien. Le nouveau marié, absorbé par ses préparatifs de campagne, arriva avec deux heures de retard. Dans l'acte de mariage, Bonaparte s'est vieilli de deux ans et Joséphine, rajeunie de quatre. Le nom du mari est orthographié à la corse : « Napoléone Buonaparte ». Quant à Joséphine, elle se prénomme en réalité Marie-Josèphe Rose. Dans le monde de Barras, on l'appelait familièrement Rose. Pour cela même, Bonaparte a décrété qu'elle serait dorénavant Joséphine. Il voulait un prénom tout neuf, à son usage exclusif.

L'a-t-il vraiment aimée autant qu'il y paraît ? Ou bien fut-il dupe de ses petits mensonges au sujet des biens de sa famille à la Martinique et la crut-il riche ? Ou encore jugea-t-il que, par ses relations, avouables et inavouables, elle l'introduirait dans le monde et lui donnerait une position sociale ? S'il ignorait l'étendue de ses dettes, ne savait-il pas non plus que l'hôtel de la rue Chantereine ne lui appartenait nullement, n'était que loué à Julie Talma ? Bref, que Joséphine ne possédait que « ses hardes », ses meubles et ses bijoux ? Mais il n'avait jamais vraiment aimé ! Il s'était jeté dans cet amour inattendu, imprévisible, comme dans une bataille ! Nul ne le forçait à épouser ; la licence des mœurs autorisait toutes les liaisons. Ni l'âge, ni le passé de Joséphine, ni l'hostilité à peine voilée de la tribu Bonaparte, ni les réticences des enfants Beauharnais, ne l'avaient dissuadé. En bonne logique, cette liaison devait pour lui aboutir au mariage : car, en ses pires chimères, le mécanisme de la raison intervenait toujours, cristallisant la volonté, arrêtant jusqu'au moindre détail. On ne peut douter de la sincérité de ses sentiments pour Joséphine. Quand, à Sainte-Hélène, vingt-cinq ans après, il évoquait son souvenir, c'était en ces termes émus :

« Elle était pleine de grâce, au lit comme ailleurs, ne quittait jamais son mari et voulait coucher avec lui, parce qu'elle en connaissait l'importance et que c'est là qu'on exerce son influence. Une femme qui veut exercer de l'influence sur son mari doit toujours coucher avec lui. Elle ne le perd jamais de vue ; douze heures de nuit sont d'abord la moitié de la vie ; elle voit quand il se lève, quand il se couche ; elle le voit à déjeuner, à dîner, rien ne lui échappe, c'est aussi une chose de bonnes mœurs » (*Journal* de Bertrand).

IV

PREMIÈRE CAMPAGNE D'ITALIE

Ah ! quels beaux jours c'étaient
alors pour la France !

NAPOLÉON

Dès le 11 mars il partit en chaise de poste avec Junot, son aide de camp, et Chauvet, ordonnateur en chef de l'armée d'Italie. Le 20, il passa à Marseille et emmena l'adjudant-général Leclerc. Le 24, à Toulon où il rencontra le contre-amiral Decrès. Berthier, chef d'état-major, le rejoignit à Antibes. Le 26, il était à Nice où se trouvait le quartier général. On a maintes fois relaté l'accueil glacial qui lui aurait été réservé par ses divisionnaires : Augereau, Laharpe, Masséna et Sérurier, peu disposés à obéir à un général politique et finalement domptés par le terrible regard. Marmont est certainement plus proche de la vérité quand il écrit : « L'attitude de Bonaparte, dès son arrivée, fut celle d'un homme né pour le pouvoir. Il était évident, aux yeux des plus clairvoyants, qu'il saurait se faire obéir. »

Les quatre divisions formant l'armée représentaient un total de 30000 fantassins, auxquels s'ajoutaient 3000 cavaliers et un parc d'artillerie très faible. L'adversaire disposait de deux armées : l'armée autrichienne commandée par Beaulieu (un Belge) et l'armée piémontaise commandée par Colli, totalisant 90000 hommes au moins, une fort belle cavalerie et une artillerie nombreuse. Selon le rapport de Schérer, les Français étaient dans une pénurie complète par la faute du gouvernement : « Sans soldes, sans vivres, sans fourrages, sans souliers, sans vêtements, sans tentes, sans effets de campement, sans moyens de transport. » L'armée vivait sur le pays, volant et chapardant. Le moral, aggravé par l'inaction, était au plus bas. Les chefs, quoique chevronnés et partageant la misère de leurs hommes, frisaient sans cesse la mutinerie. Les désertions étaient fréquentes. On croyait à Paris que Schérer noircissait la situation, afin de justifier la modestie de ses résultats. Bref, c'était avec cette petite armée que Bonaparte prétendait passer à l'offensive et réaliser ses projets. Ici, il convient de rappeler que l'invasion du Piémont s'inscrivait néanmoins dans le cadre des opérations préconisées par le Directoire. La première coalition, dont l'objectif – et l'on y insiste ! – visait à détruire la République française par les armes, s'émiettait. La Prusse et l'Espagne venaient de s'en retirer. Mais l'Angleterre, la Russie et l'Autriche restaient en ligne. Bien entendu l'Angleterre ne se battait que sur mer, mais soutenait financièrement ses alliés. Le Directoire avait résolu de l'isoler, en abattant la Maison d'Autriche dont le chef, François II, était également empereur du Saint-Empire germanique. Le rôle de Bonaparte consistait à attaquer l'Autriche par le sud, pendant que les armées de Jourdan et de Moreau progresseraient du Rhin au Danube. C'était sur le front ouest que, selon les stratèges des bureaux, se jouerait la partie décisive. On concevait l'invasion du Piémont comme une manœuvre de diversion, visant à immobiliser une partie des troupes autrichiennes. En Italie, l'Autriche possédait alors la Lombardie et le Mantouan. Elle avait pour allié principal Victor-Amédée de Savoie, roi de Sardaigne, maître du Piémont et contrôlant toutes les forteresses bordant cette province. Pour alliés secondaires, le pape et ses États, et de petits princes, tels que les ducs de Parme et de Modène, ainsi que le roi de Naples.

Ces précisions sont indispensables pour éclairer l'action de Bonaparte et en faire sentir la portée. On ajoutera cependant que Bonaparte n'avait aucune expérience des batailles rangées, conduites par des gens de métier : Toulon n'avait été qu'un siège et Vendémiaire, un épisode de guerre civile. Ses connaissances militaires restaient donc abstraites, « mathématiques » et, certes, des soldats chevronnés pouvaient douter de sa réussite. Quant à l'adversaire, faisant fond sur sa supériorité numérique, sur son équipement, sur l'excellence de ses bases et sur l'expérience de ses généraux, il ne doutait pas d'anéantir promptement les Français.

La première erreur de Beaulieu – qui commandait en chef – fut de ne pas prévoir le point sur lequel les Français attaqueraient. Dans cette incertitude, il divisa ses forces : d'un côté l'armée piémontaise de Colli, de l'autre, l'armée autrichienne. Or, selon Bonaparte, la clef des opérations était le col de Cadibone, parce que le plus accessible à une armée démunie de moyens de transport. Son plan, empêcher la réunion des armées Beaulieu et Colli afin de les attaquer séparément.

La première rencontre eut lieu à Montenotte, où il bouscula les Autrichiens commandés par d'Argenteau, un des lieutenants de Beaulieu. Le 14, Beaulieu en personne fut battu à Dégo.

Après quoi, Bonaparte se retourna sur Colli, battu à San Michele le 19 avril et à Mondovi le 23. Ainsi, en deux jours, il désorganisa le système de défense autrichien, en mettant à profit les fautes de l'adversaire et en le stupéfiant par la rapidité de ses mouvements !

Les *Mémoires* de Frédéric le Grand, les conseils de Guibert ont porté leurs fruits. Les militaires de vieille roche s'interrogeaient sur cette campagne menée contre tous les principes que l'on enseignait dans les académies militaires ! Dès le 23 avril, le roi de Sardaigne, Victor-Amédée, perdant la tête et n'ayant au surplus aucune confiance dans les Autrichiens, demandait un armistice. En fâcheuse posture, Beaulieu rétrogradait prudemment. Le 26 avril, Bonaparte lançait la proclamation fameuse :

Soldats,

Vous avez en quinze jours remporté 6 victoires, pris 21 drapeaux, 55 pièces de canon, plusieurs places fortes, conquis la plus riche partie du Piémont; vous avez fait 15 000 prisonniers... Dénués de tout, vous avez suppléé à tout. Vous avez gagné des batailles sans canons, passé des rivières sans souliers, bivouaqué sans eau-de-vie et souvent sans pain... Soldats, la Patrie attend de vous de grandes choses: justifierez-vous son attente?... Vous avez encore des combats à livrer, des places à prendre, des rivières à passer. En est-il d'entre vous dont le courage s'amollisse? Non! Tous veulent dicter une paix glorieuse... Tous veulent, en rentrant dans leurs villages, pouvoir dire: J'étais de l'armée conquérante d'Italie.

Car le gringalet de Paris, le général Vendémiaire, avait également le génie de galvaniser les courages. Sa seule présence faisait se redresser ces pauvres bougres de fantassins vêtus de loques, coiffés de bicornes informes, chaussés de souliers percés. Ce que Bonaparte exigeait d'eux paraît incroyable! Dans une guerre de mouvement, ce sont les soldats qui marchent, sac au dos, bretelle du fusil sciant l'épaule, houspillés par les sergents et par les officiers, d'ailleurs logés à la même enseigne. Avec Bonaparte, le mouvement devenait une course sans fin, une succession ininterrompue, exténuante, de marches et de contremarches et, pour finir, la bataille avec, souvent, le ventre vide et le gosier sec. Mais le troupier s'était mis à aimer le petit Corse. Son apparition réchauffait les cœurs: il était l'étincelle qui met le feu aux poudres. Son mérite essentiel, dès cette première campagne, fut de rendre aux hommes leur dignité propre, de leur donner le sentiment d'acquérir une gloire sans précédent, d'éveiller l'émulation. Les soldats de l'armée d'Italie avaient cessé d'être ce ramassis de chapardeurs et d'ivrognes désolant les populations de leurs méfaits. Ils étaient devenus, sous la souple poigne de Bonaparte, des soldats-citoyens. Dans très peu de semaines, ils seraient devenus les meilleurs soldats d'Europe, fiers d'avoir effacé les exploits de leurs aïeux.

Quant aux officiers un peu instruits, ils se disaient que Bonaparte, c'était à la fois Condé et Turenne, plus lui-même !

Ne pouvant mieux faire, l'Autrichien Beaulieu se repliait sur Milan, serré de près par les avant-gardes de Bonaparte. Le divisionnaire Laharpe fut tué dans une des rencontres. Beaulieu, ayant regroupé ses forces, s'arrêta à Lodi et décida de faire front coûte que coûte. Mais le 10 mai, le pont fut emporté dans les conditions que l'on sait et, dès lors, la route de Milan était libre. Le 14 mai, les Français firent leur entrée dans la capitale lombarde et Bonaparte la dota d'un gouvernement provisoire. À la même époque les envoyés de Victor-Amédée signaient une paix séparée avec le Directoire. Le roi de Sardaigne versait une contribution de guerre de 3 millions, cédait, définitivement, la Savoie et le comté de Nice occupés depuis des années par la France ; il s'engageait en outre à laisser le libre passage des troupes françaises en Piémont, et ceci n'était pas la moins importante de ses concessions. Entraînés par cet exemple, le roi de Naples, le pape, le duc de Parme et celui de Modène lâchèrent l'Autriche.

Quatre jours après son entrée à Milan, Bonaparte décréta que la Lombardie ne serait jamais autrichienne, mais indépendante. S'improvisant législateur, il jeta les bases de la République cisalpine et leva, pour renforcer sa petite armée, une légion lombarde.

Toujours rétrogradant, Beaulieu se retirait vers le Tyrol, mais en renouvelant son erreur d'avril : au lieu de conserver ses troupes groupées, il en laissa une partie dans la place forte de Mantoue, aussitôt investie par l'armée française.

Que fit le gouvernement autrichien ? Ce que tous les gouvernements font en pareil cas : Beaulieu fut limogé. Le maréchal Wurmser le remplaça. C'était un vieux de la vieille (72 ans !), plein d'expérience et... de vigueur. À la fin de juillet, il déboucha sur l'Adige avec une armée toute fraîche de 40 000 hommes et lança Quasdanovitch, son adjoint, sur Milan, croyant prendre Bonaparte à revers. Le piège se retourna contre lui. Bonaparte feignit de renoncer à prendre Mantoue et fonça vers Quasdanovitch qu'il battit à Lonato le 3 août. Puis il fonça sur Wurmser (toujours la même méthode!) qui avait commis l'imprudence de quitter Mantoue pour porter secours à son lieutenant. Augereau le battit à Castiglione le 5 août et le refoula vers le Tyrol.

En quinze jours, le roide Wurmser, furieux de son échec, remit une armée sur pied et piqua vers Mantoue. Mais, une troisième fois, il divisa ses forces, laissa Davidovitch, son lieutenant, isolé sur l'Adige. Bonaparte recommença tout simplement la manœuvre du mois d'août. Il battit Davidovitch à Roveredo le 4 septembre, puis Wurmser à Bassano. Toutefois, avec ce qu'il lui restait de troupes, le vieux maréchal put s'enfermer dans Mantoue, où les Français le bloquèrent aussitôt.

Malgré cette suite de revers, la position militaire de l'Autriche était encore redoutable. Les succès remportés au nord par l'archiduc Charles sur Jourdan et Moreau compensaient, largement, les échecs italiens. Avec l'opiniâtreté et le sang-froid qui le caractérisaient, le gouvernement autrichien, tablant sur la faiblesse numérique des Français et sur leur épuisement, lança une troisième armée, sous les ordres du maréchal Alvinczy. Et, d'abord, Masséna ne put tenir. Feignant de rétrograder, Bonaparte tourna les arrières d'Alvinczy qu'il attaqua à Arcole. Le 17 novembre, le pont d'Arcole était enlevé après un combat acharné où Bonaparte et Augereau payèrent de leur personne, et où Muiron périt en sauvant son chef.

Ouvrons une parenthèse. Ce furent bien Bonaparte et Augereau qui saisirent chacun un drapeau pour entraîner leurs hommes sous une grêle de balles. Mais, pour des raisons de propagande, c'est Bonaparte seul qui figure le drapeau au poing dans la célèbre peinture de Gros. Nous reviendrons d'ailleurs à plusieurs reprises sur les talents publicitaires de Napoléon.

L'armée d'Alvinczy avait été vaincue, non pas anéantie. De leur côté, les Français n'en pouvaient plus. On se tint sur l'expectative pendant tout le mois de décembre. En janvier 1797, les hostilités reprirent. Alvinczy voulait en finir. Dans sa précipitation, il commit la même sottise que Wurmser : trop confiant dans la supériorité numérique de son armée, il la divisa. Bonaparte écrasa successivement Provera, lieutenant d'Alvinczy, puis ce dernier qui crut habile de se replier sur Mantoue. Le 2 février, le vieux Wurmser, à court de subsistances et désespérant d'être secouru, dut rendre Mantoue. La chute de cette position stratégique fut un coup de tonnerre en Europe. En une seule campagne, Bonaparte avait révolutionné la guerre et s'était taillé la réputation de premier capitaine de son temps.

L'Autriche consentit un ultime effort. Elle envoya son meilleur général, l'archiduc Charles, avec une nouvelle armée. Mais les Français avaient le vent en poupe ; Bonaparte à leur tête, ils se savaient désormais invincibles. L'archiduc ne put les empêcher de forcer les gorges de Pontelba, de se rendre finalement maîtres de la route de Vienne. Au nord, Hoche et Moreau avaient enfin dépassé la Bavière et progressaient le long du Danube. Mais le danger le plus imminent venait d'Italie, de la menace que l'armée de Bonaparte faisait désormais peser sur Vienne. Ce fut donc à Bonaparte que l'empereur François-Joseph envoya ses plénipotentiaires. De sa propre autorité, sans même prendre l'avis du Directoire, le général français signa l'armistice de Leoben, le 18 avril 1797. C'était pour lui le plus sûr moyen de priver Hoche et Moreau, ses concurrents, du profit de la victoire, mais aussi d'affirmer son importance aux yeux du Directoire, pour ne pas dire son indépendance. D'ores et déjà, il se comportait en proconsul de la République, à la fois généralissime, homme d'État et diplomate, agissant à la façon de César. À mesure qu'il accumulait les succès, une mutation profonde s'opérait en lui. Pas à pas, sa personnalité s'épanouissait, semblable à ces bêtes marines qui, repliées sur elles-mêmes n'ont qu'une chétive apparence, mais qui, touchées par le flux, déploient soudain leurs tentacules éblouissants. Ainsi la victoire métamorphosait-elle le conquérant en législateur, celui-ci en politicien de haute volée, ce dernier en véritable chef d'État traitant d'égal à égal avec l'empereur d'Autriche et, déjà, remaniant la carte de l'Europe, se conduisant en maître des peuples et de leurs destinées. La campagne d'Italie fut son second apprentissage. L'évoquant à Sainte-Hélène, il eut ce mot de poète, mais combien véridique ! « Je voyais déjà le monde fuir sous moi, comme si j'étais emporté dans les airs. »

Miot de Mélito, agent diplomatique envoyé par le Directoire, le rencontra pour la première fois dans la première phase de la campagne, en 1796, et laissa ce témoignage :

« Je fus étrangement surpris à son aspect. Rien n'était plus éloigné de l'idée que mon imagination s'était formée. J'aperçus au milieu d'un état-major nombreux un homme d'une taille au-dessous de la taille ordinaire, d'une extrême maigreur. Ses cheveux poudrés, coupés d'une manière particulière et carrément au-dessous des oreilles, tombaient sur ses épaules. Il était vêtu d'un habit droit, boutonné jusqu'en haut, orné d'une petite broderie en or très étroite, et portait à son chapeau une plume tricolore. Au premier abord, la figure ne me parut pas belle, mais des traits prononcés, un front large et soucieux, un œil vif et inquisiteur, un geste animé et brusque décelaient une âme ardente, un penseur profond.

Il me fit asseoir près de lui et nous parlâmes de l'Italie. Son parler était bref et, en ce temps, très incorrect. »

L'entretien de Bonaparte et de Miot roula, bien entendu, sur la situation militaire, mais aussi sur la situation politique et sur les divergences entre le chef de l'armée d'Italie et le gouvernement de Paris. Miot nota ces phrases riches de promesses :

« Oh ! me dit-il avec impatience, les commissaires du Directoire n'ont rien à voir dans ma politique. Je fais ce que je veux: qu'ils se mêlent de l'administration des revenus publics, à la bonne heure, du moins pour le moment, le reste ne les regarde pas. »

Nouvelle rencontre Miot-Bonaparte à Milan, en 1797:

« Je reconnus parfaitement, au langage qu'il me tint dans cette première conversation et dans toutes celles que j'eus avec lui pendant mon séjour à Milan, les mêmes vues et les mêmes desseins que j'avais déjà été à portée de démêler dans nos précédents entretiens à Brescia, à Bologne et à Florence. Enfin je vis toujours en lui l'homme le plus éloigné des formes et des idées républicaines: il traitait tout cela de rêveries. »

Au cours d'un autre entretien, à Monbello, fastueuse résidence du proconsul, du presque roi d'Italie, cette déclaration soigneusement enregistrée par Miot:

Ce que j'ai fait jusqu'ici n'est rien encore. Je ne suis qu'au début de la carrière que je dois parcourir. Croyez-vous que ce soit pour faire la grandeur des avocats du Directoire, des Carnot, des Barras, que je triomphe en Italie? Croyez-vous aussi que ce soit pour fonder une république? Quelle idée! une république de 30 millions d'hommes! avec nos mœurs, nos vices! Où en est la possibilité? C'est une chimère dont les Français sont engoués, mais qui passera comme tant d'autres. Il leur faut de la gloire, les satisfactions de la vanité, mais la liberté? ils n'y entendent rien. Voyez l'armée! les victoires que nous venons de remporter, nos triomphes ont déjà rendu le soldat français à son véritable caractère. Je suis tout pour lui. Que le Directoire s'avise de vouloir m'ôter le commandement, et il verra s'il est le maître. Il faut à la nation un chef, un chef illustré par la gloire, et non pas des théories de gouvernement, des phrases, des discours d'idéologues auxquels les Français n'entendent rien. Qu'on leur laisse des hochets, cela leur suffit; ils s'en amuseront et se laisseront mener, pourvu qu'on leur dissimule adroitement le but vers lequel on les fait marcher.

Un peu plus tard :

... La paix n'est pas dans mon intérêt. Vous voyez ce que je suis, ce que je puis maintenant en Italie. Si la paix est faite, si je ne suis plus à la tête de l'armée que je me suis attachée, il faut renoncer à ce pouvoir, à cette haute position où je me suis placé, pour aller faire ma cour au Luxembourg, à des avocats.

Je ne voudrais quitter l'Italie que pour aller jouer en France un rôle à peu près semblable, et le moment n'est pas encore venu : la poire n'est pas mûre... En attendant, il faut marcher avec le parti républicain...

Paroles imprudentes de la part d'un jeune chef ! Mais il n'avait alors que 27 ans ; le succès le grisait ; il oubliait un peu les conseils de dissimulation que Machiavel donne aux ambitieux. Au surplus l'un de ses défauts majeurs fut toujours le goût du bavardage, du monologue, défaut que lui reprochera Joséphine qui y voyait une faute de goût, quand ce pouvait être une faute politique : il rêvait tout haut sa vie : les mots catalysaient ses prémonitions, ses intuitions et ses calculs ; chacun a sa méthode : lui, il improvisait de la sorte son rôle futur, tantôt choisissant à dessein ses auditeurs, tantôt ne les choisissant pas, désormais certain que la moindre de ses paroles ne serait pas perdue pour la postérité.

Que Bonaparte méprisât le Directoire, ce n'est que trop certain. Ce gouvernement avili empochait âprement les millions extorqués par Bonaparte au roi de Sardaigne et au pape, exposait les œuvres d'art (tableaux et statues) razziées par centaines et, en remerciement, envoyait au quartier général des instructions déraisonnables, voire néfastes, assorties de plats éloges. Bien plus, se méfiant des triomphes de Bonaparte et craignant pour leur avenir, les Directeurs le faisaient espionner, contrecarraient ses projets dans la mesure du possible. Mais ils ne pouvaient empêcher que le peuple français ne s'engouât du jeune vainqueur et n'attendît de ses victoires la conclusion d'une paix souhaitée depuis des années ! Ce rôle d'arbitre, de conciliateur, que l'on pressentait, les Directeurs, en dépit de leurs inquiétudes, ne pouvaient le lui retirer. Force leur était de s'en remettre à lui, puisque tout lui réussissait. On ne pouvait même pas lui reprocher de ne pas être un bon républicain.

N'avait-il pas fondé deux républiques satellites dont les constitutions s'inspiraient de celle de l'an III ? La République cispadane formée des États du duc de Modène et des territoires enlevés au pape ? La République transpadane avec la Lombardie ? Sans doute les athées du gouvernement lui ont-ils intimé l'ordre de renverser le pape pour en finir une bonne fois avec la religion catholique romaine. Mais Bonaparte, jugeant sur pièces et sur place, ne pouvait être de leur avis. Il a mesuré l'utilité d'une puissante religion sur la conduite des affaires, son utilité politique ! Il a donc rançonné le pape, il a amputé ses États, mais il l'a traité avec une extrême courtoisie et il a persuadé ses soldats de respecter les prêtres. Eût-il appliqué les recommandations du Directoire à la lettre, il eût mis l'Italie à feu et à sang. Naguère, le peuple vendéen n'avait pas levé l'étendard de la révolte pour une autre raison que son attachement à la religion. Dans l'attitude de Bonaparte, il y avait déjà l'amorce du Concordat. Par la suite, il affirma encore plus nettement son autonomie. Cependant, les élections de 1797 ayant donné la majorité aux « réacteurs », les hommes de Vendémiaire menaçaient à nouveau le pouvoir. Bonaparte prit hypocritement parti pour le Directoire : « Jurons, sur nos drapeaux, guerre aux ennemis de la République et de la Constitution de l'an III ! » fit-il afficher dans les casernements. Et ses régiments, formés de ci-devant jacobins, d'envoyer des adresses menaçantes ! Sous le prétexte de porter au Directoire les drapeaux pris à l'ennemi, il détacha le général Augereau. Il fallait « un sabre » aux Directeurs, afin d'endosser la responsabilité de la répression, Augereau fit merveille. Une fois de plus, les Directeurs ne pouvaient que se confondre en remerciements. Toutefois quand, enhardis par leur trop facile triomphe sur les modérés, ils jugèrent insuffisantes les concessions faites par l'Autriche lors des préliminaires de Leoben et, au risque de déclencher une nouvelle guerre, réclamèrent la rive gauche du Rhin en pleine possession, ils se heurtèrent au refus de Bonaparte, et s'inclinèrent. Ainsi Bonaparte, petit général à la recherche d'un emploi en 1795, était-il devenu l'arbitre de la paix. Le traité de Campo-Formio, signé avec l'Autriche le 17 octobre 1797, fut exclusivement son œuvre. L'Autriche cédait la Lombardie à la France, mais recevait en compensation Venise. Elle renonçait à ses droits sur la Belgique, mais subordonnait l'abandon de la rive gauche du Rhin à l'approbation des États du Saint-Empire germanique, d'où le congrès de Rastadt. Or, assoiffés de grandeur et se voyant déjà les maîtres de l'Europe, les Directeurs ne rêvaient rien moins que de renverser les Habsbourgs et de faire une république de leur vaste empire ! Ce que Bonaparte estimait irréalisable, eu égard aux moyens dont disposait la France.

Or cet homme extraordinaire, désormais célèbre, connu par toute l'Europe, ce jeune conquérant dont l'invincibilité frappe de stupeur les meilleurs généraux de l'époque et que l'on compare à Alexandre le Grand et à César, ce roi sans autre couronne que de lauriers, que chacun s'empresse de courtiser, d'aduler, dont chaque parole est désormais recueillie pieusement, personne ne connaît ses tourments secrets ! Sous ce visage aux traits fermes, au regard impérieux, tel enfin que Bacler d'Albe l'a peint, rien ne transparaît d'une certaine blessure ouverte : une blessure de cœur ! Nul ne sait qu'au soir des batailles ou des entrevues, des entrées triomphales et des parades, le général redevient un homme épris, follement inquiet. De Milan, en novembre 1796, il écrit à Joséphine :

J'arrive à Milan ; je me précipite dans ton appartement, j'ai tout quitté pour te voir, te presser dans mes bras... tu n'y étais pas ; tu cours les villes avec les fêtes ; tu t'éloignes de moi, lorsque j'arrive, et ne te soucies plus de ton cher Napo-

léon. Un caprice t'a fait l'aimer, l'inconstance te le rend indifférent. Accoutumé aux dangers, je sais le remède aux ennuis et aux maux de la vie. Le malheur que j'éprouve est incalculable ; j'avais le droit de n'y pas compter. Je serai ici jusqu'au 9 dans la journée. Ne te dérange pas, cours les plaisirs, le bonheur est fait pour toi. Le monde entier est trop heureux s'il peut te plaire, et ton mari seul est bien, bien malheureux.

Joséphine se trouvait à Gênes où les autorités lui offrirent un bal. Elle n'était pas plus pressée de rejoindre Milan qu'elle ne l'avait été naguère de quitter Paris, malgré les lettres brûlantes de Bonaparte. Il avait dû supplier, menacer ; il croyait alors que Joséphine partageait son impatience et ses désirs. Elle s'était finalement résignée à partir pour l'Italie, mais en emmenant son amant en titre, un bellâtre.

De Bologne, 16 février 1797 :

Tu es triste, tu es malade, tu ne m'écris plus, tu veux t'en aller à Paris. N'aimerais-tu plus ton ami ? Cette idée me rend malheureux. Ma douce amie, la vie est pour moi insupportable, depuis que je suis instruit de ta tristesse... Je te donne cent baisers. Crois que rien n'égale mon amour, si ce n'est mon inquiétude. Écris-moi tous les jours toi-même. Adieu, très chère amie.

Le 19 février, de Tolentino :

Pas un mot de ta main, bon Dieu ! qu'ai-je donc fait ? Ne penser qu'à toi, n'aimer que Joséphine, ne vivre que par ma femme, ne jouir que du bonheur de mon amie, cela doit-il mériter de sa part un traitement si rigoureux ? Mon amie, je t'en conjure, pense souvent à moi, et écris-moi tous les jours ; tu es malade ou tu ne m'aimes pas ! Crois-tu donc que mon cœur soit de marbre ? Et mes peines t'intéressent-elles si peu ? Tu me connaîtrais bien mal ! Je ne puis le croire.

Toi, à qui la nature a donné l'esprit, la douceur et la beauté, toi qui seule pouvais régner dans mon cœur, toi qui sais trop, sans doute, l'empire absolu que tu as sur moi, écris-moi, pense à moi, et aime-moi. Pour la vie, à toi.

Un jour, l'Impératrice regrettera d'avoir souri de ces billets griffonnés à la diable, mais d'une main que l'amour faisait trembler. Mais enfin, on retiendra qu'aux soucis d'une dure campagne, aux difficultés de toutes sortes qu'il avait à résoudre et, souvent, dans l'instant, s'ajoutaient l'amertume d'un amour déçu, l'oppressante interrogation des maris trompés.

Du côté des Bonaparte qui, eux, s'étaient empressés de le rejoindre à Monbello, avait-il quelque compensation ? Il est probable que la famille le harcelait de ses demandes, depuis qu'il avait « réussi ». Là aussi il a fait de son mieux mais perdu du temps et dépensé de l'énergie en petites intrigues. Grâce à lui Joseph Bonaparte a été élu député de la Corse redevenue française ; ce n'était pas assez, il a fallu le nommer Résident de la République à Parme. Lucien, commissaire des guerres, songeait surtout à faire carrière dans la politique. Pauline, folle de l'ex-terroriste Fréron et passablement compromise par cette liaison, a été mariée au général Leclerc, après quelles scènes tumultueuses et vaudevillesques ! Quant à Élisa, peu gâtée par la nature, d'autant plus pressée de convoler, on l'a mariée au noble Bacciochi dont il faut par surcroît assurer l'avenir.

Malgré ces complications domestiques, malgré les silences dédaigneux et les absences troublantes de Joséphine, Bonaparte ne perdait rien de son entrain, ni même de sa bonne humeur. Aux graves plénipotentiaires autrichiens, tout chamarrés de broderies et de médailles et gonflés de leur importance, il fit, à brûle-pourpoint, ce conte sur les vanités humaines rapporté par le poète Arnault :

« Il comparait la vie à un pont jeté sur un fleuve rapide. Des voyageurs le traversent. Les uns à pas lents, les autres à pas de course. Ceux-ci en ligne droite, ceux-là en serpentant. Les uns, les bras ballants, s'arrêtent pour dormir ou pour voir couler l'eau. Les autres, sans prendre de repos et chargés de fardeaux, se fatiguent à poursuivre des bulles de savon, des bulles de toutes les couleurs, que, du haut de tréteaux richement décorés, des charlatans enflent et lancent dans le vide, et qui s'évanouissent en salissant la main qui les saisit. »

V

LA CAMPAGNE D'ÉGYPTE

Vingt batailles gagnées vont si bien à la jeunesse, à un beau regard, à de la pâleur, et à une sorte d'épuisement.

TALLEYRAND, *Mémoires*

Au congrès de Rastadt, il était si las, il avait si mauvaise mine que Schoerbing, secrétaire d'Axel de Fersen, ambassadeur de Suède, jugeant sur sa pâleur et son visage amaigri, lui donna « plus près de 50 ans que de 30 ». Cependant il étonna les représentants de la Diète par la pertinence et la vivacité de ses propos, par l'étendue de ses connaissances historiques et politiques. Ce fut en expert qu'il débattit avec eux de la Bulle d'Or et de la fondation du Saint-Empire germanique. Mais, les conventions signées, il reprit, sans gaieté, le chemin de la France. Le 5 décembre 1797, il arrivait à Paris, en chaise de poste et vêtu en bourgeois. Il était cinq heures du soir et, dans l'obscurité, cette arrivée passa inaperçue. Paris n'en fut informé que le lendemain. Bonaparte put donc gagner sans encombre sa maison de la rue Chantereine. Le soir même, il prit rendez-vous avec Talleyrand, ministre des Relations extérieures, autrement dit des Affaires étrangères. Le 6 décembre, dans la matinée, il se rendit au ministère. Quelques personnalités, prévenues par Talleyrand, se trouvaient au salon, entre autres Mme de Staël et l'amiral de Bougainville. Puis Bonaparte et le ministre s'entretinrent en privé, à la suite de quoi, ils se rendirent chez Barras. Ce dernier se montra assez chaleureux, de même que La Révellière ; l'accueil des autres Directeurs, Merlin et Neufchâteau (qui avaient remplacé Barthélemy et Carnot), fut glacial. Si Bonaparte avait conservé le moindre doute sur leurs sentiments, il était fixé et comprenait qu'à la moindre faute ces hommes se feraient un plaisir de le perdre. Les journaux annoncèrent qu'il ne voulait recevoir personne et qu'il refusait une garde militaire. Mais comment détourner de lui une opinion dont il était devenu l'idole ? Empêcher les badauds de se porter rue Chantereine et d'attendre son apparition ? Les Directeurs crurent adroit de le recevoir en grande pompe au Luxembourg. Le 10 décembre, on put le voir monter dans une voiture très simple, en compagnie de Barras et de Berthier. Il portait son uniforme de campagne. Sa pâleur, sa jeunesse émouvaient le cœur des dames. Les fabricants de médailles, d'étiquettes de parfumerie, les graveurs d'images avaient déjà popularisé son mince visage ; les chanteurs de carrefour, sa gloire :

Chantons en ce moment
Le cœur gai et content.
Chantons ce général,
Ce guerrier sans égal,
Buvons à sa santé ;
Vive la liberté !...

Et l'on se répétait les vers (mirlitonesques) d'Arnault :

Aucune gloire désormais
Ne vous sera donc étrangère
Et vous savez faire la paix
Comme vous avez fait la guerre !...

Sur l'itinéraire du Luxembourg, ce ne furent qu'applaudissements, chapeaux en l'air, ovations. Autour du palais, la foule était encore plus dense et enthousiaste. Quand il descendit de voiture, les cris de « Vive la République ! Vive Bonaparte ! » l'accueillirent. La réception des Directeurs en costume d'apparat et de leur entourage fut aussi hypocrite que possible. Talleyrand prit la parole au nom du gouvernement. Il prononça un discours mielleux, où la perspicacité le disputait à l'ironie :

« ... Et quand je pense à tout ce qu'il fait pour se faire pardonner cette gloire, à ce goût antique de la simplicité qui le distingue, à son amour pour les sciences abstraites, à ses lectures favorites, à ce sublime Ossian, qui semble le détacher de la terre ; quand personne n'ignore ce mépris profond pour l'éclat, le luxe, pour le faste, ces méprisables ambitions des âmes communes, ah ! loin de redouter ce qu'on voudrait appeler son ambition, je sens qu'il nous faudra peut-être le solliciter un jour pour l'arracher aux douceurs de sa studieuse retraite. La France entière sera libre, peut-être lui ne le sera jamais : telle est sa destinée. »

D'une voix un peu sourde, saccadée, Bonaparte répondit :

« Citoyens Directeurs, le peuple français, pour être libre, avait les rois à combattre. Pour obtenir une constitution fondée sur la raison, il y avait dix-huit siècles de préjugés à vaincre. La Constitution de l'an III et vous, avez triomphé de tous ces obstacles. La religion, la féodalité et le royalisme ont successivement, depuis vingt siècles, gouverné l'Europe ; mais de la paix que vous venez de conclure date l'ère des gouvernements représentatifs. Vous êtes parvenus à organiser la Grande Nation, dont le territoire n'est circonscrit que parce que la nature en a posé elle-même les limites... »

Barras y alla de son éloge et serra Bonaparte sur son sein, imité aussitôt par ses collègues emplumés. La comédie s'achevait.

Dès lors, et comme s'il eût pris le discours de Talleyrand pour modèle, Bonaparte affecta de ne se montrer qu'en costume civil, de ne s'intéresser qu'à l'étude. Très subtilement, il émit le désir d'être membre de l'Institut :

c'était, sans qu'il y parût, flatter « l'intelligentsia », s'agréger à elle. Le Directeur Neufchâteau s'empressa d'offrir un dîner, auquel assistèrent les membres les plus influents de l'honorable société. Le 25 décembre, Bonaparte fut élu à une majorité écrasante contre les citoyens Dillon et Montalembert. Le remerciement de Bonaparte fut d'une surprenante modestie : « Le suffrage des hommes distingués qui composent l'Institut m'honore. Je sens bien qu'avant d'être leur égal, je serai longtemps leur écolier... Les vraies conquêtes, les seules qui ne donnent pas de regret, sont celles que l'on fait sur l'ignorance... La vraie puissance de la République française doit consister désormais à ne pas permettre qu'il existe une idée nouvelle qu'elle ne lui appartienne. »

Les honneurs continuaient à pleuvoir. La rue Chantereine fut débaptisée, reçut le nom de rue de la Victoire. Talleyrand, pour célébrer la paix, donna une réception de 500 personnes, ressuscitant pour un soir le luxe d'antan. Il s'attira cette réflexion de Mme Merlin, épouse du Directeur : « Cela a dû vous coûter gros, citoyen ministre ? – Pas le Pérou ! » répondit-il sur le même ton.

Ce fut un triomphe pour Bonaparte, plus encore pour Joséphine entourée d'hommages et dont on découvrit qu'elle pouvait être une grande dame et rester naturelle. Les esprits chagrins notèrent que Talleyrand avait déjà fait son choix entre un régime discrédité et ce conquérant plein d'avenir.

Aigris, irrésolus, divisés, les Directeurs se demandaient quelles étaient les intentions du général. Sa présence dans la capitale leur semblait dangereuse. Pour l'occuper, et croyant que sa popularité s'userait avec le temps, ils lui donnèrent le commandement de l'Armée d'Angleterre. Les bureaux de la Guerre ressortirent les vieux projets d'invasion, maintes fois repris, remodelés, abandonnés faute d'avoir la maîtrise de la mer. On avait toujours cru qu'en abattant l'Angleterre, la France n'aurait aucune peine à dominer l'Europe, qui connaîtrait enfin une paix durable. Bonaparte accepta le commandement, partit inspecter les ports et, quand il eut réuni les éléments nécessaires, rédigea un rapport défavorable. La République ne possédant pas une flotte assez nombreuse pour couvrir le débarquement, la tentative était vouée à l'échec. Il préférait donc renoncer ! Mais il ne pouvait davantage rester inactif, en butte aux suspicions, voire aux manœuvres perfides du « Luxembourg ». Une solution acceptable eût été de lui donner un siège au Directoire, mais aucun des Directeurs n'eût consenti à lui céder sa place, d'ailleurs Bonaparte n'avait pas l'âge requis.

Dans ses *Mémoires*, Barras relate certaines scènes qui montrent, à supposer qu'elles soient véridiques, l'état d'esprit de Bonaparte à cette période. Il dit que le général rendait de fréquentes visites au Luxembourg et que, les Directeurs lui faisant malicieusement faire tapisserie dans l'antichambre, il trépignait d'impatience. Qu'il essayait souvent de prendre place « directorialement » à la table, c'est-à-dire de s'asseoir dans un fauteuil de Directeur, et qu'on lui offrait un autre siège : « Il était difficile de ne pas voir l'impression colérique qui se peignait dans ses traits... » Il raconte que, le recevant à son domicile personnel, il lui faisait « l'honneur du canapé », mais en y faisant asseoir d'autres personnes, afin de lui donner une leçon « de cette égalité qu'il paraissait si disposé à oublier et à fouler ». Ce n'étaient là que mesquineries, attestant la médiocrité de leurs auteurs, encore une fois en supposant qu'elles fussent exactes. Mais il y eut plus grave et, là, les racontars de Barras rendent le son de la vérité.

« Un soir, pressé du besoin de parler toujours de lui, lorsqu'il ne le pouvait plus, comme en Italie, par des bulletins et des proclamations, il m'entretenait, sans que cela fut amené, mais avec une singulière vivacité, de la docilité des peuples italiens, de l'ascendant qu'il avait sur eux. Ils l'avaient voulu faire "duc de Milan, roi d'Italie".

Je fus peu maître de ma sensation dès le commencement de ce discours. Bonaparte, s'apercevant, avec sa promptitude incomparable, que je sentais la sonde, se reprit, comme en paraissant continuer, et me dit :

“Mais je ne pense à rien de semblable dans aucun pays.

— Vous faites bien de n'y pas songer en France, lui répondis-je, car si le Directoire vous envoyait demain au Temple pour récompenser une pareille idée, il n'y aurait pas quatre personnes qui songeraient à s'y opposer. Il faut vous souvenir que nous sommes en République.”

Celui qui avait jusqu'alors joué l'ingénuité d'un récit et semblé dire une chose d'autre temps et d'autre pays paraît comme frappé d'une irritation dont il ne peut se défendre. Se levant comme d'un saut, et du bond d'une bête fauve, il s'élance du canapé vers la cheminée, puis, bientôt après, reprend cette espèce de calme apparent qui est l'un des procédés les mieux étudiés de l'Italie, et qui est effectivement une sorte de triomphe de la fourberie. »

Parfois, sortant de ses gonds – toujours selon Barras –, Bonaparte essayait le chantage et offrait sa démission.

« Avancez, général, aurait dit Reubell. Voici une plume. Le Directoire attend votre lettre. »

Neufchâteau, Barras se seraient interposés. Excuses, réconciliations, etc. Ces escarmouches usaient les nerfs de Bonaparte ; il était clair que cette situation ne pouvait se prolonger longtemps. En réalité, et quelque indignes que fussent les Directeurs, il ne pouvait plus se soumettre ! Dès 1797, il avait déclaré à Miot de Mélito : « J'ai goûté du commandement et je ne saurais y renoncer. Mon parti est pris : si je ne puis être le maître, je quitterai la France ; je ne veux pas avoir fait tant de choses pour les donner à des avocats. »

Ce fut Talleyrand qui le sortit de peine. La mort d'Aubert-Dubayet, ambassadeur à Constantinople, lui en fournit l'occasion. Il suggéra au Directoire d'intervenir en Égypte, convainquit Bonaparte de l'utilité d'une telle expédition : conquérir l'Égypte, c'était porter un coup redoutable à l'Angleterre, lui enlever la maîtrise de la Méditerranée, réduire ses échanges commerciaux avec l'Orient, aider indirectement l'Inde à relever la tête. L'idée n'était pas nouvelle ; les commis de la Guerre n'eurent qu'à exhumer leurs cartons: ils étaient nombreux et substantiels, certains remontant à Louis XIV! Le Directoire, renfloué par la campagne d'Italie, croyant que l'Égypte recelait le trésor de Golconde, pressé de se débarrasser de Bonaparte, ne demandait qu'à se laisser convaincre. Quant au général, la perspective de conquérir la terre des pharaons, comme César, puis de conduire ses troupes en Orient, comme Alexandre, ne pouvait qu'enflammer son imagination. Et ce n'étaient pas les difficultés en perspective, ne fût-ce que les dangers de la traversée, qui la refroidiraient. Il accepta d'enthousiasme. Le projet, en dépit de son extravagance, ne présentait pour lui que des avantages. S'il réussissait, il acquerrait une gloire sans seconde, une puissance illimitée, soit qu'il revînt en France, soit qu'il se taillât un empire en Orient. S'il échouait, il serait aisé d'accréditer que le Directoire l'avait envoyé en Afrique pour l'y faire périr, ce qui n'était pas entièrement faux. La décision prise, ses rêveries de jeunesse, ses lectures refirent surface. Il put à loisir se monter la tête, laisser libre cours à son imagination, se flatter d'avoir un destin comparable à celui d'Alexandre ou de jouer le rôle prestigieux de César. Cependant, comme son esprit restait « mathématique », en même temps il déployait une activité débordante pour préparer l'expédition. Il était cependant assez lucide pour apercevoir le risque énorme qu'il prenait et pour comprendre que les chances de réussite étaient minces! Au cours de ses inspections dans les ports, il avait sainement jugé de l'état de la flotte. Il devait se dire que les Anglais tenteraient l'impossible pour lui couper la route de l'Égypte. Or, s'ils attaquaient le convoi, c'en était fait de l'expédition: les vaisseaux d'escorte ne pourraient résister à une escadre libre de ses mouvements. Mais Bonaparte croyait à sa chance, à son étoile. En quelques mois, l'expédition fut préparée, ou plutôt « bâclée ».

Le 19 mai 1798, le convoi, formé de 130 navires de transport escortés par 13 vaisseaux de ligne et 42 frégates, bricks et avisos, appareillait de Toulon, sous les ordres de l'amiral Brueys. Si brefs qu'eussent été les préparatifs, ils n'avaient pu passer inaperçus : les espions anglais ne manquaient pas en France ; les agents royalistes leur prêtaient leur concours. Nelson faisait force voiles vers la Méditerranée, à la tête d'une puissante escadre, escomptant qu'il lui serait aisé d'intercepter l'immense convoi. Mais, par un hasard réellement prodigieux, son flair bien connu fut mis en défaut. Bonaparte s'offrit le luxe de s'emparer de Malte, à la vérité sans rencontrer de résistance, mais enfin c'était retarder la flotte, prendre un risque supplémentaire. Toutefois l'importance stratégique de l'île-forteresse justifiait ce retard. Nelson arriva trop tard. De même à Candie ! Par contre, dans sa précipitation anxieuse, il parvint trop tôt à Alexandrie et fonça vers les côtes de Syrie, pendant que les Français abordaient en Égypte.

Le débarquement s'opéra dans la baie d'Alexandrie : 35 000 hommes, avec l'artillerie et la cavalerie, les munitions et le matériel, sans que les Mamelucks intervinssent. Bonaparte les connaissait de réputation. Il savait que ces cavaliers intrépides étaient les vrais maîtres de l'Égypte. La première rencontre eut lieu le 13 juillet. Les Mamelucks se brisèrent sur les bataillons français formés en carrés. Le 21 juillet, nouvelle victoire aux Pyramides. L'armée d'Égypte avait désormais le champ libre. Elle fit son entrée au Caire, y établit ses quartiers. Bonaparte redevenait proconsul, à la façon de César. Deux victoires avaient suffi pour abattre la domination des Mamelucks ! Il était désormais le maître de l'Égypte. Mais Nelson approchait ! Le 1er août, ses vigies aperçurent enfin les mâtures de l'escadre de Brueys, embossée trop loin du rivage. Malgré les risques d'échouement, Nelson divisa son escadre dont il envoya une partie entre la flotte française et la côte. Pris entre deux lignes de feu, Brueys se défendit avec acharnement. Son propre vaisseau, *L'Orient*, sauta vers le soir avec tout son équipage. L'escadre fut presque entièrement détruite : seules quelques unités purent échapper. L'armée d'Égypte était prisonnière de sa conquête. Il fallut l'extraordinaire ascendant de Bonaparte pour que ces hommes, déjà minés par le climat, conservassent le moral. Vis-à-vis des autochtones la situation n'était pas moins délicate. Le pays était d'une pauvreté extrême et l'on devait nourrir l'armée, réquisitionner pour éviter le chapardage, voire le pillage. Bonaparte, par sa courtoisie, plus encore par le respect qu'il professait à l'égard de Mahomet et du Coran, gagna l'amitié des notables. Il répétait que les Français étaient venus pour les libérer de la tyrannie des Mamelucks, dont, par parenthèse, il avait saisi les biens. Afin d'accélérer la pacification, il réorganisa l'administration, fit étudier de grands travaux et, dans un premier temps, construire des moulins et des fours. Parallèlement, les savants qu'il avait emmenés inventoriaient les monuments de l'ancienne Égypte, tentaient de décrypter les hiéroglyphes, dressaient la carte du pays. Des canonnières remontaient le cours du Nil.

Cependant la partie n'était pas gagnée ! En secret, les Mamelucks survivants travaillaient l'opinion. Le 21 octobre, les habitants du Caire se révoltèrent, massacrèrent plusieurs centaines de Français. L'ordre fut rétabli promptement, durement, mais ce grave incident montrait assez l'hostilité larvée de la population, la précarité de la conquête. Par surcroît la peste éclata à Alexandrie. Dès lors, l'armée ne cacha plus son mécontentement. C'était en vain que Bonaparte essayait par tous les moyens de divertir les soldats : il avait même créé une manière de Tivoli pour les guérir du mal du pays.

Sur ces entrefaites, la Turquie déclara la guerre à la France. Il était prévisible que son armée attaquerait l'Égypte. Prenant les devants et payant d'audace, car c'était s'enfoncer dans l'inconnu, Bonaparte décida d'envahir la Syrie. Il quitta Le Caire avec 13000 hommes, le 10 février 1799, sans artillerie lourde. Il prit aisément Katich, El Arish, Gaza et Jaffa. Éludons l'épisode des pestiférés popularisé par le tableau de Gros : il paraît exact, en dépit de dénégations calomnieuses, que Bonaparte touchât les malades, pour rassurer l'armée prise de panique. Le 19 mars, il mit le siège devant Saint-Jean-d'Acre. La ville était défendue par le sultan Djezzar, chef énergique, et par des officiers anglais débarqués par le commodore Sidney Smith: parmi lesquels Phélippeaux, l'ancien condisciple de Bonaparte à l'école militaire. Tous les assauts échouèrent, entraînant de lourdes pertes. On décida de faire amener par mer l'indispensable artillerie de siège. Les Anglais l'interceptèrent. Il fallut abandonner, d'autant qu'une armée turque était signalée, venant de Damas. Bonaparte l'écrasa, le 16 avril, à la bataille du Mont-Thabor. Mais le corps expéditionnaire avait perdu 2000 hommes et traînait autant de blessés et de malades; il était à bout de souffle. Le 17 mai, Bonaparte dut se résoudre à la retraite, en abandonnant les pestiférés! Il renonçait à conquérir l'Orient, à suivre les traces d'Alexandre le Grand. Désormais, son destin se réaliserait en Europe, quoi qu'il en eût! Les Anglais l'accusèrent d'avoir fait donner de l'opium aux pestiférés. Il est exact qu'il en donna, sinon l'ordre, du moins le conseil au chirurgien Desgenettes. « Ce ne fut au reste, écrivit ce dernier, qu'à notre retour à Jaffa, et nulle part ailleurs, que je puisse attester que l'on donna à des pestiférés, au nombre de vingt-cinq à trente, une assez forte dose de laudanum. Quelques-uns le rejetèrent par le vomissement, furent soulagés, guérirent et racontèrent tout ce qui s'était passé »! Le 14 juin, Bonaparte fit une entrée triomphale au Caire, masquant son échec par une propagande intensive, mais aussi par une ultime victoire. Les Turcs ayant débarqué à Aboukir, il les rejeta à la mer. Ce fut à ce moment qu'il apprit, par des journaux, que la guerre venait à nouveau d'éclater en Europe; que les armées françaises reculaient sur deux fronts: l'Italie et le Rhin. Sieyès, sortant de l'expectative, avait été élu Directeur, signe annonciateur d'une crise politique, voire d'un changement de régime. Barras, afin de redresser la situation, avait convaincu ses collègues de rappeler Bonaparte; il se souvenait des journées de Vendémiaire; il avait choisi entre l'ambition du Corse et le retour éventuel d'un Bourbon.

Bonaparte comprit que, cette fois, « la poire était mûre ». Il décida d'abandonner l'armée d'Égypte, en déléguant ses pouvoirs à Kléber, puis, en secret, il embarqua à bord de la frégate *La Muiron*. Il n'est pas besoin de dire que ce départ, ressemblant fort à une désertion, déchaîna la hargne de Kléber et les railleries amères des soldats. Mais Bonaparte estimait que son honneur était en France et... que, s'il tardait, la place serait prise ! Par une chance inexplicable, la frégate et les trois bâtiments qui l'escortaient (bien faiblement !), passèrent au travers des croisières anglaises. Bonaparte emmenait avec lui Berthier, Duroc, Eugène de Beauharnais, les savants Monge et Berthollet, Lannes, Marmont et Murat. Pas un seul jour, en dépit des alertes et du danger très réel d'être attaqué et capturé, il ne se départit de son optimisme ! À ses compagnons, moins à l'aise que lui, il parlait de Plutarque, faisait des contes de revenants (peut-être avait-il pris cette lubie dans les poèmes d'Ossian), disputait de politique. Souvent il laissait percer son dédain du Directoire. Jamais cependant il ne se permit la moindre allusion à ses projets. On relâcha en Corse. Des barques chargées d'Ajacciens entourèrent la frégate. Dans l'une d'elles une femme vêtue de noir levait les bras et criait « Caro figlio ! » Bonaparte l'aperçut : « Madre ! » répondit-il. C'était sa vieille nourrice. Le 9 octobre, la frégate atteignait Fréjus et Bonaparte débarquait, à la barbe d'une escadre anglaise...

VI

LE 18 BRUMAIRE

Nous en sommes arrivés à ce point de ne plus songer à sauver les principes de la Révolution, mais les hommes qui l'ont faite.

Mme de STAËL

« Pour bien connaître les causes qui ont amené la domination de Bonaparte sur la France, écrit Chaptal, il suffit de jeter un coup d'œil sur la position dans laquelle se trouvait la France au moment où Bonaparte fut appelé à prendre les rênes du gouvernement.

« Le pouvoir exécutif était confié à un conseil composé de cinq hommes ; la puissance législative était exercée par deux Chambres[1] dont les membres avaient appartenu aux assemblées orageuses qui avaient précédé.

« L'ennemi était maître sur le Rhin et en Italie. La Vendée faisait des progrès. L'inquiétude, l'agitation, le mécontentement étaient partout à leur comble. Les cinq membres du Directoire, divisés d'opinion ou d'intérêt, n'avaient ni assez de force ni assez d'ensemble pour comprimer les partis, étouffer les passions et suivre une marche ferme et uniforme. Si les sociétés populaires n'existaient plus, les éléments en étaient encore partout.

1. Le Conseil des Anciens et les Cinq-Cents.

Les chefs du parti populaire dominaient dans les administrations: leurs principes, incompatibles avec la marche d'un gouvernement régulier et conformes aux lois, présentaient des obstacles et mettaient des entraves à l'exécution de toutes les mesures ordonnées par l'autorité. Ce gouvernement n'était point tyrannique et atroce comme celui du Comité de salut public qui l'avait précédé, mais il portait en lui les germes d'une dissolution générale. En effet, le pouvoir exécutif, confié à un conseil de cinq personnes, ne peut avoir cette unité, ni cette force, ni ce secret, ni cette activité qui sont inséparables de l'action. Sans doute, la formation de la loi exige le concours et la délibération de plusieurs, mais son exécution ne doit être confiée qu'à un seul. La préparation de la loi doit être lente et éclairée, mais l'action ou l'application doit être rapide et absolue, ce qui ne s'obtient ni par des discussions, ni par des volontés souvent opposées entre elles.

« Dans cette situation critique où se trouvait la France, un cri général appelait des changements. L'Italie reconquise par les armées étrangères, la Belgique menacée par celles du Rhin, les hordes de la Vendée se grossissant tous les jours, la fureur des partis s'animant par nos désastres, un changement de gouvernement était le vœu public et le besoin de tous.

« Dans cet état de choses, on annonce le débarquement du général Bonaparte à Fréjus. La nouvelle s'en répand avec la rapidité de l'éclair. L'espérance renaît dans tous les cœurs. Les partis se rallient tous à lui. Le souvenir de sa brillante campagne d'Italie, les faits mémorables de ses armées en Égypte, la connaissance que l'on a de ses principes libéraux, ne permettent pas de faire un autre choix. »

Et Mme de Staël, porte-parole de l'intelligentsia, fait chorus: « On se plaisait à lui croire toutes les qualités généreuses qui donnent un beau relief aux facultés extraordinaires. On était d'ailleurs si fatigué des oppresseurs empruntant le nom de la liberté et des opprimés regrettant l'arbitraire, que l'admiration ne savait où se prendre, et le général Bonaparte semblait réunir tout ce qui devait la captiver. »

Il est hors de doute en effet que le régime était usé, que le Directoire avait fait l'unanimité contre lui. Les jacobins comme les royalistes, les modérés aussi bien que les gens du peuple, les gens d'affaires et les ci-devant soldats-citoyens souhaitaient ardemment sa chute. Jamais la vie n'avait été aussi chère. Jamais l'administration n'avait été un pareil chaos: tout se vendait au plus offrant, tout était devenu complaisances payantes, marchandages, tripotages éhontés. Jamais la situation militaire n'avait été aussi mauvaise, même aux heures les plus noires de 93. Le Directoire était entre les mains des banquiers, parce que les impôts et taxes ne rentraient plus dans les caisses de l'État, et le Trésor était toujours à sec ! Pis encore, pour se survivre, il violait ouvertement la loi, érigeait le coup d'État en système de gouvernement. Rappelons quelques faits. Le 18 fructidor an V (4 septembre 1797), il avait arbitrairement évincé les élus royalistes et modérés : 197 députés avaient été déportés. Le 22 floréal an VI (11 mai 1798), 60 députés jacobins, réputés « anarchistes », avaient été pareillement exclus. Le 30 prairial an VII (18 juin 1799), deux des Directeurs, jugés trop républicains, avaient été contraints à se démettre. Ajoutons au tableau la déportation sans jugement de 42 journalistes, car le Directoire faisait également litière de la liberté de la presse. De même, pour alléger la dette de l'État, il avait converti les assignats en mandats territoriaux, décrété un emprunt forcé de 600 millions et une banqueroute partielle (réduction de deux tiers de la dette publique). Ce faisceau d'erreurs et d'iniquités explique, non seulement le discrédit du régime, mais la décadence de l'esprit républicain.

Cependant Bonaparte s'avançait vers Paris, soulevant sur son passage un enthousiasme indescriptible. Il était alors tel que le décrit son valet Constant, « fort maigre et très jeune, le teint cuivré, les yeux assez enfoncés ». Il s'arrêta à Avignon dont la population l'acclama, l'accompagna jusqu'à l'hôtel du Palais national où il devait prendre une nuit de repos. « Dès cette époque, écrit le général Boulart, on le regardait comme appelé à sauver la France. » À Valence, à Lyon, même accueil. Partout, les municipalités venaient le saluer. La nouvelle de son retour se répandait comme un trait de poudre, atteignait les plus lointains villages où elle suscitait le même enthousiasme. Le docteur Poumiès, déjà cité, raconte que, lorsque son père arrivant de Périgueux annonça le débarquement de Bonaparte, « la joie la plus vive éclata de toutes parts. Les paysans sortaient de leurs maisons, se donnaient la main avec transport ; on sonna les cloches, on alluma des feux de joie ». À Nevers, la municipalité vint le saluer à l'hôtel du Cerf où il était descendu. Partout, on voulait le voir, on lui faisait fête, on multipliait les témoignages d'admiration, de respect, d'attachement à sa personne ; il était un messie ; il était l'homme du destin. Les royalistes eux-mêmes oubliaient leurs préventions (momentanément). L'informateur des princes, Mallet du Pan, qui écrivait en 1798 : « Ce Scaramouche à tête sulfureuse n'a eu qu'un succès de curiosité. C'est un homme fini », avait changé d'avis. « L'arrivée de Bonaparte, écrivait-il avec plus de pertinence, n'est point, à beaucoup près, un événement indifférent ; ses talents, sa réputation ont un poids dans les destinées de la République. »

Cet événement pesait aussi, mais sur le cœur de Joséphine. Elle dînait au Luxembourg, quand la nouvelle du débarquement de Bonaparte parvint aux Directeurs. Peu rassurée sur l'accueil que lui réserverait son mari, elle eut ce mot : « Que je le voie la première et je suis tranquille. » Elle partit sur-le-champ pour le rejoindre en Bourgogne, mais prit une route différente et le manqua. Quand, au matin du 16 octobre, il arriva rue de la Victoire, ce fut sa mère qu'il trouva, venue très certainement le mettre au courant de l'inconduite notoire de Joséphine. Il dit à l'un de ses familiers : « Les guerriers d'Égypte sont comme ceux du siège de Troie : leurs femmes ont gardé le même genre de fidélité ! » Il se reposa jusqu'au soir et rendit visite à Gohier. Le lendemain, il se présenta aux Directeurs : en chapeau rond, redingote olive, un cimeterre pendu à des cordelettes de soie, l'étrange civil! Joséphine n'arriva que le 18 octobre; après une violente altercation, les pleurs et les supplications d'usage, l'intervention pour le moins singulière d'Eugène et d'Hortense de Beauharnais, on se réconcilia, ou plutôt Bonaparte consentit à reprendre la vie commune, par commodité peut-être, ou pour éviter des complications, peut-être aussi parce que, dans certains caractères tout d'une pièce, l'amour est un sentiment tenace. Il faut dire aussi qu'il avait mieux à faire qu'à divorcer et, même, qu'en la conjoncture un divorce eût été inopportun. D'ailleurs l'hôtel Bonaparte ne désemplissait pas; la présence d'une maîtresse de maison y était donc indispensable. Talleyrand et Roederer furent des tout premiers visiteurs. Bonaparte demanda à Roederer s'il croyait possible son accession au pouvoir. Réponse: « Ce que je crois difficile, c'est qu'elle ne se fasse pas, car elle est aux trois quarts faite. » Quant à Talleyrand, il fit le point de la situation: il était nécessaire que le général gagnât Sieyès à sa cause; la démission de Sieyès de ses fonctions de Directeur entraînerait celle de son collègue, Roger-Ducos. Barras se laisserait acheter. Quant aux deux autres Directeurs, Gohier et Moulin, ils ne pourraient dès lors que s'exécuter. En outre il importait de faire jouer l'article 102 de la Constitution qui permettait au Conseil des Anciens de déplacer l'ensemble du Corps législatif hors de Paris, afin de le mettre à l'abri des pressions populaires. Or les Anciens présidés par le petit Lucien – qui avait fait son chemin à l'ombre du grand frère! – étaient acquis au général. Ainsi l'exécutif et le législatif se trouveraient-ils démantelés comme par enchantement et le changement interviendrait-il sans qu'une goutte de sang fût versée. Talleyrand avait fait une nouvelle recrue, l'énigmatique Fouché aux yeux de serpent, aux mains couvertes de sang. Ce dernier, convaincu de la supériorité de Bonaparte, avait décidé de jouer aussi sa carte. Il arrangea promptement une entrevue avec Sieyès, dont Bonaparte sut caresser les chimères. Connaissant tout le monde, Fouché acheva de nouer les fils du complot, menaçant l'un de dévoiler certaines compromissions, abusant l'autre par des promesses, stimulant l'indécis, effrayant le poltron, chantant à tous le pur républicanisme du général, avec cet art consommé de la fourberie qui était le sien. Simultanément, Bonaparte s'adonnait aux entretiens, s'efforçait d'apprivoiser Bernadotte et Moreau, dînait à Mortefontaine chez son frère Joseph (dont la fortune s'arrondissait joliment !), recevait ses généraux, faisait une apparition au théâtre, se montrait à l'Institut. On avait fixé le coup d'État au 16 brumaire (7 novembre), mais, devant la résistance de Barras et les hésitations de certains députés, on repoussa la date de quarante-huit heures. Tout étant décidé, arrêté, prévu minutieusement, Bonaparte avait retrouvé sa gaieté. On le surprit même à chanter une scie : « Écoutez, honorable assistance ». Il chantait faux...

Le 18 brumaire comme prévu, le Conseil des Anciens fut avisé d'un complot terroriste. Le dénonciateur, un certain Cornet, déclara sans rire : « Vous pouvez encore prévenir l'incendie. Un instant suffit, mais si vous ne le saisissez pas, la République aura cessé d'exister et son squelette sera entre les mains des vautours qui s'en disputeront les membres décharnés ! » On avait oublié de convoquer ceux des Anciens que l'on tenait pour suspects. Cette omission facilita la manœuvre. Sans délibérer, le Conseil s'empressa de voter le transfert du Corps législatif à Saint-Cloud et de confier le maintien de l'ordre au général Bonaparte, renommé pour la circonstance commandant de l'armée de l'Intérieur. Simultanément, contre une confortable rétribution, Barras se laissa « démissionner ». Sieyès et Roger-Ducos, étant de la conjuration, avaient eux-mêmes résilié leur fonction. Quant à Moulin et Gohier, on les boucla au Luxembourg. Convoqué aux Tuileries, Bonaparte, ayant repris son uniforme de général, fut accueilli comme un sauveur par les Anciens et prononça un remerciement qui lui valut un tonnerre d'applaudissements (selon la formule consacrée). En rentrant chez lui, il dit à Bourrienne : « En somme, cela n'a pas mal été aujourd'hui. »

Mais rien n'était joué. Ce que l'on appelle le coup d'État du 18 brumaire eut en réalité lieu le lendemain, 19 brumaire an VIII (10 novembre 1799).

À l'aube de ce jour-là, les troupes expédiées de Paris, sur ordre de Bonaparte, avaient pris position autour du château de Saint-Cloud, afin d'assurer la sécurité du corps législatif. Les députés arrivèrent dans la matinée, s'interrogeant sur le motif du transfert, certains redoutant le pire. On dirigeait les Anciens vers la galerie du château, les Cinq-Cents vers l'Orangerie, assez triste bâtisse, isolée du corps de bâtiment. C'était à dessein que l'on séparait les deux conseils : on voulait éviter les concertations, les échanges de vues, les collusions possibles. Depuis la veille, l'atmosphère s'était gâtée ; on avait l'impression que les conjurés se refroidissaient. Certains députés ne cherchaient même pas à dissimuler leur hostilité. Les délibérations commencèrent. Les Anciens étaient en majorité favorables au changement, c'est-à-dire à Bonaparte, mais ils n'osaient prendre l'initiative et, pour gagner du temps, s'égaraient en considérations juridiques. Aux Cinq-Cents, l'hostilité était manifeste ; Lucien faisait difficilement face à une minorité jacobine furieuse d'être prise au filet, on veut dire à la merci des grenadiers alignés dans les cours et les jardins, prêts à intervenir. Bonaparte, qui attendait dans un cabinet avec ses complices, Sieyès et Roger-Ducos, ne pouvait dompter ses nerfs. On l'entendit gronder, à plusieurs reprises : « Non, je ne veux plus de factions, il faut que cela finisse, je n'en veux plus absolument ! » À quatre heures, on ne put l'empêcher de courir chez les Anciens qui l'écoutèrent d'abord en silence. Mais ce n'était pas un orateur. Il plaçait mal sa voix. Ses gestes étaient trop raides, ses phrases trop saccadées. Il n'avait pas le style parlementaire. Il ignorait les règles du jeu. D'emblée, il exhorta ces vieux routiers de la politique à finir leur besogne. Puisque le Directoire avait cessé d'être par la démission des Directeurs, qu'ils désignent donc un gouvernement provisoire, sans perdre leur temps à de vains discours. Quelqu'un riposta :

« Et la Constitution ? »

Il perdit la tête et clama :

« La Constitution, vous l'avez vous-même anéantie ! Vous l'avez violée au 18 fructidor, vous l'avez violée au 27 floréal, vous l'avez violée au 30 prairial ! Elle n'obtient plus le respect de personne ! »

Ensuite, comble de maladresse, il entama un plaidoyer pro domo du plus mauvais goût. De plus en plus troublé, il s'embarrassa dans ses phrases, lâcha :

« Souvenez-vous que je marche accompagné du dieu de la victoire et du dieu de la guerre ! »

On l'entraîna vers la porte, il n'était que temps. Mais, dès qu'il parut, les grenadiers, les cavaliers l'acclamèrent comme un vainqueur. Cela le rasséréna. Il partit alors chez les Cinq-Cents, où l'habile président Lucien était parvenu à maîtriser la meute et, pour donner le temps aux esprits de s'apaiser, faisait voter sur des questions de détail. Mais à peine Bonaparte fait-il son entrée que les hurlements reprennent : « À bas le tyran ! À bas le dictateur ! Hors la loi ! » On l'entoure, on le presse de toutes parts, on le menace du poing. Ses amis accourent et, avec l'aide de quelques grenadiers, le dégagent, le délivrent. Il est blême, tremblant, vidé de sa force. Un instant, son destin vacille. On le reconduit près de Sieyès et de Roger-Ducos. Il semble n'avoir plus de volonté. Tout semble perdu.

Mais il n'est pas seul. Si les ex-Directeurs ne risquent pas grand-chose, les lieutenants de Bonaparte ont, en cas d'échec, toutes les chances d'être destitués, emprisonnés ou fusillés. Murat, Sébastiani, Leclerc ne sont pas hommes à se laisser berner par des avocats. Ils ont leurs troupes bien en main. La bousculade des Cinq-Cents est immédiatement grossie, déformée, dramatisée. On a voulu tuer Bonaparte ! Allait-on, oui ou non, en finir une bonne fois et foutre dehors ces bavards, ces assassins ? C'est alors qu'intervient l'habile Lucien. Il a déposé les insignes de sa fonction, sauté à cheval ; il harangue les troupes, en sa qualité de président ; dénonce les factieux et les suppôts du terrorisme ; requiert la force armée de lui prêter main-forte. La force armée n'attendant que cet ordre depuis le matin est d'autant plus vite convaincue. Les tambours sonnent la charge. À l'Orangerie, la voix d'un officier sabre au clair, encadré de grenadiers, couvre soudain le tumulte: « Citoyens, retirez-vous! Le général Bonaparte a donné des ordres! »

Les imprécations reprennent de plus belle, toutefois certains députés battent en retraite au fond de la salle.

« Citoyens, vous êtes dissous! »

Les cris redoublent.

« Grenadiers, en avant! »

Alors c'est la débandade, la volée de moineaux! Baïonnettes en avant, les grenadiers poussent les députés dehors. Ils empoignent à bras-le-corps ceux qui s'accrochent à leur banc. D'autres ont ouvert les fenêtres et se sauvent par les jardins, salués par les huées des soldats. La plupart avaient jeté leur toge et leur bonnet, qui furent retrouvés le lendemain dans l'herbe et les broussailles.

Tout de même, on ne pouvait laisser les choses dans l'état. Il importait au moins d'officialiser l'opération, de légaliser le nouveau gouvernement. On se mit à la poursuite des députés errant dans les couloirs; on parvint à en réunir une centaine. À la lueur de maigres chandelles, ces débris politiques approuvèrent, dans les formes requises, la fin du Directoire et désignèrent un gouvernement formé de trois consuls (Bonaparte, Sieyès et Roger-Ducos), assistés de délégations chargées d'élaborer la future constitution.

Paris, la France entière furent satisfaites. Personne ne regretta le règne de Barras. Les chanteurs des rues s'en donnèrent à cœur joie. On entendait:

Quand Bonaparte arriva
Au sein de la France,
D'Égypte il nous apporta
Un saint d'importance.
Ce saint qu'on nomme Saint-Cloud
Fit tout changer d'un seul coup.

Par la ba ba ba,
Par la yon yon yon,
Par la ba, par la yon,
Par la bayonnette,
Qu'il a fait emplette.
Mais pour chasser l'intrigant
D'avec l'homme honnête,
Ce saint fit, en arrivant,
Un coup de sa tête,
Quand plus leste qu'un pantin,
Leur fait lever l'escarpin.
Par la ba ba ba...

Ces Messieurs, hors de la loi,
Mettaient Bonaparte,
Mais ce grand saint, en grivoi,
Du but les écarte
Au moyen de sa vertu
Leur donne la pelle au cu.

Voyant leurs cris superflus,
La charge est grivoise,
C'est à qui gagnera plus
Au pied qu'à la toise.
Ils se souviendront surtout
Des miracles de Saint-Cloud.

Les marchands d'images vendaient « le tableau historique » de la Révolution du 18 Brumaire, assorti de couplets appropriés qui ne cédaient rien aux « miracles de Saint-Cloud » :

Amis, Français, plus d'alarmes !
Ce jour fait notre bonheur ;
La raison plus que les armes,
Rendra le peuple vainqueur.
Nous reverrons l'abondance,
Nous aurons la paix sur tout,

Les brouillons sont en vacances,
Près des filets de Saint-Cloud.

Grands tartuffes politiques,
Factieux, sots charlatans,
Posez vos masques comiques,
Disparaissez, il est temps.
Nous avons horreur du traître,
Nous avons pitié du fou
On lui dit : pour le remettre,
Va prendre l'air à Saint-Cloud...

Le 20 brumaire, Bonaparte quitta la rue de la Victoire pour s'installer au Luxembourg et prendre ses nouvelles fonctions. Lorsque les trois consuls traversèrent la cour pour se rendre au siège du gouvernement, la foule les applaudit. Ils prirent place dans leurs fauteuils. Roger-Ducos émit, comme par mégarde :

« Il est bien inutile d'aller aux voix pour la présidence ; elle vous revient de droit. »

Sieyès n'osa rien dire. Bonaparte acquiesça. Il était le maître de la France, pour quinze ans !

Troisième partie

LE CONSUL

(1799-1804)

I

L'HOMME DE PLUTARQUE

Car, ne cherchant ni le plaisir, ni la richesse, mais le mérite et la gloire...

PLUTARQUE, *Alexandre le Grand*

Avant d'aborder les quatre années de République consulaire, essayons de capter l'homme au passage et de détecter ses opinions. On a déjà vu quelle importance revêtaient pour lui ses lectures de jeunesse, en particulier celles touchant à l'histoire romaine. Que le récit des exploits d'Alexandre le Grand avait, dans une large mesure, inspiré la campagne d'Égypte, laquelle, dans l'imagination de Bonaparte, devait être l'amorce de plus vastes conquêtes vers l'Orient et les Indes. Mais il apparaît que la vie de César, par le même Plutarque, l'ait encore fasciné davantage, peut-être parce qu'elle était plus accessible, moins démesurée. En tout cas, l'on a l'indubitable preuve que Bonaparte avait lu, relu, analysé méthodiquement et médité cette vie. Déjà, sous le Consulat, il confiait à Roederer son intention d'écrire cinq ou six chapitres d'histoire ancienne, disant: « Je prouverais que César n'a jamais voulu se faire roi, qu'il n'a pas été tué pour avoir ambitionné la couronne, mais pour avoir voulu rétablir l'ordre civil par la réunion de tous les partis. Il a été tué dans le Sénat où il avait placé un grand nombre de ses ennemis, c'est-à-dire plus de quarante amis de Pompée; c'est par eux qu'il a péri.» Or ce projet, longtemps délaissé et pour cause!, resurgit à Sainte-Hélène où Napoléon dicta à Marchand un très remarquable *Précis des guerres de César*, qui constitue en fait une vie de César. C'était un sujet qui lui était familier. Tout au long de sa carrière, il n'est pas exagéré de dire que César a été son modèle. Sur l'ascension – difficile – du dictateur romain, Plutarque dit: «Ils comprirent trop tard, après l'avoir vu grandir, devenir indestructible et mener tout droit à la révolution, qu'il ne fut juger petit aucun commencement d'action, parce que, bien vite la continuité le fait grand, le mépris qu'on en a lui valant de n'être pas contrecarré.» Phrase que Barras et ses collègues auraient pu méditer en leur temps! De même le passage où Plutarque compare Rome à «un vaisseau sans pilote», et écrit: «Aussi les gens raisonnables en étaient-ils réduits à se contenter qu'au sortir d'un tel égarement et d'une pareille tempête la situation n'empirât pas encore: ils acceptaient la monarchie comme le moindre mal. Nombreux étaient ceux qui osaient dire ouvertement que l'État ne pouvait guérir, *sauf par le pouvoir personnel.*» Plutarque décrit ensuite César, hésitant à franchir le Rubicon, car il lui répugne de violer la loi. Il le montre aussi insatisfait, au terme du *cursus honorum*: «Mais ses nombreux succès, loin de donner un autre cours aux ambitions de sa nature, éprise de grandes activités et incapable de jouir en paix du fruit de ses peines, n'étaient pour lui qu'un excitant et redoublaient son audace pour l'avenir. Son imagination concevait des rêves de plus en plus grandioses; il aspirait passionnément à une gloire nouvelle, déjà désabusé de celle qui était acquise. Ce qu'il éprouvait au juste, c'était de la jalousie par rapport à lui-même, comme s'il se fut agi d'autrui, un désir ardent d'effacer, par ses exploits futurs, ses exploits passés.» Cette insatisfaction de lui-même, ce désir d'entreprendre toujours et de toujours aller plus loin, nous les retrouverons bientôt; c'est une des lignes de force de la pensée napoléonienne. La lecture permet parfois de se découvrir; les mots sont parfois des magiciens, des miroirs ou des catalyseurs…

Ouvrons le *Précis des guerres de César*. Nous constatons qu'il complète et développe certains paragraphes de Plutarque. Lorsque le Sénat accorda le pouvoir perpétuel à César, comment ce dernier en usa-t-il ? Selon Napoléon : « Il créa un grand nombre de sénateurs et de patriciens. Il fit travailler à la rédaction du Code civil, criminel, pénal. Il fit dresser des projets pour embellir Rome de plusieurs beaux édifices ; il fit travailler à la confection d'une carte générale de l'empire et à une statistique des provinces… »

Vis-à-vis de ses adversaires de la veille (les partisans de Pompée), César pratique le pardon. Mais il ne se contente pas d'amnistier, il confie de hautes charges aux représentants des familles patriciennes. On verra Napoléon rappeler de même les émigrés, les nommer à des postes importants, et, dans un souci identique, effacer le passé, unifier l'opinion. C'est aussi à la tête du parti populaire que César a passé le Rubicon ; il lui restera donc fidèle. Mais il contrebalance l'influence du peuple par celui d'une aristocratie « reconstituée » sous les nouveaux principes. « Car, pour se soutenir, César a besoin de cette magie attachée aux noms des Scipion, des Paul-Émile, des Metellus, des Clodius, des Fabius, etc., qui avaient conquis, gouverné et tant influé depuis plusieurs siècles sur les destinées de l'Europe, de l'Asie, de l'Afrique… » Est-ce assez clair ?

Sur le comportement public de César, Napoléon souligne qu'il a « toujours affecté jusqu'au dernier moment de sa vie les formes populaires ; il ne faisait rien que par un décret du Sénat ; les magistrats étaient nommés par le peuple et, s'il s'arrogea la réalité du pouvoir, il avait laissé subsister toutes les formes républicaines ».

Mais il prend soin de spécifier : « César, dictateur perpétuel, gouvernait tout l'univers romain ; il n'avait qu'un simulacre de Sénat : cela ne pouvait être autrement, après les proscriptions de Marius et de Sylla, la violation des lois par Pompée, cinq ans de guerres civiles, un aussi grand nombre de vétérans établis en Italie, attachés à leurs généraux, attendant tout de la grandeur de quelques hommes, et rien de la république. Dans un tel état de choses, ces assemblées délibérantes ne pouvaient plus gouverner ; la personne de César était donc la garantie de la suprématie de Rome sur l'Univers et faisait la sécurité des citoyens de tous les partis : son autorité était donc légitime. » L'autorité de Bonaparte aussi, en ce sens, au soir du 18 Brumaire ! L'impuissance du Directoire menaçait pareillement l'avenir de la France, les conquêtes de la Révolution. Bonaparte ne fit qu'accepter de prendre un pouvoir tombant des mains d'assemblées incapables de gouverner. Le peuple comme l'armée préféraient le pouvoir personnel à l'anarchie, sous réserve que le mot de République et les principes républicains fussent préservés. Ici, et d'ailleurs en maints chapitres du *Précis*, on constate plus qu'un parallélisme entre César et Napoléon : une identification parfois totale.

Mais enfin Bonaparte était issu de la Révolution ; il était, selon sa formule, un soldat et un enfant de la Révolution ! Nous l'avons vu commenter les journaux de Paris aux sous-officiers de sa compagnie, adhérer aux idées de Robespierre et servir le Comité de salut public, après avoir rêvé de restaurer la démocratie corse de Paoli, puis se mettre au service de Barras et mitrailler les « réacteurs », puis se conduire en proconsul à Milan et au Caire, c'est-à-dire évoluer au fil des événements, des changements de régime et des situations. Il est donc permis de se demander quelles étaient ses opinions politiques au 18 Brumaire, ce qui subsistait des belles idées démocratiques, généreuses, qu'il avait puisées dans Rousseau et dont sa jeunesse s'était bercée. Car enfin, César aussi, au début de sa carrière, avait embrassé la cause populaire, allant jusqu'à prendre des positions et des mesures qui flattaient les basses classes de la société et scandalisaient les patriciens dont il était d'ailleurs issu. Quant à Bonaparte, la chute et l'exécution de Robespierre, la réaction thermidorienne, les mesures répressives perpétrées par le Directoire remodelant la loi pour les besoins de la cause, lui avaient enlevé ses illusions. Il s'était persuadé que la république ne convenait pas encore au peuple français accoutumé depuis un millénaire à obéir à ses princes, non encore tout à fait conscient du titre de citoyen. La transition avait été trop brutale; elle appelait inéluctablement une réaction dont il importait, précisément, de limiter les effets. Le principe même de liberté était devenu un leurre: la Déclaration des Droits de l'Homme et du Citoyen n'était plus qu'un document de l'histoire, vidé de son contenu par les hommes du Directoire. Au surplus la Déclaration votée par l'Assemblée constituante en 1789 n'avait guère cessé de subir des atteintes; elle plaçait les droits naturels au-dessus de ceux de l'État, affirmait que toute souveraineté émanait du peuple, que tout citoyen pouvait concourir personnellement à l'élaboration des lois. En 1793, une nouvelle Déclaration fut adoptée par la Convention; elle confirmait et précisait les droits du citoyen, mais le Comité de salut public, par ses mesures arbitraires, lui enleva toute signification. En 1795, une troisième Déclaration précédait la Constitution dite de l'an III: aux droits du citoyen elle ajoutait des devoirs, soigneusement énumérés et définis, cependant que le titre XIV de la Constitution interdisait les associations, attroupements armés et non armés, les corporations et le retour des émigrés non rentrés (elle confirmait en même temps la possession des biens nationaux!). Trois mots la résumaient: liberté, égalité, propriété. Elle était l'œuvre des nantis, des profiteurs de la Révolution, lesquels n'entendaient pas renoncer aux avantages acquis ni partager avec les pauvres. Le scrutin censitaire privait d'ailleurs ces derniers de l'exercice du droit de vote. Il ne subsistait, en théorie, des grands principes de 89 que l'égalité à la naissance, puisque les privilèges n'existaient plus, hormis ceux de la fortune... Toutefois, il n'y avait plus de seigneurs, ni de corvées humiliantes, ni de clergé auquel on dût verser la dîme, ni de courtisans pour gruger le Trésor, ni de ministres ni de maréchaux issus de la haute noblesse, ni de roi héréditaire pour dilapider en fêtes les deniers de l'État. Désormais, chacun pouvait espérer, par son seul mérite, devenir général ou ministre, accéder même à la première magistrature de la nation. Les charges n'étaient plus vénales, mais attribuées à ceux qui se montraient capables de les assumer.

Tel était au bout du compte le bilan de la Révolution. Les rares mouvements qui avaient tenté de franchir ces limites, tels les babouvistes, avaient péri. Ces constatations, l'esprit « mathématique » de Bonaparte ne manqua pas d'en tirer la conclusion pratique. La liberté dans le désordre n'aboutissait pour lui qu'à l'anarchie, donc à sa propre négation, puisqu'elle résultait d'un pacte entre l'individu et la société. Il pensait avec Marat : « Il faut organiser le despotisme de la liberté pour écraser le despotisme des rois. » Or l'Europe des rois n'avait d'autre objectif que d'abattre la République française pour en détruire les principes. Il est vrai que la République avait la liberté envahissante et que le prétexte de libérer les frères opprimés servait par trop l'appétit de conquête ! Restait l'égalité, principe essentiel dans la pensée de Bonaparte, et dans son système de gouvernement. Selon lui, l'égalité seule répondait au désir des Français, plus qu'une liberté toujours relative, et, pour des générations encore, génératrice de désordres. C'était d'ailleurs l'égalité qui l'avait fait ce qu'il était. C'est en la maintenant qu'il pouvait se dire continuateur de la Révolution. On ne peut donc le suspecter de complaisance envers lui-même quand, à Sainte-Hélène, évoquant cette période de sa vie, il confiait à Las Cases :

« J'ai refermé le gouffre anarchique et débrouillé le chaos. J'ai dessouillé la Révolution, ennobli les peuples et raffermi les rois. J'ai excité toutes les émulations, récompensé tous les mérites et reculé les limites de la gloire ! Tout cela est bien quelque chose ! Et puis, sur quoi pourrait-on m'attaquer qu'un historien ne puisse me défendre ? Serait-ce mes intentions ? Mais il est en fond pour m'absoudre. Mon despotisme ? Mais il démontrera que la dictature était de toute nécessité ! Dira-t-on que j'ai gêné la liberté ? Mais il prouvera que la licence, l'anarchie, les grands désordres, étaient encore au seuil de la porte. »

II

LA CONSTITUTION CONSULAIRE

Le 20 brumaire la situation était la suivante : le triumvirat consulaire, Bonaparte étant président, assumait l'exécutif ; le pouvoir constitutionnel était entre les mains de deux commissions de vingt-cinq membres issus des Anciens et des Cinq-Cents. Il revenait donc à ces deux organismes d'élaborer la nouvelle constitution, ce qui sauvait au moins les apparences ! Bien que triées sur le volet et favorables à Bonaparte, soumises toutefois à l'influence de Sieyès, elles n'entendaient point bâcler leur travail, mais au contraire délibérer longuement sur chaque article, équilibrer les pouvoirs afin de préserver les intérêts des citoyens (les leurs en particulier) et de permettre au chef de l'État de gouverner avec énergie tout en le contrôlant.

C'était mal connaître Bonaparte ! Ayant mieux à faire et plus urgent, il commença pourtant par leur laisser la bride sur le cou. Les caisses étaient vides. Les 800 000 francs qu'avait laissés le Directoire furent partagés entre Sieyès et Roger-Ducos, pour les dédommager d'avoir renoncé à la présidence. Il était de toute nécessité d'obtenir de l'argent frais, de nommer pour cela un intermédiaire capable. Sieyès proposa Gaudin, ancien commis de Necker. On le convoqua. « Vous avez longtemps travaillé dans les finances ? lui demanda Bonaparte.

— Pendant vingt ans, général.

— Nous avons besoin de votre concours et j'y compte. Allons ! Prêtez serment, nous sommes pressés. »

Ce fut ainsi que Gaudin devint ministre des Finances. Le lendemain, Laplace était nommé ministre de l'Intérieur. Le 22 brumaire, les Consuls abrogèrent la loi des otages et Bonaparte se rendit en personne à la prison du Temple pour contrôler la libération des détenus politiques. Le 24, il reçut les banquiers en compagnie de Gaudin et leur fit une sorte de profession de foi destinée à les rassurer : la propriété serait respectée, l'emprunt forcé aboli. Le gouvernement encouragerait le commerce, etc. À l'issue de cette audience, Gaudin obtint une avance de 12 millions...

Les choses allaient de ce train au Luxembourg, mais le projet de Constitution n'avançait pas ; les « avocats », incurables, se perdaient comme toujours en arguties, les « philosophes » en considérations parfaitement creuses. Cependant aucun de ces graves personnages n'ignorait « les vues » de Bonaparte. Il avait chargé Roederer de rédiger le texte de présentation de la nouvelle constitution, dont, par précaution, il lui dicta les grandes lignes. Roederer lui soumit son projet. Bonaparte :

« J'ai deux choses à remarquer ; la première, c'est que vous me faites promettre, et je ne veux rien promettre, parce que je ne suis pas sûr de tenir. La seconde, c'est que vous me faites promettre beaucoup pour une époque très prochaine, et il y a beaucoup de choses pour lesquelles mes dix années suffiront à peine. Il faut dire simplement : je dois faire telle chose, mon devoir est de le faire, etc., et terminer par dire que le droit de tous les Français est d'observer si je consacre mes efforts de dix ans à remplir mes devoirs. »

Sieyès laissait les commissions s'enferrer ; il feignait de méditer un projet de constitution, mûri depuis longtemps, et dont il espérait merveille ! Il espérait surtout que, n'étant pas juriste, Bonaparte n'y comprendrait goutte et se laisserait entortiller. Finalement, il rendit son oracle qui était une incroyable machine de gouvernement, inadaptée aux circonstances et au caractère du général, bref inapplicable. C'était une pyramide politique au sommet de laquelle il y avait un Grand Électeur doté d'une liste civile de 5 millions (or!), mais sans pouvoir. L'exécutif revenait à deux consuls, l'un pour les Affaires étrangères, l'autre pour l'Intérieur. Les consuls nommaient les ministres, mais sur une liste présentée par le Conseil d'État. Quant au pouvoir législatif il se partageait entre trois assemblées : le Tribunat, le Conseil d'État et le Sénat conservateur. Le Grand Électeur était désigné par le Sénat, lui-même formé par cooptation sur une liste de notabilités nationales ; il pouvait être, en cas de besoin, « absorbé » par le Sénat. Sieyès réservait bien entendu cette haute dignité à Bonaparte, ce qui était un moyen astucieux de l'annihiler.

Quand il eut connaissance du projet, Bonaparte repoussa avec mépris l'offre de Sieyès : « Comment avez-vous pu croire qu'un homme d'honneur, un homme de talent et de capacité dans les affaires, voulût jamais consentir à n'être qu'un cochon à l'engrais de quelques millions dans le château de Versailles ? » Faiblement, Sieyès répliqua : « Voulez-vous donc être roi ? »

Ne pouvant s'entendre avec Sieyès, Bonaparte convoqua Talleyrand, Roederer, Boulay de la Meurthe et Daunou. Il voulait une constitution efficace, courte, et obscure : pour faciliter les interprétations. Daunou se mit au travail. Sieyès s'était résigné, mais dans un premier stade, on ne pouvait tout rejeter de son projet. Pour accélérer les opérations, Bonaparte appela chez lui les deux commissions. En deux réunions, la nouvelle constitution fut élaborée, dite Constitution de l'an VIII. Le Grand Électeur était supprimé. Le pouvoir exécutif, confié à trois consuls dont le premier seul détenait la puissance, ses collègues agissant par délégation. Afin de sauvegarder les principes républicains, on avait divisé le pouvoir législatif entre quatre assemblées : le Tribunat, le Corps législatif, le Conseil d'État et le Sénat conservateur. Mais ce n'était qu'une apparence ! En effet le Conseil d'État préparait les lois. Il appartenait au Tribunat de les examiner et d'en délibérer. Son rôle n'allait pas au-delà, car c'était au Corps législatif de les voter. Quant au Sénat conservateur, il lui revenait d'examiner la constitutionnalité des lois, il se prononçait par sénatus-consultes. Dans un tel système, il est évident que le parlementarisme était plus une affaire de procédure que de politique. Si l'on ajoute que le droit de vote était entièrement faussé, on aura une assez bonne physionomie de la constitution consulaire. Sur le papier du moins, le suffrage universel était rétabli. Il appartenait aux citoyens majeurs d'élire un dixième d'entre eux dans chaque arrondissement : c'est ce que l'on appelait liste de notabilités communales. Ces notables élus élisaient à leur tour le dixième d'entre eux formant les listes des notabilités départementales. Celles-ci formant un corps électoral d'environ 60 000 citoyens élisaient enfin 6 000 notabilités nationales.

Parmi ces dernières le Sénat conservateur désignait les 300 députés composant le Corps législatif. Il désignait également les membres du Tribunat. Quant aux sénateurs, nommés à vie par le pouvoir exécutif, ils se cooptaient en cas de vacance. Le Premier Consul se réservait le droit de nommer les membres du Conseil d'État qui seraient de la sorte de simples fonctionnaires, étroitement subordonnés au pouvoir mais gratifiés d'un traitement égal à celui des sénateurs : 25 000 francs.

Le 21 frimaire (12 décembre), les deux commissions consulaires réunies au domicile de Bonaparte adoptèrent l'ensemble de ces dispositions, étant entendu qu'elles seraient soumises au verdict populaire par voie de plébiscite. On procéda ensuite à l'élection des trois consuls. Pendant que les commissaires déposaient leurs bulletins dans une urne improvisée, on raconte que Bonaparte se chauffait devant la cheminée, observant distraitement le spectacle. Le vote terminé, il s'approcha, vida le contenu de l'urne et dit :

« Au lieu de dépouiller, donnons un nouveau témoignage de reconnaissance au citoyen Sieyès en lui décernant le droit de désigner les trois premiers magistrats de la République, et convenons que ceux qu'il aura désignés seront censés être ceux à la nomination desquels nous venons de procéder. »

Sieyès désigna Bonaparte comme Premier Consul, puis Cambacérès et Lebrun, ce dont, bien sûr, on était convenu à l'avance. Sieyès n'avait point assez de caractère pour résister au nouveau maître. Les journaux annoncèrent que le vote avait eu lieu par acclamations et à l'unanimité.

Datée du 22 frimaire, la Constitution fut promulguée à Paris le 24 frimaire (15 décembre 1799). Le 3 nivôse (jour du ci-devant Noël), les consuls provisoires se réunirent pour la dernière fois. Un peu plus tard dans la journée, en présence du Conseil d'État et des ministres, Bonaparte fut installé dans les fonctions de Premier Consul, ainsi que ses deux collègues. Le lendemain, il lança une proclamation au peuple français : « Rendre la République chère aux citoyens, respectable aux étrangers, formidable aux ennemis... » On observera que la constitution entrait en vigueur avant même d'être plébiscitée. Mais les citoyens croyaient en Bonaparte, « le guerrier civil » ; ils étaient excédés des changements de régime, des luttes partisanes, des rodomontades parlementaires ; ils voulaient un peu d'ordre et de stabilité. Il y eut 3 011 007 voix contre 1 562 non. La précédente constitution n'avait guère réuni qu'1 million de voix contre 50 000 non. Mais le système électoral (non par bulletins, mais par votes inscrits et signés publiquement dans un registre ouvert à cet effet dans les mairies) était générateur d'abstentions nombreuses. En outre il est probable que les résultats étaient quelque peu manipulés. On ne peut donc tabler sur ces résultats pour juger objectivement de l'opinion. Mais enfin une majorité se dessinait assez nettement. Le peuple était donc satisfait.

Quant au personnel politique et à l'intelligentsia, ils n'eurent pas à se plaindre du changement. Cambacérès était un ancien conventionnel. Lebrun, un ancien constituant. Talleyrand fut maintenu aux Relations extérieures et Fouché nommé ministre de la Police. Sieyès fut nommé sénateur, reçut en prime de consolation la coquette somme de 600 millions, un hôtel particulier et le domaine de Crosne. Les brumairiens, en récompense de leurs loyaux services, eurent aussi des postes de choix: Gaudin reçut le ministère des Finances et Mollien celui du Trésor, Régnier le ministère de la Justice. Les conjurés de moindre importance se partagèrent de même postes de responsabilité et prébendes. Très habilement Bonaparte nomma 36 ex-conventionnels (dont Roger-Ducos et Neufchâteau, ses anciens collègues) sénateurs. Il nomma également des écrivains, des artistes, des généraux (dont Kellermann et Bougainville), des représentants du commerce et de l'industrie.

Le Sénat procéda ensuite, comme le prévoyait la constitution, à la désignation des membres du Tribunat et du Corps législatif. Ce furent, presque tous, d'anciens députés, auxquels furent joints des négociants et des hommes de lettres (parmi lesquels Benjamin Constant). Quant au Conseil d'État qui, dans l'esprit de Bonaparte, devait être l'instrument privilégié du gouvernement, il réunit des esprits d'élite, choisis par le Premier Consul lui-même avec un éclectisme exemplaire: d'entrée de jeu les pseudo-royalistes y côtoyèrent les jacobins repentis. Car le premier but de Bonaparte n'était autre que l'oubli du passé. Il voulait réconcilier les Français, amalgamer les Bleus et les Blancs afin de rassembler les énergies au lieu de les disperser en luttes stériles et en bavardages. De même, quand il sera devenu empereur, voudra-t-il assumer non seulement sa propre histoire, mais celle de la Révolution et celle des rois de France depuis Charlemagne.

Le 1er janvier 1800 s'ouvrit la session législative. La première loi que présenta le Premier Consul tendait à limiter les pouvoirs du Tribunat et du Corps législatif quant à la date et à la durée des débats! Les deux assemblées n'osèrent pas repousser le projet. Le pouvoir personnel venait de faire un pas de plus. Ainsi que Bonaparte l'avait déclaré en présentant la Constitution, la Révolution était fixée aux principes qui l'avaient commencée; elle était finie.

Chaptal pouvait écrire: « Ce qui paraîtra très extraordinaire aux yeux de la postérité, c'est que Bonaparte qui avait montré, dès sa jeunesse, une passion ardente pour la liberté, Bonaparte qui avait approuvé les scènes les plus sanglantes de la Révolution et qui, souvent, y avait pris un rôle, ait pu asservir la nation et lui ôter toute indépendance. On peut dire de lui ce qu'on a dit successivement de tous les hommes qui ont pris part au pouvoir pendant les périodes orageuses de la Révolution, c'est que la liberté n'était que pour eux et qu'ils pensaient que, pour faire prédominer leurs idées, il fallait comprimer ou étouffer celles des autres. Le changement de position opère seul cette métamorphose d'opinion. Quand on se trouve placé dans les rangs inférieurs, on s'efforce de tout attirer à soi, on se cabre contre l'autorité qui veut que tout fléchisse ; mais, lorsqu'on est élevé au rang suprême, on s'indigne de toute résistance... »

Toutefois, lorsque le despote, après brumaire, nomma Chaptal conseiller d'État, celui-ci n'éleva aucune protestation ; de même quand un poste de ministre lui fut offert...

III

L'EUROPE NOUS REGARDE

L'Europe nous regarde : il faut faire des choses dignes d'elle et de nous.

BONAPARTE au Conseil d'État

Le même Chaptal rend cependant hommage au mérite exceptionnel du Premier Consul. Ignorant certains rouages administratifs, certains termes juridiques, au lieu de feindre de les connaître et de prendre des décisions au hasard, Bonaparte consultait, en chaque partie de l'administration, les spécialistes les plus autorisés. Il n'hésitait pas à les questionner, ni même à demander le sens exact de certains mots techniques. Il provoquait la discussion, suivait les débats avec une attention extrême et les faisait durer jusqu'à ce que sa propre opinion eût pris corps. Alors seulement il tranchait, avec une clarté et une pertinence qui stupéfiaient parfois les connaisseurs. Pendant toute la première partie du Consulat, il agit de la sorte, s'entoura d'experts et de conseillers, accumula les précautions. On crut que ce serait sa manière de gouverner, somme toute démocratique, et l'on se réjouit, un peu vite, de ces bonnes dispositions. En réalité, il se faisait la main, acquérait une indispensable expérience des affaires. Administrateur et juriste né (l'ascendance des Bonaparte, leurs études de droit, leurs fonctions quasi héréditaires de podestats d'Ajaccio jointes aux dispositions naturelles des Corses en ce domaine), il fit de rapides progrès et ne tarda pas à voler de ses propres ailes. Mais, à ce moment, il était trop tard pour récriminer ; le pouvoir consulaire avait de solides assises.

Puisque le but essentiel de Bonaparte, coïncidant avec le vœu de la nation, était de rétablir l'ordre, il importait de mettre sans retard une administration hiérarchisée en place. Le pouvoir central ne pouvait avoir d'efficacité qu'autant que ses instructions seraient ponctuellement, et promptement, exécutées. Les gouvernements révolutionnaires avaient eu les pires difficultés avec les administrateurs de districts, lesquels n'étaient point nommés, mais élus. S'ensuivaient une inévitable collusion entre les administrateurs et les administrés et, par voie de conséquence, l'émiettement puis l'affaiblissement de la puissance publique. Inégalement appliquées, selon la conjoncture locale, les lois perdaient de leur force, quand elles ne restaient pas lettre morte. Il importait donc de régénérer un système qui était devenu une source d'injustices criantes et d'anarchie. La France de la Révolution avait été divisée en départements, eux-mêmes subdivisés en arrondissements. Un autre mérite de Bonaparte fut de ne point bousculer ses limites administratives auxquelles l'opinion s'était, non sans mal, accoutumée. Il fut aussi d'utiliser, dans toute la mesure du possible, les hommes en place, notamment les « commis » survivants de l'Ancien Régime, vieux lascars administratifs dont l'expérience serait utile et qui ne demandaient qu'à servir. Bonaparte savait que, pendant la Révolution, ils avaient évité le pire en bien des circonstances ; que leur dévouement à la chose publique et leur savoir-faire étaient dignes d'éloges. Au surplus cette sorte de continuité administrative, de permanence dans les méthodes, n'était point pour lui déplaire.

Avec l'aide du Conseil d'État, il prépara donc la loi du 28 pluviôse an VIII sur l'organisation administrative de la France, dans le sens du rétablissement de l'autorité. En voici les dispositions essentielles : un préfet était placé à la tête de chaque département ; il était à la fois le représentant du pouvoir central et le chef des administrations. Pour l'aider dans sa tâche, il disposait de deux conseils. Le conseil de préfecture réglait les litiges entre l'administration et les particuliers, mais le préfet pouvait éventuellement le présider, avec voix prépondérante, étant alors juge et partie ! Le conseil général répartissait les impôts directs entre les arrondissements, votait les centimes additionnels pour financer les dépenses départementales ; il proposait au préfet des programmes de travaux. Le nombre des conseillers de préfecture et des conseillers généraux variait avec l'importance du département.

Chaque arrondissement était subordonné à un sous-préfet, aidé par un conseil d'arrondissement qui répartissait les impositions entre les communes.

En outre préfets et sous-préfets exerçaient le droit de tutelle sur la gestion financière des communes. Dans chacune de celles-ci, il y avait un maire, avec un ou plusieurs adjoints et un conseil municipal. Le maire était à la fois officier d'état civil, officier de police et administrateur. Le conseil municipal votait les centimes additionnels nécessaires, réglait la répartition des affouages et pâtures, répartissait les impositions directes entre les habitants.

Le pouvoir central nommait les préfets, les sous-préfets, les conseillers de préfecture et d'arrondissement, les conseillers généraux, les maires et les adjoints des communes de plus de 5 000 habitants, ainsi que les commissaires de police. Les préfets nommaient les conseillers municipaux, ainsi que les maires et adjoints des communes moins importantes. Il va sans dire qu'il appartenait aux préfets de veiller à l'opinion et de tenir le ministre de l'Intérieur informé de tout agissement suspect, de toute opposition si minime fût-elle.

Au chef-lieu de leur département, les préfets étaient l'émanation du Premier Consul ; le pouvoir qu'ils détenaient était considérable. Très rares furent ceux qui tentèrent d'en abuser. C'est que Bonaparte s'efforçait de nommer à ces postes des hommes de réelle valeur, ayant fait leurs preuves dans l'administration révolutionnaire ou participé, en tant que députés, à l'élaboration des lois. Par la suite, il puisa les préfets dans le Conseil d'État, devenu une pépinière d'administrateurs, un peu à la façon de l'ENA.

La « toilette » achevée (comme on dit aujourd'hui des textes mis en forme par le Conseil d'État), le projet de loi fut soumis au Tribunat, puis au Corps législatif. Il fut présenté par Daunou, et très remarquablement défendu :

« Le préfet, déclara-t-il, essentiellement occupé de l'exécution, transmet les ordres au sous-préfet ; celui-ci aux maires des villes, bourgs et villages. De manière que la chaîne d'exécution descende sans interruption du ministre à l'administré et transmette la loi et les instructions du gouvernement jusqu'aux dernières ramifications de l'ordre social avec la rapidité du fluide électrique. »

Les législateurs adoptèrent par 217 oui contre 63 non ces structures qui, à peu de chose près et mis à part le mode de désignation des conseils généraux et municipaux, sont restées en place jusqu'à nos jours, tellement solides et efficaces qu'elles traversèrent sans encombre les guerres, les révolutions et changements multiples de régimes. On peut rêver là-dessus.

Deux mois après, le Corps législatif votait la loi du 27 ventôse an VIII sur l'organisation judiciaire, également élaborée par le Conseil d'État auquel s'était joint le ministre de la Justice. En ce domaine, Bonaparte avait tenu compte à la fois des structures judiciaires de l'Ancien Régime, des innovations révolutionnaires et du personnel qui était en place. La nouvelle organisation fut calquée sur les divisions administratives, ce qui était logique et mettait la justice à la portée du justiciable. On créa un tribunal de première instance par arrondissement, soit environ 400 tribunaux composés de trois juges aux attributions à la fois civiles et correctionnelles et d'un procureur. Dans les villes importantes, le tribunal comprenait plusieurs sections et des substituts étaient adjoints au procureur. Les jugements rendus pouvaient aller en appel devant des tribunaux du même nom. Au chef-lieu du département siégeait le tribunal criminel (aujourd'hui cour d'assises), présidé par un juge d'appel. Enfin, coiffant le tout, un tribunal de cassation connaissait des affaires civiles et pénales ; s'il cassait un jugement pour vice de procédure le procès était renvoyé devant un autre tribunal. Les juges n'étaient plus élus comme pendant la Révolution, mais nommés par le gouvernement. Cependant la loi établissait avec la plus grande netteté la séparation des pouvoirs. Seule était maintenue l'élection des juges de paix, juges cantonaux à compétence très restreinte et ne connaissant que des délits mineurs.

Bonaparte menait de front la réforme des finances. Ses connaissances en la matière étaient, il faut le dire, élémentaires. Ses idées en économie politique, des plus simples. Il avait toutefois la volonté bien arrêtée de stopper l'inflation, de rendre confiance aux épargnants et, dans cette perspective, d'équilibrer au plus vite le budget de l'État. N'ayant jamais contracté de dettes, sinon très minimes, en dépit de sa pauvreté, il n'admettait pas que l'État vécût sur les avances consenties par les banquiers et que ceux-ci tinssent à peu près le rôle des ci-devant fermiers généraux. Il admettait encore moins que, faute de faire rentrer l'impôt, on recourût à des emprunts aggravant à chaque exercice la dette de l'État et le conduisant périodiquement à des faillites partielles. Il se souvenait que, si Louis XVI avait eu des finances saines, il n'aurait pas été contraint de réunir les états généraux. Sur les moyens pratiques d'aboutir à l'assainissement des finances, Bonaparte n'avait certes pas d'idées très précises. Mais le ministre Gaudin l'avait parfaitement compris. Il savait que les arriérés d'impôts s'élevaient annuellement à 200 millions et que ce retard était d'abord imputable à l'insuffisance des rôles. Il importait donc, dans un premier temps, de réformer l'assiette de l'impôt. Il proposa à Bonaparte la création d'une Direction générale des contributions directes, représentée dans chaque département par un directeur et un inspecteur, dans chaque arrondissement par un contrôleur. Pour le recouvrement de l'impôt, la création de percepteurs responsables devant les receveurs d'arrondissements et les receveurs généraux. Toutes ces dispositions furent rapidement adoptées, ainsi que la création d'une Régie des droits réunis (les impôts indirects). Leurs effets ne se firent pas sentir immédiatement, cela va de soi. Les budgets de 1800 et 1801 furent encore déficitaires, mais celui de 1802 atteignit l'équilibre.

Simultanément, la loi du 6 frimaire an VIII instituait une caisse d'amortissement, distincte du Trésor public, destinée à soutenir le cours de la rente ; c'était en somme une masse de manœuvre permettant à l'État d'intervenir en Bourse. Enfin, le 13 février 1800, la Banque de France fut fondée. Ce n'était pas d'abord la banque de l'État, bien que celui-ci en fût actionnaire, mais un groupement de banquiers privilégiés. Par la suite (en 1803), elle fut la seule banque habilitée à émettre des billets, sous la garantie de l'État, la masse de ces billets étant couverte par l'encaisse métallique correspondante. Peu à peu, la population prit confiance dans la monnaie de papier, en dépit du souvenir tout proche des assignats et de leurs succédanés. Ultérieurement la monnaie métallique fut unifiée par l'émission de francs contenant 5 grammes d'argent (le franc de Germinal), de pièces de 0,50, 0,75, 1, 2 et 5 francs, de pièces d'or de 20 et 40 francs et de centimes en cuivre. Là aussi, l'assainissement s'imposait, et fut effectif. Enfin, poursuivant dans la même voie, on procéda à l'unification des octrois et l'on réforma le cadastre afin de répartir plus équitablement la contribution foncière.

Sans aucun doute, ces immenses réalisations – opérées sans heurts, sans même léser les intérêts privés – sont-elles largement imputables à l'esprit de synthèse et à l'énergie de Bonaparte acharné à réussir, et à réussir le plus tôt possible ! Sans doute sa volonté de fer fut-elle stimulatrice, réveilla-t-elle et révéla-t-elle les talents. Pour autant cela n'explique pas tout du zèle extraordinaire de ses collaborateurs, ministres et conseillers ! Ce n'était certes pas le goût des innovations systématiques qui les poussait à bien faire. Ce qu'ils faisaient avec tant de cœur et d'intelligence répondait à leurs propres désirs et aux besoins de la nation. Le despotisme de Bonaparte n'était alors que l'expression de la volonté populaire, la réponse à un appel.

IV

DES TUILERIES À MALMAISON

Le 30 pluviôse an VIII (19 février 1800), à son réveil, Bonaparte dit à son secrétaire : « Eh bien ! Bourrienne, c'est donc aujourd'hui que nous allons coucher aux Tuileries. Vous, vous êtes bien heureux, vous n'êtes pas obligé de vous donner en spectacle ; vous irez de votre côté. Moi, il faut que j'aille avec un cortège ; cela m'ennuie, mais il faut parler aux yeux ; cela fait bien pour le peuple. Le Directoire était trop simple, aussi il ne jouissait d'aucune considération. À l'armée, la simplicité est à sa place ; dans une grande ville, dans un palais, il faut que le chef d'un gouvernement attire à lui les regards par tous les moyens possibles, mais il faut aller doucement. Ma femme ira voir la revue des appartements de Lebrun ; allez, si vous voulez, avec elle ; mais soyez dans le cabinet aussitôt que vous m'aurez vu descendre de cheval. »

On avait pour la circonstance réuni 3 000 hommes d'élite et, faute de voitures suffisantes, réquisitionné des fiacres dont les numéros avaient été recouverts avec des papiers de couleur. Les ministres, les corps constitués s'entassaient dans ces fiacres, précédés par une superbe voiture traînée par six chevaux blancs. Elle transportait le Premier Consul ayant à sa gauche Cambacérès et devant lui Lebrun. Les généraux et leur état-major en grand uniforme étaient à cheval. Ce cortège, qui était peu de chose par rapport à celui du Sacre, progressait lentement. Il emprunta la rue de Thionville, suivit les quais, traversa la Seine sur le Pont-Royal et s'arrêta devant le pavillon de l'Horloge. Partout éclataient les applaudissements, les ovations, les cris de joie. Mais ce fut bien pis, lorsque Bonaparte, en habit rouge de consul, une épée magnifique au côté, sauta à cheval, afin de passer les troupes en revue et de se montrer à une foule de plus en plus compacte et enthousiaste. Depuis le guichet du Carrousel jusqu'à l'entrée des Tuileries, la garde consulaire s'alignait, comme pour accueillir un roi. Cependant on avait oublié d'effacer les inscriptions révolutionnaires des corps de garde encadrant la grande grille: « Le dix août 1792 » et « La royauté en France est abolie et ne se relèvera jamais! ». Partout les cris de « Vive Bonaparte! », « Vive le Premier Consul! » fusaient. Toutes les fenêtres des maisons donnant sur la place du Carrousel avaient été louées à prix d'or. Aux croisées du pavillon de Flore, on se montrait Madame Bonaparte et ses amies. Bonaparte savourait sa gloire; il passait lentement devant les grenadiers, décernait quelque éloge aux officiers, à de « vieilles moustaches », avec cet art qu'il avait si bien attrapé et qui touchait ces cœurs de bronze au plus sensible. Il vint ensuite se placer devant la porte des Tuileries, entre Murat et Lannes. Les troupes défilèrent devant lui: la 96ᵉ demi-brigade, la 43ᵉ, la 30ᵉ, tambours battants, clairons sonnants, et drapeaux éployés. Mais ces drapeaux n'étaient que des débris glorieux, des lambeaux à peine tricolores, noircis et déchirés par les balles. Alors, Bonaparte, saisi d'une émotion sincère, enleva son bicorne et s'inclina. Et, selon Bourrienne qui raconte cette cérémonie avec un grand luxe de détails, les acclamations de la foule répondaient à chacun de ces saluts aux étendards mutilés.

Ayant achevé, pour ce jour-là, son rôle de général, le Premier Consul gravit d'un pas hardi les marches du palais des rois. La partie « civile » de la cérémonie commençait. Elle comportait l'installation du Conseil d'État et la présentation des autorités. Le soir, Bonaparte dit à Bourrienne: « Ce n'est pas tout d'être aux Tuileries, il faut y rester. » À Roederer qui, sous l'impression désolée du décor, avait dit : « Général, cela est triste », il avait répondu, profondément : « Oui, comme la grandeur. » Les deux mots se complètent, et traduisent exactement l'état d'esprit de Bonaparte, la notion qu'il avait de la précarité de son pouvoir et de la vanité des grandeurs humaines.

Tout, dans ce vieux palais, rappelait en effet de grands et tragiques souvenirs : mais, pour Bonaparte, c'était principalement le spectacle de l'émeute du 10 août, de l'agonie de la monarchie ! On avait en hâte restauré et remeublé quelques salles. L'appartement du Premier Consul était encore modeste : une chambre à coucher, une salle de bains, un cabinet, un salon pour les audiences matinales, un autre pour les aides de camp qui servait de salle à manger et une antichambre. Le train de maison était à l'avenant, fort restreint, dirigé par Bourrienne. Le 2 ventôse, on reçut le Corps diplomatique, avec les moyens du bord. Ensuite le service s'organisa et, le 2 de chaque mois, Joséphine donna un dîner d'une trentaine de couverts dans ses appartements personnels. Selon Thiébault, ce fut au cours d'un de ces dîners que Bonaparte fit passer de main en main sa nouvelle épée. « Vous voyez, disait-il mi-grave, mi-souriant, l'épée du chef du gouvernement français. Elle contient pour 54 millions de diamants. » Un mot de parvenu, cette fois, mais, qu'on y songe, celui qui le prononçait n'avait que 30 ans ! Il avait fait monter sur le pommeau les diamants de la Couronne, le célèbre Régent...

Cependant pour Bonaparte la pièce principale restait le « cabinet », minutieusement décrit par Bourrienne qu'on ne peut tout de même suspecter ici d'arranger la vérité. Le bureau du Premier Consul, fort beau, fort grand, faisait face à une bibliothèque remplie de cartons. Le bureau de Bourrienne, plus petit, jouxtait la fenêtre ; il était perpendiculaire à celui de Bonaparte : « De sorte, précise-t-il, qu'il ne nous fallait qu'un léger mouvement de tête pour nous voir quand nous avions à nous parler. » Près de la bibliothèque, une porte s'ouvrait sur la chambre à coucher ; une autre donnait sur la petite pièce où travaillait Duroc. Bonaparte ne cessait de taillader avec un canif les bras de son fauteuil; c'était l'un de ses tics.

Il en avait un autre. Quand il arpentait une pièce ou se promenait, et qu'une pensée l'absorbait, il marchait un peu courbé, les mains derrière le dos. Il relevait fréquemment l'épaule droite. Il avait alors « un mouvement de la bouche de gauche à droite ». Bourrienne, il faut en convenir, porte un témoignage de premier ordre sur le Bonaparte de cette période. Il a vécu dans son intimité. Il l'a étudié, scruté. Il est l'homme qui le connaît le mieux. Il note, subtilement, que « Bonaparte avait une physionomie pour chacune des pensées qui agitaient son âme ». Que la mobilité de son regard était « hors du domaine de l'imitation », c'est-à-dire impossible à peindre fidèlement. Bonaparte « parlait » sa vie. Il aimait se promener avec ses familiers, bras dessus bras dessous. Dans ces moments d'abandon, il disait :

« Vous voyez combien je suis sobre et mince; eh bien! on ne m'ôterait pas de l'idée qu'à 40 ans je deviendrai gros mangeur, et que je prendrai beaucoup d'embonpoint. Je prévois que ma constitution changera; et pourtant je fais assez d'exercice; mais, que voulez-vous ? C'est un pressentiment; cela ne peut manquer d'arriver. »

Dès cette époque, il montrait « une véritable passion » pour les bains très chauds et prolongés : peut-être à cause de la maladie de peau prise à Toulon et mal guérie. Pendant ce temps, son secrétaire lui lisait les journaux ou les libelles. Puis il faisait une toilette méticuleuse. Pendant que son valet de chambre le rasait et le coiffait, il se faisait traduire les journaux anglais. Lorsqu'il entendait « quelque chose de remarquable », il se tournait brusquement, et c'était miracle que le valet ne le coupât pas.

Il passait ensuite dans son cabinet et signait les lettres préparées par Bourrienne. À dix heures, le maître d'hôtel se présentait et disait : « Le général est servi. »

Toujours selon Bourrienne, il mangeait presque tous les matins du poulet accommodé à l'huile et aux oignons. Il buvait, sobrement, du vin de Bordeaux ou de Bourgogne, puis avalait une tasse de café pur.

S'il lui arrivait de travailler tard dans la nuit, on lui servait du chocolat. Déjà, il avait pris l'habitude de priser, mais sans excès. S'il avait la manie des tabatières, il ne prenait que très peu de tabac.

Bourrienne se fait un devoir de citer les idées dominant alors la pensée de son maître : « Une grande réputation, c'est un grand bruit ; plus on en fait, plus il s'entend au loin. Les lois, les institutions, les monuments, les nations, tout cela tombe, mais le bruit reste et retentit dans d'autres générations. »

« Mon pouvoir tient à ma gloire, et ma gloire aux victoires que j'ai remportées. Ma puissance tomberait si je ne lui donnais pour base encore de la gloire et des victoires nouvelles. La conquête m'a fait ce que je suis, la conquête seule peut me maintenir. »

« Il y a deux leviers pour remuer les hommes, la crainte et l'intérêt. »

« L'amitié n'est qu'un mot ; je n'aime personne. Non, je n'aime pas même mes frères. Joseph, peut-être un peu : encore, si je l'aime, c'est par habitude, c'est parce qu'il est mon aîné… Duroc !… Ah oui ! lui aussi je l'aime ; mais pourquoi ?… son caractère me plaît. Il est froid, sec, sévère ; et puis Duroc ne pleure jamais !… Quant à moi, cela m'est bien égal, je sais bien que je n'ai pas de vrais amis. Tant que je serai ce que je suis, je m'en ferai tant que je voudrai en apparence… Voyez-vous, Bourrienne, il faut laisser pleurnicher les femmes, c'est leur affaire ; mais moi ?… pas de sensibilité !… Il faut être ferme, avoir le cœur ferme… autrement, il ne faut se mêler ni de guerre ni de gouvernement. »

Bourrienne n'oublie pas davantage de nous dire que, si Bonaparte faisait veiller les autres, il dormait lui-même fort bien, n'acceptant d'être réveillé pendant la nuit qu'en cas de mauvaises nouvelles. Mais il omet de détailler l'emploi du temps du Premier Consul, et c'est dommage !

Indépendamment du travail courant, il y avait par décade trois jours consacrés aux conseils : le primidi, finances ; le quintidi, guerre ; le septidi, marine. En outre, le 8 de chaque mois, conseil de justice ; le 18, relations extérieures ; le 28, police générale. Le 2 et le 17, réception du Corps diplomatique. Le 2 de chaque décade, réception des sénateurs et des officiers généraux, le 4, des membres du Corps législatif ; le 6, des membres du Tribunat et de la Cour de cassation. Enfin, tous les quintidi, parade au Carrousel : Bonaparte y assistait en petite tenue consulaire, non plus rouge, mais bleu sombre, boutonnée jusqu'au col, avec une mince broderie d'or, assez analogue à l'habit de général qu'il portait à Arcole. Il plaçait alors son bicorne légèrement de biais.

On comprend qu'il aimât se retirer, chaque fin de semaine à Malmaison, cette gentilhommière acquise depuis peu par Joséphine et embellie par elle. Il y prenait un bain de nature. Il y était en liberté. Il s'y rendait le samedi soir, avec une faible escorte, y demeurait le dimanche, et restait parfois le lundi. Malmaison le libérait, provisoirement, de ses soucis. Il surveillait les travaux, visitait le potager, s'amusait à calculer le revenu du domaine. Mais il préférait à tout la promenade dans les allées. Il aimait entendre le son des cloches du village voisin de Rueil, le murmure du vent. Il aimait aussi regarder les femmes vêtues de blanc dans l'ombre des allées. Il redevenait poète : poète romantique ! Quelquefois, après le souper, il faisait voiler de gaze les bougies et, dans le clair-obscur, il racontait des histoires de revenants. Il avait pris ce goût singulier dans les poèmes d'Ossian pleins de nuées orageuses, de clairs de lune, de bruits de tonnerre, de fantômes de guerriers morts et d'ombres gémissantes s'enivrant de leurs exploits évanouis, de leur gloire passée :

« Guerriers, où sont nos pères ? Ces astres ont brillé dans leur course et disparu pour toujours. Le bruit seul de leur renommée est parvenu jusqu'à nous. Ils furent cependant la gloire et la terreur de leur siècle. Guerriers, nous passerons comme eux ; mais rendons-nous fameux tandis que nous le pouvons, laissons derrière nous l'éclat de notre renommée, comme l'astre du jour laisse après lui les derniers traits de sa lumière, quand il cache son front radieux à l'occident. »

Cette sorte de Walhalla enchantait Bonaparte. Il le fit peindre par Girodet dans un tableau que l'on peut voir à Malmaison. Il en parlait fréquemment à ses familiers. Cet univers marginal, crépusculaire, c'était sa part de rêve, ou d'ombre, inhérente à toute créature !

Parfois, son humeur éminemment changeante le portait à raconter de plaisantes histoires. Il avait le don des images ; c'était un ci-devant écrivain, comme on sait ! Parfois, il acceptait de jouer au reversi, en trichant ostensiblement. Quand le temps était beau, on dînait dehors et l'on jouait aux barres. « Dans ces occasions-là, écrit la duchesse d'Abrantès qui n'était encore que la citoyenne Junot, Napoléon mettait l'habit bas et courait comme un lièvre, ou plutôt comme la gazelle à qui il faisait manger tout le tabac de sa tabatière en lui disant de courir sur nous, et la maudite bête nous déchirait nos robes et bien souvent les jambes. » Parfois encore on jouait la comédie où, fort sérieusement, Bourrienne, Eugène de Beauharnais, Junot, Savary, le grave Cambacérès tenaient leurs rôles. La grâce, l'affabilité de Joséphine, et sa bonté naturelle, effaçaient souvent les traces un peu vives des taquineries de son mari, et faisaient oublier ses fautes de goût. Il était en effet assez content de lui-même et disait bonnement (à Roederer) : « Quand on a été à tant de guerres, qu'on veuille ou qu'on ne veuille pas, il faut bien avoir un peu de fortune. J'ai 80 ou 100 000 livres de rente, une maison de ville, une maison de campagne. »

C'était le petit Corse d'Ajaccio, le fils de l'économe Letizia, qui réapparaissait un instant. Mais lorsque toute cette jeunesse de Malmaison se divertissait, lui, selon ses habitudes ponctuelles, retournait à son cabinet.

V

MARENGO

César avait bien raison de citer sa fortune et de paraître y croire. C'est un moyen sûr d'agir sur l'imagination de tous, sans blesser l'amour-propre de personne.

BONAPARTE à Roederer

Le 25 décembre 1799, Bonaparte avait écrit au roi d'Angleterre et d'Irlande : « Appelé par le vœu de la nation française à occuper la première magistrature de la République, je crois convenable, en entrant en charge, d'en faire directement part à Votre Majesté.

« La guerre qui, depuis huit ans, ravage les quatre parties du monde, doit-elle être éternelle ? N'est-il donc aucun moyen de s'entendre ? Comment les deux nations les plus éclairées de l'Europe, puissantes et fortes plus que ne l'exigent leur sûreté et leur indépendance, peuvent-elles sacrifier à des idées de vaine grandeur le bien du commerce, la propriété intérieure, le bonheur des familles ? Comment ne sentent-elles pas que la paix est le premier des besoins comme la première des gloires ?

« Votre Majesté ne verra dans cette ouverture que mon désir sincère de contribuer efficacement pour la seconde fois à la pacification générale, par une démarche prompte... »

Mais William Pitt, Premier ministre de Grande-Bretagne, vouait à la République française une haine tenace. Tant que celle-ci occuperait Anvers, l'Angleterre n'accepterait pas de traiter : elle faisait de la possession de ce port à la fois une question de sécurité et, assez bizarrement, un point d'honneur. La politique belliqueuse du Directoire n'avait pas été de nature à la rassurer. Ce n'étaient pas les offres de paix du conquérant de Malte et de l'Égypte qui pouvaient orienter le conflit dans un sens favorable. De son côté, l'Autriche ne pouvait que partager cette façon de voir. Il lui était impossible de pardonner à Bonaparte ses conquêtes en Italie du Nord. La présence de ce général trop bien doué à la tête de la République augmentait singulièrement sa défiance !

Or, lorsque Bonaparte avait pris le pouvoir, la conjoncture militaire était assez mauvaise pour la France. Faute de recevoir des renforts, l'armée du Rhin, commandée par Moreau, restait sur la défensive. Au sud, les Autrichiens avaient repris la Lombardie. Masséna, enfermé dans Gênes, soutenait un siège dont l'issue ne faisait pas de doute et présageait une invasion prochaine en direction de Nice. La conscription décidée par les Directeurs n'avait donné que de piètres résultats.

Pendant les premiers mois du Consulat, les opérations stagnèrent, ce qui procura à Bonaparte le délai nécessaire pour réorganiser l'armée. Avec beaucoup d'adresse (pour ménager les riches !), il autorisa les « remplacements » : les fils de famille purent se soustraire au service militaire en fournissant un homme à leurs frais. Regrettable exception, mais qui permit au Premier Consul de mettre sur pied une armée d'élite, composée en grande partie de soldats chevronnés. Il expédia ensuite des renforts à Moreau pour lui permettre de reprendre l'offensive, et se mit à la tête de l'armée d'Italie. À vrai dire, il hésita quelque peu « à faire le général », ce que la Constitution ne prévoyait pas. Mais il aimait trop la guerre (où, selon Bourrienne, il ne s'ennuyait jamais !) pour rester à Paris. Berthier reçut le commandement nominal de l'armée, Bonaparte « accompagnant » celle-ci. Personne ne fut dupe. On le savait avide de gloire, mais on avait confiance en son génie militaire et l'on croyait qu'après avoir écrasé l'ennemi, comme lui seul savait le faire, il restaurerait la paix. Bien entendu, les opposants de tout poil relevèrent la tête et se concertèrent, mais avec prudence. Jacobins et royalistes se donnaient, une fois de plus, la main pour préparer sa succession en cas d'échec ou de mort sur le champ de bataille. Les brumairiens tremblaient pour l'avenir. Le Couteulx de Canteleu, régent de la Banque de France, disait :

« Général, les Parisiens sont comme les malades, ils n'aiment pas à voir s'éloigner leur médecin ; nous sommes à peine en convalescence ; ils s'effraient pour eux-mêmes des nouveaux dangers que vous allez courir.

— Il ne faut pas dans les circonstances actuelles, répondit Bonaparte, envisager les risques ni les dangers de la guerre, elle est inévitable ; je dois commander l'armée et il faut bien se persuader qu'à la place où je me trouve, si je comptais la vie pour quelque chose, je n'y tiendrais pas longtemps. »

Ces trahisons en puissance, ces craintes, ces hésitations, le Premier Consul les pressentait, les connaissait. Il savait que les généraux n'étaient pas sûrs, qu'ils le jalousaient et qu'en cas de revers ils appuieraient un mouvement ou l'autre. En partant pour l'Italie, il prenait donc un risque énorme ; il jouait son va-tout, mais en pleine conscience. D'où l'audace du plan qu'il avait conçu et la préparation soignée de celui-ci.

Il ne s'agissait point en effet de reconquérir le Piémont ville à ville, en repoussant, d'une bataille l'autre, les Autrichiens vers la route de Vienne, comme on avait fait lors de la première campagne d'Italie, si glorieuse ! Bonaparte avait résolu de tomber littéralement des Alpes, de surprendre l'ennemi et de l'anéantir en une seule rencontre. Là encore ses lectures de jeunesse le servirent, car il ne voulait rien moins que renouveler l'exploit d'Hannibal franchissant les Alpes. Il escomptait que l'effet psychologique d'un pareil exploit serait irrésistible...

Parti le 6 mai de Paris avec Bourrienne, il passe par Dijon, Auxonne, Nyon et Genève. Le 17, il est à pied d'œuvre, au couvent des bernardins. L'avant-garde de l'armée, commandée par Lannes, commence à franchir le col du Grand-Saint-Bernard, à 2272 mètres d'altitude. Bonaparte écrit à ses deux collègues restés à Paris (les consuls Cambacérès et Lebrun): « Nous luttons contre la glace, la neige, les tourmentes et les avalanches. Le Saint-Bernard, étonné de voir tant de monde le franchir si brusquement, nous oppose quelques obstacles. » Ce ne sont pas les moines qui en sont responsables: tout au contraire, ils se mettent en quatre pour distribuer aux hommes du pain, du vin et du fromage. Ce sont les canons, les caissons de munitions et de vivres. On avait prévu des sortes de chariots, conçus spécialement; mais, sur les pentes verglacées, ils n'avancent pas, même attelés à dix mulets, même poussés par des grappes d'hommes arc-boutés sous l'effort. Sans artillerie, point de campagne! Un paysan suggère de démonter les pièces, de placer les tubes dans des troncs de sapins évidés. Ce que l'on fait immédiatement. Hommes et mulets s'attellent à ces sortes d'auges formant traîneaux. Les roues sont portées à dos de mulets. Tout cela dans une tempête de neige, en geignant, en culbutant, en risquant à tout moment d'être écrasé ou de choir dans l'abîme. Cinquante mille hommes et 10000 chevaux vont passer ainsi le col, avec leurs impedimenta. On a réquisitionné tous les mulets de la contrée et leurs conducteurs, les guides, les hommes disponibles. À l'avant-garde, Lannes chasse les Autrichiens d'Aoste, mais se heurte au fort de Bard qui domine la vallée. Bonaparte ordonne:

« Tentez l'impossible, mais passez! »

Le fort résiste, bombarde la route. Alors, on découvre une espèce de sentier, jalonné de marches taillées dans le roc. On le jonche de paille pour étouffer le bruit des pas. Mais la majeure partie de la cavalerie et de l'artillerie risque d'être bloquée au pied du fort. Bonaparte fulmine:

« Faites sentir au général Lannes que le sort de l'Italie

et peut-être de la République tient à la prise du château de Bard. »

Il se rend enfin sur les lieux, non pas sur le magnifique cheval de bataille peint par David, mais sur une mule. Il installe lui-même une batterie, hissée à force des bras, sous une pluie battante, face à la forteresse, dès lors soumise à un bombardement rageur. Ouvrant le chemin, Lannes vient d'enlever Ivrée à la baïonnette. C'est là que s'opère la concentration des troupes, le 27 mai 1800. Débouchant ainsi à l'improviste, au cœur de la Lombardie, l'armée fonce vers Milan où elle fait son entrée le 2 juin. Le 7 juin, à bout de vivres, Masséna est contraint de capituler, libérant ainsi les forces du général autrichien, Mélas. Ce dernier croit pouvoir, après la chute de Gênes, passer la frontière française. Apprenant l'irruption de Bonaparte en Lombardie et les événements de Milan, il se voit contraint de rétrograder, sous peine d'être coupé de ses bases. Son lieutenant, le général Ott, est battu par Lannes à Montebello, malgré la disproportion des forces. Mélas est un faible tacticien ; il manque aussi de caractère : la défaite de Montebello l'a démoralisé. Il décroche avec si peu de sang-froid que Bonaparte se trompe. Jugeant d'après lui-même et, suivant sa méthode, adoptant toujours l'hypothèse la plus défavorable, il prend pour une manœuvre savante, ou pour un piège, ce qui n'est qu'incohérence et improvisation. Il y voit, malencontreusement, l'occasion d'en finir en une seule bataille. Il commet donc, très précisément, la faute qui avait successivement perdu ses adversaires de 1797 : il divise son armée, afin d'envelopper Mélas et de le cerner.

Mélas dispose de 37000 hommes, de 9000 cavaliers et de 115 canons. Selon le rapport d'un espion, il ne sait quel parti prendre, tant il redoute d'affronter Bonaparte. Il croit que le Premier Consul a toute son armée avec lui. Ses généraux partagent ses craintes et l'exhortent à se retirer promptement sur la ligne fortifiée du Mincio. Il ne parvient pas à prendre une décision. Alors, bouillant d'impatience, et faisant fond sur son génie, Bonaparte abandonne ses propres positions et va le provoquer dans la plaine de Marengo[1]. Folle imprudence, car il n'oppose à ses adversaires que 21 000 hommes dont 2 700 cavaliers, et seulement 26 pièces d'artillerie ! En dépit des rapports de ses lieutenants, il s'obstine à croire que Mélas, terrorisé, donnera l'ordre de repli et se laissera cueillir comme prévu. C'est le contraire qui se passe. Forts de leur supériorité en artillerie, les Autrichiens attaquent. Ils écrasent de leur tir les unités de Lannes et de Victor. Les canons français sont trop peu nombreux pour riposter efficacement. L'infanterie se laisse décimer. La cavalerie ne peut rien que se briser sur les baïonnettes. À deux heures de l'après-midi, la bataille peut être considérée comme perdue. Par bonheur, Bonaparte a détaché deux divisions sur ses flancs, toujours dans le souci de ne pas laisser les Autrichiens s'échapper. Ce sont les divisions Desaix et La Poype. Il envoie un billet à Desaix : « Je croyais attaquer l'ennemi, il m'a prévenu. Revenez, au nom de Dieu – si vous le pouvez encore. » Pour gagner du temps, il paie de sa personne, se porte au milieu des soldats, les exhorte à tenir : « Courage, soldats ! les réserves arrivent. Tenez ferme ! »

Les boulets ricochent autour de lui. Les balles sifflent. Les généraux, sentant la partie perdue, l'incitent à faire sonner la retraite. Il n'a plus que 8 000 hommes en état de combattre. On manque de munitions. Il ne reste plus que cinq pièces ; les autres ont été démontées. On ne peut raisonnablement espérer que Desaix et La Poype arriveront à temps. Déjà, les Autrichiens crient victoire ! Dans leur euphorie, ils ralentissent le tir, ne harcèlent pas l'adversaire. Au contraire, les chefs rassemblent leurs unités, en vue de poursuivre ces débris d'armée et de les capturer. Cependant, Bonaparte reste inébranlable, indifférent au danger.

Or Desaix, véritable homme de guerre, a fait stopper sa colonne dès qu'il a entendu le bruit du canon. De sa propre initiative, sans avoir reçu l'ordre de Bonaparte, il se dirige vers Marengo. Son arrivée retourne la situation.

---

1. Le 14 juin 1800.

La bataille perdue dans la matinée sera gagnée dans l'après-midi, car les Français soudain reprennent l'attaque. Desaix est tué devant ses grenadiers, mais ceux-ci bousculent les Autrichiens stupéfaits. À ce moment, Kellermann fait charger ses cavaliers, si brusquement, si brutalement, que la débandade emporte les Autrichiens. Sous les sabres de 400 hommes, ils se mettent à fuir ou se rendent. Bilan de cette victoire : 9 000 prisonniers, 30 canons, 12 drapeaux...

Cependant l'armée autrichienne n'était pas hors de combat ; tout autre général eût cherché sa revanche, l'armée de Bonaparte étant elle-même sérieusement atteinte. Le général Mélas préféra se mettre à l'abri derrière la ligne du Mincio et ne plus rien risquer.

Singulière bataille que Marengo : la plus aventureuse, la moins savante qu'il ait livrée ; une sorte de Waterloo où Grouchy s'appelait Desaix et arrivait à l'heure ! Bataille dont le mérite revenait, non au commandant en chef, mais à ses lieutenants, y compris le brigadier Kellermann qui, de sa propre autorité semble-t-il, déclencha la charge de cavalerie au moment propice. Bonaparte détestait cela. Mais Desaix était mort. Il fut donc loisible au Premier Consul de dicter son célèbre *bulletin* et, pour les Parisiens, la version officielle de Marengo fut celle-ci :

... Déjà l'ennemi faisait des fautes qui présageaient sa catastrophe ; il étendait trop ses ailes. Tous les fuyards se ralliaient derrière. La présence du Premier Consul ranimait le moral des troupes : « Enfants, souvenez-vous que mon habitude est de coucher sur le champ de bataille. » Aux cris de « Vive la République ! Vive le Premier Consul ! » Desaix aborda au pas de charge et par le centre. Dans un instant l'ennemi est culbuté. Le général Kellermann qui, avec sa brigade de grosse cavalerie, avait toute la journée protégé la retraite de notre gauche, exécuta une charge avec tant de vigueur et si à propos que 6 000 grenadiers et le général Zach, chef de l'état-major général, furent faits prisonniers, et plusieurs généraux ennemis tués... Desaix a été frappé d'une balle au commencement de la charge de

sa division. Il n'a eu que le temps de dire au jeune Lebrun qui était avec lui : « Allez dire au Premier Consul que je meurs avec le regret de n'avoir pas assez fait pour vivre dans la postérité... »

Il ne se trouva personne parmi les généraux pour élever une protestation. Désormais c'était Bonaparte seul qui faisait l'histoire, et qui l'écrivait. D'ailleurs, tout réussissait à ce diable de Corse ! Dès le 15 juin, Mélas sollicitait un armistice. Au nord, le général Moreau avait franchi le Rhin et battu par trois fois l'Autrichien Kay. La victoire de Hohenlinden (3 décembre 1800) allait contraindre l'Autriche à mettre bas les armes, victoire aussi retentissante que celle de Marengo, mais que Bonaparte, assez bassement, ne pardonna jamais à Moreau.

Laissant Brune et Murat en Italie, le Premier Consul regagna Paris. Il y arriva le 2 juillet. Rencontrant Sieyès, il l'apostropha en ces termes :

« J'ai fait la Grande Nation ! »

Ce pisse-vinaigre de Sieyès répondit :

« C'est parce que nous avions d'abord fait la nation... »

VI

LA RUE SAINT-NICAISE

Mon héritier naturel, c'est le peuple français. C'est là mon enfant. Je n'ai travaillé que pour lui.

BONAPARTE à Le Couteulx

Paris l'acclama ; les corps constitués, les généraux et conjurés en puissance, les ci-devant jacobins et ci-devant « rentrés » l'abreuvèrent de louanges. De même le retour de la garde consulaire, les cérémonies et parades attirèrent-ils une foule enthousiaste. De même encore le transfert – tout politique – des cendres de Turenne aux Invalides et la pose de la première pierre d'un monument dédié à Desaix et Kléber, place des Victoires ! Cependant le Premier Consul paraissait de plus en plus mélancolique et maladif, tel que le dessina Isabey : penché sur l'encolure de son cheval, le buste étriqué et voûté. Il était excédé de fatigue, de soucis et, malgré Marengo, d'inquiétude ! Au lieu de refroidir les haines, cette victoire les attisait. Désormais, c'était à son existence qu'on en voulait. Qui ne pouvait-il pas soupçonner ? Les terroristes commençaient à détester l'ordre qui régnait. Les libéraux regrettaient d'avoir perdu le vedettariat politique et de ne plus se partager le gâteau. Les royalistes lui en voulaient d'avoir étranglé la chouannerie, et, précisément, d'avoir fait fusiller Louis de Frotté, chef du Bocage normand. Ses familiers eux-mêmes, ses confidents, étaient-ils sûrs ? Étaient-ils complètement guéris de leur passé révolutionnaire ? Avaient-ils remisé une fois pour toutes au grenier des souvenirs les idées de 1789 ? Quand ils s'inquiétaient de son successeur, en cas de mort violente, feignaient-ils ou s'exprimaient-ils sincèrement ? N'était-ce pas un piège qu'ils lui tendaient, sous couleur de le flatter ou de défendre l'avenir de la République ?

Témoin ce dialogue, aux questions énigmatiques :

LE COUTEULX. – Je ne parle point de changer la Constitution. Je dis seulement qu'il y aurait plus de sécurité en France si on voyait un héritier naturel à côté de vous, sous-entendu : si l'on transformait la fonction de Premier Consul en monarchie et qu'elle devînt par là héréditaire.

BONAPARTE. – Je n'ai point d'enfant.

LE COUTEULX. – Il est possible de vous en donner un par l'adoption.

BONAPARTE. – Cela ne répond pas au danger du moment.

LE COUTEULX. – Cela offre la sécurité pour l'avenir.

BONAPARTE. – Après y avoir bien réfléchi, je n'ai trouvé qu'une chose praticable : c'est que le Sénat élise un homme en état de prendre ma place ; que le scrutin ne soit connu que de trois sénateurs et de moi. Mais qui nommer ?

LE COUTEULX. – Cela ne remédie pas à l'avenir. Si j'étais sénateur et que j'eusse à nommer votre successeur, je nommerais un enfant de 12 ans.

BONAPARTE. – Pourquoi un enfant ?

LE COUTEULX. – Parce que je voudrais qu'il devînt le vôtre, pour que vous puissiez l'élever et l'aimer.

BONAPARTE. – Je n'ai point d'enfant ; je ne sens pas le besoin, ni l'intérêt, d'en avoir. Je n'ai pas l'esprit de famille (*sic !*). Ce que j'ai craint le plus pendant que j'étais à Marengo, c'était qu'un de mes frères ne me succédât si j'étais tué... Non, il n'y a de praticable que l'idée d'une nomination faite par le Sénat, comme je viens de vous le dire. Et il faudrait qu'elle ne fût faite que pour un an.

LE COUTEULX. – C'est l'idée originaire de Sieyès.
BONAPARTE. – Excepté qu'il faisait nommer pour trois ans, et le consul ne connaissait pas son successeur.
LE COUTEULX. – Je conçois que, s'il arrivait prochainement un malheur, un homme qui serait censé être de votre choix aurait par cela seul une grande considération, et l'on respecterait en lui l'autorité qu'il tiendrait de vous.
BONAPARTE. – Et qui nommer ? Si j'étais mort à Marengo, le Sénat aurait nommé Carnot, dit-on ? Eh bien ! Carnot, peut-être, vaudrait mieux qu'un autre.
LE COUTEULX. – Carnot a du talent. Il s'est bien montré pendant son directoriat. Mais jamais la nation française ne se croira libre et honorable sous un membre du Comité de salut public.
BONAPARTE. – Si Carnot était du goût de tout le monde...

Lequel jouait au plus fin ? Bonaparte savait très bien que, pendant la campagne de Marengo, on avait envisagé sa liquidation et son remplacement. Que les brumairiens eux-mêmes (les mécontents) s'étaient penchés sur ce grave problème et avaient pressenti Carnot, espérant bien prendre leur revanche. Quant à Le Couteulx, pour qui travaillait-il ? Pour les royalistes ? Ils étaient eux-mêmes les plus obstinés à conseiller l'hérédité. Cependant pouvaient-ils ignorer que le Prétendant (le futur Louis XVIII) lui avait écrit de son exil de Mittau, en Russie :

Depuis longtemps, général, vous devez savoir que mon estime vous est acquise. Si vous doutiez que je fusse susceptible de reconnaissance, marquez votre place, fixez le sort de vos amis. Quant à mes principes, je suis français : clément par caractère, je le serai encore par raison.

Non, le vainqueur de Lodi, de Castiglione, d'Arcole, le conquérant de l'Italie et de l'Égypte, ne peut pas préférer à la gloire une vaine célébrité. Cependant vous perdez un temps précieux : nous pouvons assurer le repos de la France ; je dis : nous, parce que j'ai besoin de Bonaparte pour cela, et qu'il ne le pourrait pas sans moi.

Général, l'Europe vous observe, la gloire vous attend, et je suis impatient de rendre la paix à mon peuple.

LOUIS

Bonaparte avait répondu :

J'ai reçu, Monsieur, votre lettre ; je vous remercie des choses honnêtes que vous me dites.

Vous ne devez pas souhaiter votre retour en France ; il vous faudrait marcher sur 100 000 cadavres.

Sacrifiez votre intérêt au repos et au bonheur de la France ; l'Histoire vous en tiendra compte.

Je ne suis pas insensible aux malheurs de votre famille : je contribuerai avec plaisir à la douceur et à la tranquillité de votre retraite.

BONAPARTE

Réponse qui n'apportait rien de nouveau pour le parti royaliste, mais confirmait simplement une position bien arrêtée. Lorsqu'il avait rencontré les chefs chouans (Hyde de Neuville, Fortuné d'Andigné, Bourmont et Cadoudal), avant Marengo, il leur avait dit : « Quel est votre but ?... Rétablir les Bourbons, n'est-ce pas ? Tant que je serai à la tête du gouvernement, vous n'y parviendrez jamais. Après ma mort, vous ferez ce que vous voudrez ; cela m'est indifférent... »

Toutefois il admirait leur courage et il essaya de les « amalgamer », à la fois pour les mettre hors d'état de nuire politiquement et pour utiliser leurs talents. Il avait achoppé contre leur fidélité aux lis et n'ignorait pas, ayant pu les juger, que ces hommes essaieraient tôt ou tard de le supprimer.

Cependant le premier coup ne vint pas de la droite. Le 18 vendémiaire an IX (10 octobre 1800), Bonaparte était à l'Opéra, où l'on donnait une tragédie lyrique tirée d'*Horace* et le ballet de *Pygmalion*, quand la police surprit des terroristes armés de poignards. Ils projetaient de faire éclater des pétards dans la salle et, à la faveur du tumulte et de la fumée, d'assassiner le Premier Consul. Leurs chefs se nommaient Arena et Cerrachi. Affaire obscure où Fouché, ministre de la Police, eut une attitude assez trouble, mais qui coûta la vie à ses auteurs. On ne manqua pas d'accuser le parti jacobin de cet attentat.

Peu après, les chouans bretons massacrèrent, dans des circonstances abominables, l'évêque constitutionnel du Morbihan. Alors, ce fut la gauche qui accusa les émigrés rentrés et les prêtres insermentés de ce crime. On réclama des mesures immédiates, draconiennes. L'affaire, d'une particulière gravité, fut évoquée en Conseil d'État où Bonaparte fit la déclaration suivante :

« On voudrait, pour venger l'assassinat d'un prêtre, me porter à proscrire en masse une classe de la société, m'engager dans des rigueurs et des mesures révolutionnaires. Je ne le veux pas ; je ne veux que les lois : elles doivent suffire pour la répression de tous les crimes… »

Rappelant alors les journées insurrectionnelles et les coups d'État qui avaient jalonné la Révolution (dont le 18 Brumaire !), il ajouta :

« Nous avons fini le roman de la Révolution ; il faut en commencer l'histoire. (Il avait de ces fulgurances où, tout à coup, perce le don de poésie.) Pour appliquer les grands principes, tenons-en-nous au réel et au possible. Nous ne sommes pas ici pour philosopher. »

« Le réel, le possible », voilà très exactement où il voulait s'en tenir, et ne pas céder aux rêveries sociales des idéologues, l'expérience ayant prouvé qu'elles débouchaient sur la terreur et assumaient celle-ci, tout en persistant à affirmer qu'elles ne visaient que le bonheur de l'humanité.

Parlant ensuite des nostalgiques de l'anarchie, qu'il appelle « les grands seigneurs, les cordons-bleus de la Révolution », il dit encore :

« … C'est un pouvoir détrôné et sans force propre, qui veut tenter d'agir contre un pouvoir vigoureux et qui peut se passer de son concours. »

Le 3 nivôse (24 décembre), à huit heures du soir, comme il se rendait en voiture à l'Opéra où l'on donnait

La Création, oratorio de Haydn, une charrette chargée de poudre explosa rue Saint-Nicaise, déchiquetant les badauds, crevant les vitres des fenêtres, arrachant les tuiles des toitures. Mais le Premier Consul était indemne; sa voiture n'avait pas été touchée. Il s'en était fallu d'une seconde, peut-être. Qui était l'auteur de cet attentat? Les uns crurent y reconnaître l'ouvrage de royalistes stipendiés par l'Angleterre; d'autres, la main des terroristes. Fouché déclarait cyniquement:

« Quand je veux faire tuer un homme, je dis à mes gens: voilà 200 ou 300 louis, apporte-moi telle tête. Pourquoi les Anglais ne feraient-ils pas de même? »

Or les criminels étaient des chouans: le chevalier de Limoléan, Saint-Réjant, Carbon. Limoléan était un gentilhomme breton, émigré rentré, affichant de manière assez ostentatoire son admiration pour Bonaparte et sa soumission au nouveau régime. En réalité il était venu à Paris pour assassiner Bonaparte, de même que, naguère, la Normande Charlotte Corday résolue à tuer Marat. Chez l'un et l'autre d'ailleurs le crime politique se colorait de mysticisme. Les conspirateurs achetèrent une charrette à ridelles et une jument noire. Ils y placèrent un fort baril cerclé de fer et recouvert d'une bâche. Cette « machine infernale » fut amenée rue Saint-Nicaise deux heures avant le passage de Bonaparte. Elle y resta sans attirer l'attention des passants ni des limiers de service! Après l'explosion, les trois complices parvinrent à disparaître.

Le lendemain, le Conseil d'État se présenta à Bonaparte, lequel déclara:

« Ce sont les septembriseurs, ce sont les restes de tous les hommes de sang qui ont traversé la Révolution dans le crime...

Et, se tournant vers le ministre de la Police, Fouché, qui accusait les chouans:

— Ceci n'est pas une carmagnole; ceci n'est ni une conspiration de royalistes, ni une machination anglaise; c'est un complot de terroristes. La France ne sera tranquille sur l'existence de son gouvernement que quand elle sera délivrée de ces misérables... »

Il songeait à instituer une juridiction spéciale, et même à la présider personnellement. Quelques jours après, sa rancœur n'était pas apaisée :

« On dit : "Mais ces gens-là ne sont que des instruments !" Cela n'est pas vrai. Moi, je ne crois pas à l'influence de l'étranger. Tous ces coquins-là ont peu d'esprit ; leur mille sottises en sont la preuve. Ils ont dit : "Tuons d'abord Bonaparte, nous verrons après". L'événement arrivé, ils se seraient adressés à Barère, à quelque autre comme cela. Il ne faut pas croire, au reste, que ce soit des hommes d'un parti politique, tels que les antibrumairiens, non, ce sont des hommes qui remontent à Chaumette, à Hébert. Ils n'ont pas de chef ; ils sont trop aristocrates pour cela. »

Le Tribunat s'opposant à la création d'une juridiction spéciale, Bonaparte dit à Monge et à Laplace, sénateurs :

« Je suis soldat, enfant de la Révolution, sorti du sein du peuple : je ne souffrirai pas qu'on m'insulte comme un roi. »

Carbon, Saint-Réjant, des complices mineurs furent arrêtés. Limoléan réussit à fuir, passa en Amérique et se fit prêtre. Ni ces arrestations, ni les aveux des coupables ne modifièrent cependant la résolution prise par Bonaparte. « Le terrorisme est une maladie interne, disait-il. Il faut profiter de cette circonstance pour en purger la République. » Dans les tout premiers jours de 1801, la purge consulaire frappa cent trente ci-devant babouvistes, robespierristes et autres jacobins. Tous, il est vrai (les fiches de la police étaient bien faites) avaient participé, de près ou de loin, aux massacres révolutionnaires. Soixante et onze d'entre eux furent expédiés aux Seychelles, dans l'océan Indien. Les autres furent envoyés en résidence surveillée à l'île d'Oléron.

Restaient les émules de Limoléan : Cadoudal, ses complices, les agents de l'Angleterre... Où et quand frapperaient-ils ? Les périls que courait Bonaparte augmentaient encore l'attachement, la passion des Français pour sa personne ! On se portait en foule à chaque revue du Carrousel. On s'exaltait à la vue des uniformes d'apparat.

On attendait impatiemment l'apparition du Premier Consul, toujours saluée par des ovations. Nombreux étaient ceux qui eussent pu écrire, s'ils en avaient eu le talent, cette page lyrique du jeune Nodier sur l'idolâtrie dont Bonaparte était l'objet :

« Un jeune mameluck qu'il a ramené d'Égypte ouvre la marche. Il est vêtu avec toute la magnificence orientale. Un long damas est attaché à son côté. Il tient un arc dans sa main et ce premier aspect a quelque chose d'extraordinaire et de romantique. Viennent ensuite quatre aides de camp couverts de broderies d'or. Derrière eux s'avance modestement un homme en habit gris, la tête penchée vers la terre, marchant sans éclat et sans prétention. C'est Bonaparte. Aucun de ses portraits n'est ressemblant. Il est impossible de saisir le caractère de sa figure, mais sa physionomie terrasse, et je n'ai pas encore pu m'en relever. Il a le visage très long, le teint d'un gris de pierre, les yeux sont enfoncés, fort grands, fixes et brillants comme un cristal. Il a l'air triste, affligé et il soupire de temps en temps. Il monte un cheval qui a fait partie de ceux que lui a envoyés le roi d'Espagne. Ce cheval est couvert d'un caparaçon de velours nacarat brodé d'or. Les mors, les bossettes, les étriers, tout est en or. Et sur cet animal, si richement harnaché, le plus grand homme de l'Univers, vêtu d'un habit gris que Garat ne voudrait pas voir à son jockey !... Quel homme que Bonaparte ! Comme on l'aime ! Comme on l'admire ! Comme on se presse sur son passage ! Comme on déteste ses ennemis ! Je l'ai vu pendant une demi-heure et si vous aviez été près de moi, vous auriez partagé mon enthousiasme et mon délire. Cette demi-heure sera la plus belle et la plus importante de ma vie. »

Ce que le peuple ignorait, ou ce à quoi il ne prenait pas garde, c'est que le despotisme venait de franchir un degré de plus. À la faveur de l'attentat de Saint-Nicaise, et à l'instigation de Talleyrand, Bonaparte avait décidé d'utiliser la docilité du Sénat conservateur. Les sénatus-consultes rendus par cette assemblée, sur ordre du pouvoir, auront désormais force de loi, seront même de véritables lois. Le Tribunat et le Corps législatif verront leurs attributions réduites. La démocratie régressait, en douceur.

VII

DOMINE SALVUM FAC CONSULEM

Et pourtant 1801 fut une année superbe pour la France. Une année d'espérance que 1802 d'ailleurs confirmera et prolongera, une sorte d'oasis dans la traversée du désert… Le 9 février 1801, l'Autriche, vaincue sur ses deux fronts, signa le traité de Lunéville. Elle abandonnait, cette fois « définitivement », la Belgique, le Luxembourg et la rive gauche du Rhin. Elle reconnaissait le protectorat de la France sur les républiques batave, helvétique, cisalpine et ligurienne. Elle renonçait aussi au Piémont, contre l'Adige et Venise, faibles dédommagements ! Elle acceptait enfin le remaniement du Saint-Empire romain germanique, dont François était le chef. Jamais, au cours des siècles – sauf peut-être sous Charlemagne –, la France n'avait été si grande, si influente ! Le vieux songe des Capétiens et de leurs grands ministres était dépassé. La gloire de Bonaparte effaçait celle du Roi-Soleil. Cela, les Français le ressentaient beaucoup plus qu'on ne veut le dire. Ils avaient alors vraiment conscience d'appartenir à la Grande Nation, et telles étaient leurs illusions qu'ils croyaient que leur pays pouvait imposer la paix au reste de l'Europe !

Mais l'Angleterre veillait. Il eût fallu pour l'annihiler que la Russie consentît à s'allier à la France. C'était la grande idée de Bonaparte. Il touchait au but, lorsque le tsar Paul Ier fut assassiné par des conjurés à la solde de Londres. Ce meurtre, perpétré dans des conditions odieuses, fut un coup de semonce pour le Premier Consul. Ce que Pitt avait réussi à Saint-Pétersbourg, ne pouvait-il le réussir à Paris ? Or, précisément, Pitt quitta le pouvoir sous la poussée de l'opinion. Addington, son successeur, était moins hostile à la France. En outre, la capitulation de Menou et des survivants de l'armée d'Égypte démontrait que la France ne régnerait pas sur la Méditerranée. Il fut donc assez facile à Joseph Bonaparte de négocier avec le cabinet britannique. Le traité de Lunéville n'était qu'une paix séparée (en somme, la confirmation du traité de Campo-Formio). Le traité d'Amiens (25 mars 1802) fut une paix générale, englobant l'Angleterre et l'Irlande, la Hollande et l'Espagne. L'Angleterre nous restituait nos colonies. Elle s'engageait à évacuer Malte. Nos troupes devaient se retirer du royaume de Naples et des États du pape. Ainsi, après dix ans de luttes, on avait réussi à s'entendre. Mais saurait-on se comprendre et maintenir, par des concessions réciproques, cette paix si longtemps convoitée ? Et Bonaparte était-il tout à fait sincère, quand, à Sainte-Hélène, il déclarait :

« À Amiens, je croyais de très bonne foi le sort de la France et le mien fixés. J'allais me dévouer uniquement à l'administration de la France et je crois que j'eusse enfanté des prodiges. J'eusse fait la conquête morale de l'Europe, comme j'ai été sur le point de l'accomplir par les armes. »

Une telle déclaration semble, de prime abord, une vue de l'esprit, ou quelque arrangement destiné à embellir une image de marque. On peut toutefois se demander si, parvenant à dominer l'Europe comme il avait rêvé de le faire, il n'eût pas, effectivement, accompli « des prodiges », d'autant qu'en dépit de la brièveté de son règne il réalisa une partie non négligeable de cet ambitieux programme.

Ce qui est certain, c'est que, malgré les menaces d'attentat, la complexité des négociations diplomatiques, les problèmes politiques, les sujétions quotidiennes du pouvoir, l'effort soutenu d'improvisation, pour ne pas dire d'imagination, il poursuivit avec une ardeur sans pareille la pacification intérieure et l'organisation administrative de la nation.

Touchant à la pacification, il avait, dans un premier temps, réprimé les velléités jacobines en écrêtant durement ce Parti. Restaient les « modérés » ou « réacteurs », encore nombreux, dont les royalistes constituaient l'élément moteur. Sans doute les armées vendéennes et les bandes chouannes avaient-elles mis bas les armes et apparemment accepté le régime consulaire. Mais, Bonaparte se refusant à jouer le rôle de Monk et ayant repoussé les avances du Prétendant, les chefs royalistes n'attendaient qu'une occasion pour agir. On les savait assez hardis pour envisager un meurtre. L'un d'eux, et non des moindres, ne disait-il pas que les coups de canon annonçant les victoires de Bonaparte « rivaient les fers » du parti du lis ! Bonaparte avait analysé la situation avec son implacable logique. Il dissociait les chefs et leurs partisans du reste de la population, fût-elle favorable aux chouans. Il avait parfaitement compris que la pierre d'achoppement avait été et demeurait la question religieuse. Certes les églises avaient été rouvertes au culte catholique. Les prêtres ci-devant réfractaires n'étaient plus traqués par les autorités républicaines, ils cohabitaient, tant bien que mal, avec le clergé assermenté. Mais ce n'était là qu'une cote mal taillée, une solution d'attente, susceptible d'être remise en cause à tout moment, bref une simple mesure de tolérance. Bonaparte connaissait fort bien le rôle déterminant des prêtres dans la levée en masse de Vendée, puis dans la chouannerie bretonne. Ceux qui avaient échappé à la mort conservaient une redoutable influence. D'où le projet qu'il élabora d'associer le clergé à son œuvre de pacification, d'unifier les assermentés et les insermentés, de les transformer en fonctionnaires pour mieux les subordonner à l'État.

Soucieux de l'opinion comme il était, il avait d'ailleurs prescrit une enquête dans les départements, d'où il ressortait que la majorité des Français gardait un attachement sentimental à l'Église et serait favorable à sa restauration (partielle). Il estimait en outre qu'un peuple sans religion est un peuple sans mœurs. Mais surtout, et cela ne fait aucun doute, il voyait dans une Église hiérarchisée et contrôlée un merveilleux instrument de gouvernement. Peut-être des souvenirs d'enfance et de jeunesse s'ajoutaient-ils à ces considérations réalistes.

Quoi qu'il en soit, quelques jours avant Marengo, dans un discours prononcé à Milan, il fit connaître sa volonté de respecter la liberté religieuse. Soulignons que cette déclaration ne manquait pas d'audace : l'armée d'Italie se composant d'athées ou supposés tels, les structures gouvernementales étant peuplées d'anciens révolutionnaires hostiles pour la plupart au catholicisme et, même, toujours prêts à réclamer des sanctions contre les prêtres ! Après la victoire de Marengo, Bonaparte rencontra le cardinal Montiana et lui exposa les grandes lignes de son projet : fin du schisme divisant réfractaires et constitutionnels, confirmation de la vente des biens nationaux naguère propriétés de l'Église, réorganisation de l'épiscopat en fonction de la répartition administrative de la France, reconnaissance de la religion catholique comme étant celle de la majorité de la nation. Stupeur de la curie romaine et du pape Pie VII, lorsque le cardinal rendit compte de cet entretien ! Cependant les négociations commencèrent presque aussitôt. Du côté français, l'abbé Bernier y joua un rôle essentiel. Cet étrange abbé, ancien aumônier de Stofflet, ancien « pacificateur » de la Vendée militaire, était un personnage assez trouble, mais un diplomate né, aussi patient qu'obstiné, par surcroît ne s'embarrassant pas de scrupules. Cependant l'affaire était épineuse, semée d'obstacles. Car, si Bonaparte avait hâte de conclure un accord, le sage et ferme Pie VII défendait une tradition et des intérêts bimillénaires. Les méthodes, les objectifs différaient. Pour l'un le temps ne comptait pas : il travaillait pour le ciel ; pour l'autre chaque minute avait son prix : il remodelait un peuple.

Projets, contreprojets se succédaient sans résultats, chacun essayant de glisser dans le texte quelque disposition avantageuse, mais non initialement prévue. Irrité,

Bonaparte, fidèle à lui-même, alternait le miel et le vinaigre, les menaces et les promesses. Il finit par envoyer un ultimatum au pape, lequel, prenant peur, dépêcha à Paris le cardinal Consalvi. Le 10 septembre 1801 fut signé un accord connu dans l'histoire sous le nom de *Concordat*.

Aux termes de cet accord, la République française reconnaissait la religion catholique et romaine comme étant celle de la majorité des Français. Le pape consentait à remanier les diocèses et à donner l'investiture canonique aux évêques nommés par le Premier Consul. Ces derniers étaient astreints au serment d'obéissance et de loyalisme envers le gouvernement : ce qui impliquait la dénonciation obligatoire de tout complot dont ils auraient connaissance ! En contrepartie, ils percevaient un confortable traitement. De plus, le Saint-Siège substituait purement et simplement le régime consulaire à l'ancienne monarchie et les prêtres étaient tenus de dire le *Domine Salvum fac consulem*. Les évêques pouvaient organiser des séminaires et les croyants consentir des donations en faveur de l'Église. Quant aux curés, qui étaient nommés par les évêques, ils étaient tenus aux mêmes obligations envers le pouvoir et percevaient aussi un traitement. Enfin, et ce n'était pas la disposition la moins exorbitante, le Saint-Siège s'engageait à obtenir la démission des prélats titulaires. Autrement dit, Bonaparte entendait renouveler le clergé et lui imprimer un style nouveau, comme il avait fait du personnel administratif ou judiciaire.

Il va sans dire que la mise en place des nouvelles structures n'eut pas lieu sans protestations. Le tiers des évêques refusa la démission prescrite par le bref pontifical, mais finit par se soumettre. Le schisme subsista dans une infime portion de la population, sous le nom de Petite-Église dont les membres, appelés « dissidents », se recrutèrent principalement en Vendée.

Le 1er mars 1802, Bonaparte fit célébrer en l'honneur de la paix d'Amiens un *Te Deum* de réconciliation, traité de « capucinade » par beaucoup ! Le 8 avril suivant, il fit adopter une loi fixant l'organisation du clergé français.

Pour apaiser les incroyants, il avait ajouté aux dispositions du Concordat diverses rubriques de son cru : interdiction au Saint-Siège de diffuser en France des actes canoniques ou des circulaires sans l'accord du gouvernement, de mandater un légat sans qu'il fût préalablement agréé ; de tenir un concile sans autorisation. Toutefois le dimanche redevenait le jour de repos, faible compensation ! Le pape éleva une protestation de principe, mais, considérant l'importance du rétablissement du culte en France et le regain de prestige qui en résulterait pour l'Église, il s'en tint là. Le 18 avril 1802, le Concordat put donc être officiellement proclamé. Par hasard ou autrement, Chateaubriand venait de publier le *Génie du christianisme*.

Les protestants se sentirent lésés et rappelèrent les services rendus à la République ! N'avaient-ils pas été les premiers à répandre les germes de la démocratie, et cela dès le XVIe siècle ? Le 18 germinal an X, une loi leur donna gain de cause, c'est-à-dire qu'elle leur accorda les mêmes avantages qu'aux catholiques et leur imposa les mêmes sujétions envers le pouvoir. C'en était fait de l'indépendance de l'Église réformée. Ses pasteurs devenaient des fonctionnaires, ses dignitaires étaient nommés par le Premier Consul, ni plus ni moins que les curés et les évêques. Chacun rentrait dans le rang et prenait le pas.

Dans les mêmes perspectives grandioses, il importait également à Bonaparte d'unifier et d'aligner les classes sociales, en commençant par la famille, cellule de base de toute société. Or, les droits et devoirs des familles, de l'individu, variaient à l'extrême selon que l'on était du nord ou du midi de la France, des pays de droit écrit ou des pays de droit coutumier. L'Ancien Régime, conscient de ces disparités, avait tenté d'y remédier : notamment Louis XIV par les grandes ordonnances de Colbert. La Révolution s'y était essayée. Ayant aboli les privilèges, proclamé l'égalité et la liberté, elle décréta qu'il serait établi un code de lois civiles applicables à tous. Mais le problème était trop complexe, il avait des racines trop profondes, pour qu'il suffît d'un décret. De plus, les bouleversements avaient été tels que l'on n'avait pu donner suite au projet. Comment examiner avec sérénité, fondre en un seul texte le droit écrit et les coutumes, étudier avec soin les exceptions, les particularismes, envisager les effets médiats, lorsque les factions se déchirent et qu'immanquablement le vainqueur provisoire envoie le vaincu à la guillotine? Lorsque l'état de guerre et, bientôt, de graves revers, contraignent une assemblée à résilier ses pouvoirs entre les mains d'un Comité de salut public tremblant lui-même devant un dictateur? La tourmente passée, le Directoire avait tenté de reprendre le travail, sous la houlette de Cambacérès, excellent juriste. Mais les travaux n'avancèrent pas, car l'impulsion manquait et l'on se perdait en arguties. À peine eut-il pris le pouvoir que Bonaparte créa une commission chargée de fondre en un texte unique et clair à la fois les principes acquis par la Révolution et ce que l'on pourrait conserver du droit écrit et du droit coutumier. Au bout de quatre mois, un avant-projet de code fut soumis à l'examen du Conseil d'État. Les débats furent passionnés (et, certes, passionnants: pour les juristes!). Il n'entre pas dans le cadre de cet ouvrage d'en donner l'analyse. On se bornera donc à signaler que Bonaparte présida 57 séances sur 102. Il n'était pas juriste, mais il avait du bon sens et, contrairement à l'opinion reçue, le droit n'est pas une vue de l'esprit; ce n'est que du bon sens codifié. Bref, stimulé de la sorte, le Conseil d'État élabora 36 lois, de 1801 à 1803, dont l'ensemble repris sous forme de 2281 articles formera ce monument appelé *Code civil des Français*, en 1804 et, plus tard, *Code Napoléon*. Il réglait toutes les questions intéressant l'individu et la famille: naissance, mariage, divorce, partages, donations, successions, décès. Il était « révolutionnaire », en ce qu'il consacrait l'égalité devant la loi, la liberté de conscience et la liberté du travail, la laïcité de l'État. Il était aussi « bourgeois » dans la mesure où il attribuait une extrême importance au droit de propriété. Il était enfin « napoléonien » dans la mesure où il hiérarchisait la famille en établissant l'autorité de l'époux sur l'épouse et du père sur ses enfants. Comme on sait, le *Code civil*, avec ses remaniements, est toujours en vigueur. Il faut encore insister sur le fait qu'il inspira largement la législation civile d'une notable partie de l'Europe : Hollande, Belgique, Allemagne, Suisse, Italie, Luxembourg, Illyrie, etc.

Bonaparte ne s'en tint pas là. En 1806 fut promulgué le *Code de procédure civile*, le *Code de commerce* en 1807, le *Code d'instruction criminelle* en 1808, le *Code pénal* en 1810 et le *Code rural*... en 1814 ! Dans la conception napoléonienne, c'étaient là « les masses de granit » propres à ancrer le nouvel ordre social.

VIII

LES MARCHES DU TRÔNE

Ce siècle avait deux ans. Rome
[remplaçait Sparte,
Déjà Napoléon perçait sous
[Bonaparte.

Victor HUGO,
Les Feuilles d'automne

Le 25 février 1802, à Lyon, Bonaparte avait été triomphalement élu président de la République italienne. Toutes ses entreprises étaient menées à bonne fin. Tout lui réussissait, en apparence. Sa popularité ne cessait de croître ; elle s'étendait à une partie de l'Europe, bien sûr mêlée d'envie, voire de haine. Ses amis, les brumairiens, le poussaient vers le trône, moins peut-être par dévouement ou reconnaissance envers lui que par calcul. Après lui, qu'adviendrait-il ? Continuerait-il même à plaire ? L'opposition, poursuivant ses intrigues, ne finirait-elle pas par l'emporter ? Le peuple français, versatile par nature, ne se lasserait-il pas d'un régime trop strict, une fois qu'il aurait recouvré l'aisance et la tranquillité ? Rien n'use davantage que l'exercice du pouvoir, même couronné de succès. La même question revenait toujours dans les entretiens : s'il disparaissait, de façon ou d'autre, qui prendrait la suite ? Un militaire ? Aucun des généraux connus n'avait l'expérience politique ni l'autorité suffisantes. Un civil ? Il était encore trop tôt : les politiciens entraveraient son action, réveilleraient les vieilles luttes ; de plus, il n'aurait pas l'appui de l'armée qui formait dans l'État une société à part, presque un parti. Faire de Bonaparte un roi ne serait pas ajouter beaucoup à son pouvoir : il était, de fait, un monarque absolu. Mais, dans cette hypothèse, s'il avait ou s'il adoptait un enfant, sa succession était assurée ; et on pouvait par là éviter le désordre. Cependant les anciens jacobins, les terroristes repentis, le trouble Fouché et ses amis ne voulaient absolument pas d'un régime qu'ils avaient naguère détruit. Le Sénat conservateur lui-même craignait de perdre une part de ses attributions s'il concédait à Bonaparte un pouvoir illimité. Il finassa, s'inventa des scrupules constitutionnels et n'accorda que dix ans de prolongation, présentés comme « une récompense nationale ». Déception de Bonaparte, qui fit contre mauvaise fortune bon cœur, remercia en termes convenables mais équivoques. Puisqu'on lui ménageait la confiance, il avait décidé de recourir au plébiscite. La seule question qui fut posée au peuple était : « Bonaparte sera-t-il consul à vie ? » Sur 3 577 259 votants, il y eut 3 508 885 oui, contre 8 374 non. En dépit des abstentions et des truquages, la majorité s'avérait satisfaisante. Par un véritable tour de passe-passe, Bonaparte avait donc substitué le pouvoir *ad vitam* aux dix ans du Sénat ! Le peuple l'avait approuvé. Désormais, ce n'était donc plus du Sénat qu'il tenait le pouvoir, mais de la nation. Battu sur son propre terrain, le Sénat s'empressa de matérialiser cette nouvelle victoire de Bonaparte. Le 14 thermidor an X, il rendit un sénatus-consulte proclamant Napoléon Bonaparte Premier Consul à vie :

Article 1. – *Le peuple français nomme et le Sénat proclame Napoléon Bonaparte Premier Consul à vie.* Article 2. – *Une statue de la Paix, tenant d'une main le laurier de la victoire et de l'autre le décret du Sénat, attestera la reconnaissance de la nation.* Article 3. – *Le Sénat portera au Premier Consul l'expression de la confiance, de l'amour et de l'admiration du peuple français.*

Ce dont Bonaparte le remercia non sans ironie : « Le Sénat a désiré ce que le peuple français a voulu et par là il s'est plus étroitement associé à tout ce qui reste à faire pour le bonheur de la patrie. »

Ce qui restait à faire pour lui, c'était de profiter de sa lancée pour réviser la Constitution. Désormais, il lui était facile d'imposer ses vues. Le Sénat ne pourrait faire autre chose que s'incliner... un peu plus bas. Il n'y manqua pas. Le sénatus-consulte du 16 thermidor an X (4 août 1802) suivit de deux jours la proclamation du consulat à vie : le détail est d'importance. Il s'ajoutait purement et simplement à la Constitution de l'an VIII, mais il y apportait de sérieux remaniements. Quand on l'étudie avec attention, on constate qu'il est un acheminement manifeste vers l'Empire. Sans doute rappelait-il les principes révolutionnaires, la souveraineté du peuple et le rôle des citoyens. Toutefois, dans un premier temps, le système censitaire était rétabli quant à la désignation des conseillers municipaux dans les villes de plus de 5 000 habitants et des conseillers généraux. Les premiers devaient être désignés parmi les 100 contribuables les plus imposés du canton ; les seconds, parmi les 600 contribuables les plus imposés du département. Les membres de ces collèges étaient « élus à vie ». Ces dispositions restèrent bien entendu en vigueur lorsque le droit de vote fut étendu en l'an XII à tous les citoyens. Et, bien entendu, maires et conseillers municipaux, conseillers d'arrondissement et conseillers généraux continuèrent d'être nommés soit par le préfet, soit par le pouvoir central ! Il est clair que Bonaparte voulait assurer ses bases par un personnel politique à sa dévotion, et cela à tous les niveaux de la société, jusque dans les communes de faible importance. Ce devait être dans son esprit l'infrastructure du régime en gestation. Bien plus, toutes les précautions étaient prises pour que ces assemblées ne puissent se concerter ou se réunir sans ordre du gouvernement, en vue d'une action politique de quelque ampleur. En cas de besoin et à tout moment, le Premier Consul pouvait les dissoudre.

Relativement au pouvoir central le glissement vers le régime impérial était encore plus net. En apparence, les pouvoirs dévolus au Sénat conservateur étaient accrus, sur un point notamment : cette assemblée pouvait, à la majorité des deux tiers des membres présents, promouvoir, par sénatus-consulte, « tout ce qui n'a pas été prévu par la constitution et qui est nécessaire à sa marche ». Mais il ne pouvait en prendre l'initiative ; il ne devait agir que sur ordre du gouvernement. En réalité le Sénat ne faisait donc que « légaliser » les décisions du Premier Consul dont, ainsi, les pouvoirs s'accroissaient démesurément. En outre, si le recrutement des sénateurs pouvait encore s'opérer par cooptation (partielle), le Premier Consul s'arrogeait le droit de nommer directement les sénateurs de son choix. Il pouvait aussi récuser les « cooptés ». C'était encore lui qui décidait de la date des sessions, lesquelles seraient présidées dorénavant par l'un des consuls. Comme on devait s'y attendre, diverses dispositions visaient à restreindre l'importance du Tribunat et à tenir le Corps législatif en lisière. Bientôt, un sénatus-consulte (28 frimaire an XII) permettra à Bonaparte de nommer directement le président du Corps législatif et les questeurs de l'assemblée.

Quant au Premier Consul lui-même, le sénatus-consulte révisionnel de l'an X lui conférait le droit de signer les traités, le droit de grâce, et celui de convoquer le Corps législatif ou de l'ajourner.

C'était un retour à l'ancien ordre, mais aussi un ordre nouveau, car le passé dans ce qu'il avait eu de positif et le présent dans ce qu'il recelait de promesses s'y amalgamaient subtilement. Le peuple ne voyait, dans toutes ces mesures, qu'un gouvernement ferme, résolument « républicain », conduit par l'homme de son choix. L'opposition se taisait, jugulée par le dernier plébiscite. Mais les autres, les rares esprits capables d'objectivité ?

« Eh bien ! je le déclare, écrit Mathieu Molé (ci-devant royaliste de salon, descendant de l'illustre Molé), jamais magistrat d'une république – sauf Washington en Amérique – n'a été aussi populaire, l'objet d'une faveur aussi nationale, aussi universelle que Bonaparte à cette époque. Rien de contre-révolutionnaire dans toute sa conduite. Il semblait avoir soumis au creuset de son examen tous les souvenirs de l'Ancien Régime, tout ce que la Révolution avait produit, pour n'en conserver que ce qui était bon, que ce qui était sage, ce qui pouvait servir au bonheur de tous.

« En rétablissant la religion catholique, il lui avait tracé d'une main inflexible le cercle d'où elle ne devait jamais sortir. Dans plus d'une occasion, il avait laissé voir quelque velléité de se rapprocher des nobles, non de la noblesse. Il voulait que tout datât en France du 18 Brumaire, que rien n'y existât par droit de naissance, et que même on ne pût le soupçonner de vouloir le rétablir. »

La création de la Légion d'honneur reste un des témoignages les plus frappants de cette période transitoire et de la puissance extrême de Bonaparte. La noblesse était abolie, mais il pensait que l'aristocratie (au sens grec) se réforme d'elle-même, en tout lieu, en tout temps, qu'elle existe chez les militaires comme chez les ouvriers, car elle répond à une tendance profonde, instinctive, du peuple. Monarque sans couronne et pour toute sa vie, il lui paraissait utile de susciter une classe intermédiaire, fondée exclusivement sur le mérite. Tel fut son but secret en instituant la Légion d'honneur dont il dit plus tard : « La croix fait le chevalier », premier degré de la noblesse. La Révolution avait supprimé les distinctions militaires et le port de la vieille croix de Saint-Louis, par souci d'égalité. Dès lors comment récompenser les actes de bravoure ? Par l'avancement ? Mais on s'aperçut vite que l'on ne pouvait faire avancer les analphabètes. On finit par créer des armes d'honneur (en 1799) : sabres d'apparat, fusils portant une plaque d'argent gravé, trompettes ou tambours. Le premier pas était franchi. Bonaparte était résolu à transformer ces récompenses en une décoration, analogue à la croix de Saint-Louis, et qui serait accordée à la fois aux militaires et aux civils qui s'étaient distingués au service de l'État. Il se heurta à une opposition très vive, quasi imprévisible. Un conseiller d'État proposa que la distinction fût exclusivement réservée aux soldats ; à quoi Bonaparte rétorqua : « Si l'on distinguait les hommes en militaires et en civils, on établirait deux ordres, alors qu'il n'y a qu'une nation. » Car, s'il rêvait d'entourer le pouvoir d'une hiérarchie tirée de la Légion, il se refusait par avance à n'y admettre que des militaires. Et, tout autant, à distinguer les riches en évinçant les pauvres. Seul, à ses yeux, le mérite transcendait un individu. Cependant, au Tribunat, Chauvelin dénonça le projet comme anti-égalitaire : « La Légion d'honneur renferme tous les éléments qui ont fondé parmi tous les peuples la noblesse héréditaire : on y trouve les attributions particulières, des pouvoirs, des honneurs, des titres et des revenus fixes. Presque nulle part, la noblesse n'a commencé avec tant d'avantages. » Les titres incriminés, c'étaient les grades entre lesquels les légionnaires seraient répartis, grades assortis de traitements, ceux-ci prélevés sur les revenus des biens dotant chaque cohorte. « Je défie, répliquait Bonaparte, qu'on me montre une république ancienne ou moderne dans laquelle il n'y a pas eu de distinctions !... On appelle cela des "hochets". Eh bien ! c'est avec des hochets que l'on mène les hommes ! » Parole qui faussait sa pensée, mais qui, prononcée dans un moment d'humeur, lui fut souvent reprochée. Il attachait si peu d'importance à ce « hochet » que la croix en fut une étoile, la sienne, celle de ce destin en lequel il ne cessa de croire ! Et qu'elle fut d'abord appelée communément « l'Étoile ». Bonaparte entendait donc associer par ce signe les légionnaires à sa fortune. Mais, comme tout se mêlait en lui, réalisme et superstition, il avait prévu, à tout hasard, l'obligation pour les légionnaires de prêter serment à la République. Finalement, le 29 floréal an X[1], la loi portant création de la Légion d'honneur fut votée. Les membres de l'opposition n'étaient pas dupes ; ils avaient parfaitement compris ce que le nouvel ordre représentait et ce qu'il annonçait, encore qu'il

1. 19 mai 1802.

ne fût pas héréditaire et parût consacrer le principe d'égalité des citoyens. Mais, bientôt, ils ne furent pas les moins impatients à recevoir la fameuse Étoile tant dénigrée et, plus tard, les mêmes hommes acceptèrent volontiers les titres de barons ou de comtes d'Empire, titres héréditaires ceux-là et qui constituaient la suite logique de la Légion d'honneur.

D'autres signes avant-coureurs ne pouvaient échapper à la sagacité des observateurs. Il y avait désormais une véritable cour consulaire tant aux Tuileries qu'à Malmaison, avec un commencement d'étiquette. Joséphine Bonaparte avait une Maison civile, des dames de compagnie, des suivantes, comme une souveraine. Le 8 février 1803, un simple arrêté du Conseil d'État substitua le profil de Bonaparte à la figure allégorique ornant les pièces de monnaie depuis 1792. À l'avers, on lisait : « Napoléon Bonaparte Premier Consul » ; au revers : « République française ».

Pourtant il était indispensable que survinssent des événements considérables, exceptionnels, pour renverser les derniers obstacles. On a dit, répété que Bonaparte était l'homme des circonstances, et il l'a dit lui-même. Mais il était aussi habile à les exploiter qu'à les faire naître. La couronne qu'il convoitait, il jugeait imprudent, prématuré, de l'imposer au peuple. Il voulait qu'on la lui offrît ; qu'on le pressât de l'accepter comme une garantie pour la sécurité publique. La reprise des hostilités contre l'Angleterre et le complot de Cadoudal lui en fournirent l'occasion, les deux événements étant d'ailleurs liés et complémentaires.

La paix d'Amiens était boiteuse. Chacun des deux adversaires s'appliquait à la tourner, en violait perfidement le dispositif. L'Angleterre, fidèle à elle-même, avait deux griefs essentiels contre la France : l'occupation d'Anvers et l'intention avouée de reprendre son ancienne place sur mer et aux colonies, c'est-à-dire de lui disputer « le sceptre de Neptune ». La hâte avec laquelle Bonaparte avait expédié Leclerc à Saint-Domingue, l'audace qu'il montrait en envoyant une escadre vers nos anciens comptoirs de l'Inde, paraissaient symptomatiques. Que la France parvînt à restaurer sa marine, qu'elle s'installât par ce moyen sur tous les points du globe, et c'en était fait de l'hégémonie commerciale britannique ! En outre, sur le continent même, profitant de la paix, elle avait étendu sa domination. La Suisse était désormais incluse dans sa zone d'influence ; or ce petit pays constituait rien moins qu'un bastion entre l'Autriche et la Grande Nation.

De son côté le Premier Consul reprochait à l'Angleterre de n'avoir pas évacué l'île de Malte, ainsi que le traité d'Amiens le prévoyait. Mais le Cabinet britannique s'obstinait à occuper cette île considérée par lui, à juste raison, comme le verrou de sûreté de la Méditerranée. Bien que l'Égypte eût été perdue pour la France, rien ne prouvait qu'elle ne chercherait pas à la reconquérir. La non-évacuation de Malte fut le cheval de bataille enfourché par Bonaparte, mais aussi l'aide pécuniaire apportée par l'Angleterre aux conspirateurs royalistes, en particulier à Georges Cadoudal, l'insaisissable général chouan.

Peu de jours avant la rupture de la paix, au cours d'une réception diplomatique, Bonaparte apparut brusquement, pâle de colère et les traits contractés. Contre tous les usages, il fonça vers l'ambassadeur d'Angleterre, lord Whitworth, et l'apostropha en termes presque vulgaires, comme s'il se fût agi d'un valet fautif. Il déversa littéralement ses reproches contre les procédés du Cabinet britannique, contre ses manquements au traité. Sa fureur atteignant au paroxysme, il proféra, en termes hachés, d'une voix de tonnerre, les menaces les plus précises contre la nation anglaise, notamment celle d'un débarquement prochain.

L'assistance était muette de stupeur. Il dit encore :

« Mais moi aussi, je saurai faire la guerre dans le seul intérêt de la France. Et cette guerre sera de quinze ans au moins !

— C'est beaucoup », balbutia l'ambassadeur.

Or, c'est Miot de Mélito qui en fut témoin, peu d'instants avant cette terrible scène, Bonaparte, attendant que

Joséphine eût achevé sa toilette, jouait fort gaiement avec le petit Napoléon, fils aîné d'Hortense de Beauharnais et de Louis Bonaparte. Ce fut à l'instant où il entrait au salon que sa gaieté disparut, qu'il changea d'expression et que « son teint parut presque pâlir à sa volonté ». Ce talent de tragédien fait également partie du personnage.

IX

LE DUC D'ENGHIEN

Peu après l'incident Whitworth, Bonaparte déclara au Conseil d'État: « La France ne peut reculer là-dessus (l'évacuation de Malte) sans reculer sur tout le reste. Ce serait contraire à l'honneur. Si l'on cédait sur ce point, ils demanderaient Dunkerque. Nous ne serons pas les vassaux des Anglais. Tant pis pour eux. » D'ores et déjà, il a préparé son plan de campagne, fixé la nature et le lieu des opérations. Les bureaux ont ressorti, une fois encore, les projets de débarquement en Angleterre. « Je vais hasarder, disait-il, l'entreprise la plus difficile, mais la plus féconde en résultats effrayants, que la politique ait conçue... En trois jours, un temps brumeux et des circonstances un peu favorisantes peuvent me rendre maître de Londres, du Parlement, de la Banque... » Sa confiance en son « étoile », son imagination l'égaraient. Il devait pourtant se souvenir du rapport qu'il avait rédigé sous le Directoire, avant la campagne d'Égypte, rapport concluant à l'impossibilité de tenter une invasion de l'Angleterre, par suite de l'infériorité de notre Marine. Depuis cette époque, la même Marine, amputée de l'escadre détruite à Aboukir, n'avait pu s'améliorer ! Cependant il gardait assez de réalisme pour entrevoir que la rupture de la paix d'Amiens entraînerait une nouvelle coalition sur le continent, à la faveur de laquelle l'Autriche essaierait de prendre sa revanche. Il en acceptait le risque, dans son acharnement à régler une fois pour toutes le compte de « la perfide Albion ».

Dès le mois de juin, il se rendit en inspection à Boulogne où il avait décidé de rassembler en un vaste camp l'armée d'invasion.

À Boulogne, l'accueil fut triomphal et unanime. Pour la foule des pêcheurs et des ouvriers, c'était réellement « le roi du peuple » que l'on recevait. Pour les autorités, l'empereur de demain. L'évêque était un La Tour d'Auvergne. Il déclara :

« Dans ce diocèse, votre évêque d'Arras met sa gloire à augmenter le nombre des amis de Napoléon. Il sent tout le prix du rétablissement de la religion de ses pères, et il a trop de plaisir à payer au Premier Consul le tribut de reconnaissance que nous lui devons tous, pour ne pas vous supplier d'en recevoir ici le nouvel hommage avec celui de notre amour. Tout mon clergé partage mes sentiments... »

Quant au préfet Lachaise, il ne voulut pas être en reste et atteignit au sublime :

« Citoyen Premier Consul, à peine avons-nous joui de votre auguste présence, et déjà le département du Pas-de-Calais tout entier tressaille de joie. Son sol, trop longtemps funeste, ne contient plus aucun de ces germes vénéneux qui ont produit tant de meurtres ! Il est riche aujourd'hui de plus de 500 000 bons Français, qui s'empresseront de vous offrir leurs bras, leurs fortunes et leurs cœurs.

« Tranquilles sur nos destinées, nous savons tous que pour assurer le bonheur et la gloire de la France, pour rendre à tous les peuples la liberté du commerce et des mers, pour humilier les audacieux perturbateurs du repos des deux mondes, et fixer enfin la paix sur terre, *Dieu créa Bonaparte et se reposa.* »

Sur quoi, l'amiral Bruix improvisa ce distique railleur :

Et pour qu'il fut à son aise
Dieu créa la chaise.

Au cours de ce bref séjour – précédant un voyage en Belgique, tout aussi triomphal –, Bonaparte arrêta les plans des immenses travaux qui devaient permettre à la flottille de débarquement de se rassembler. Il confia la direction des opérations et le commandement de la flottille à l'amiral Bruix.

Jusqu'à la fin de 1803, il multiplia les voyages à Boulogne, inspectant les forts, les batteries, les casernements, tantôt besognant à son quartier général du château de Pont-de-Briques, tantôt parcourant la rade à cheval, et tantôt visitant les installations portuaires ou faisant manœuvrer les prames et autres embarcations d'un type nouveau, insensible aux intempéries, partout stimulant le zèle et soulevant l'enthousiasme général, tenant aux marins, aux soldats le langage d'un « père » à ses enfants. Partout sa silhouette toute simple (il avait adopté la tenue de colonel de chasseurs, le bicorne à cocarde et la redingote de toile grise) était aisément reconnaissable. On apportait le plus grand soin – presque trop – à démasquer les espions payés par l'Angleterre où l'opinion commençait à s'émouvoir. Mais ce n'était pas à Boulogne qu'il fallait chercher. Il n'y avait dans ce port que des agents de second ordre qui s'employaient à relever des plans, à dénombrer hommes, pièces d'artillerie et navires... Le danger était à Paris.

Dans la nuit du 28 au 29 janvier 1804, le conseiller Réal, plus spécialement chargé de la police, vint apporter une sinistre nouvelle à Bonaparte. Un conspirateur, répondant au nom de Querelle, condamné à mort par une commission militaire, était passé aux aveux. Et quels aveux, propres à faire trembler le plus intrépide des hommes ! Georges Cadoudal, le chef chouan, se trouvait à Paris depuis six mois, venu d'Angleterre, ourdissant un vaste complot visant à enlever le Premier Consul ou à l'assassiner sur la route de Malmaison, et à le remplacer par un gouvernement provisoire. Nul doute que les limiers de Fouché n'eussent promptement mis la main sur Cadoudal, mais Fouché était en disgrâce ; il s'était un peu trop signalé par son opposition au Consulat à vie.

Devinant l'inquiétude de Bonaparte et de son entourage, il se contentait de dire en souriant : « L'air est plein de poignards. » Et l'on se demandait jusqu'à quel point il n'avait pas favorisé le débarquement de Cadoudal et de ses complices, toléré leur présence dans la capitale.

Le 13 février, Réal informa le Premier Consul de la présence à Paris du général Pichegru, débarqué lui aussi clandestinement d'un navire anglais. Un conspirateur détenu au Temple, Bouvet de Lozier, avait avoué que Pichegru était entré en rapport avec le général Moreau et que ce dernier était du complot. Aussitôt Bonaparte donna l'ordre d'arrêter Moreau résidant alors en son château de Grosbois. C'était là le coup de dé du hasard ! Car s'il était prouvé que Moreau avait réellement comploté avec Pichegru et les royalistes, il était perdu de réputation et Bonaparte se trouvait en même temps débarrassé d'un rival encombrant et d'un aigri, race dangereuse ! Incarcéré au Temple et mis au secret, Moreau reçut la visite du grand-juge Régnier. Habilement, Bonaparte faisait savoir au prisonnier qu'il ne refuserait pas son pardon, si on l'en sollicitait : ce qui équivalait à un aveu ! Mais peut-être l'offre était-elle sincère. Il semblait en effet bien périlleux de faire un procès au vainqueur de Hohenlinden. Moreau eut le tort de montrer son mépris. Interrogé par Régnier, il nia énergiquement sa collusion avec Pichegru, dont il affirma même ignorer la présence à Paris. D'autres interrogatoires suivirent, Moreau persistant dans son attitude. Mais c'était un caractère indécis. Brusquement il prit conscience de sa situation, et ne se sentit pas capable de tenir plus longtemps tête aux hommes de justice. Il rédigea donc, un peu tard, une lettre par laquelle il reconnaissait avoir eu des rapports avec Pichegru et sollicitait la clémence du Premier Consul. Il se heurta à une fin de non-recevoir. D'ailleurs une affiche avait été placardée, annonçant que « cinquante brigands, restes impurs de la guerre civile, ayant à leur tête Georges Cadoudal et l'ex-général Pichegru, ont débarqué en Normandie et se sont installés dans la capitale où ils se préparent à assassiner le Premier

Consul. Leur arrivée a été provoquée par un homme qui compte encore dans nos rangs, par le général Moreau, etc. ».

L'opposition releva la tête, soutenue par des généraux mécontents ou trop compromis eux-mêmes pour ne pas craindre des sanctions. Une campagne de dénigrement répondit aux déclarations officielles, aussi pompeuses qu'imprécises, et pour cause ! La nuit, les murailles étaient couvertes de graffitis : « Moreau innocent, l'ami du peuple et le père du soldat aux fers ! Bonaparte, un étranger, un Corse devenu usurpateur et tyran ! Français, jugez ! » Ou : « Vive Moreau, périssent les assassins, périsse le tyran ! » Il va sans dire que les royalistes y étaient de part.

Le 28 février, la police arrêta Pichegru, vendu par un ami. Cette arrestation était un succès pour le gouvernement : elle accréditait l'accusation portée contre Moreau. Cependant le plus gros gibier, Georges Cadoudal, restait introuvable et c'était lui seul que Bonaparte pouvait craindre. Un à un, ses complices tombaient dans les filets de la police. Cadoudal, changeant de gîtes et de déguisements, échappait à toutes les investigations. Il se fit prendre pourtant, par hasard, par l'imprudence d'un de ses lieutenants. Le 9 mars, les policiers interceptèrent son cabriolet et, après une lutte sanglante, le capturèrent. Désormais le Premier Consul pouvait respirer. Mais il ressortait des interrogatoires que, si Cadoudal s'était effectivement abouché avec Pichegru et avec Moreau pour la formation d'un hypothétique gouvernement provisoire, son but exclusif était de restaurer la monarchie. C'était la raison pour laquelle, avant d'assassiner le Premier Consul, il avait attendu le débarquement d'un Bourbon. Bonaparte mort, le roi futur se trouvait sur place ; les conjurés lui eussent remis le pouvoir, avec l'appui de Moreau et de Pichegru.

Fureur de Bonaparte en apprenant ces détails, et, tout de suite, la question essentielle : qui était le prince attendu par Cadoudal ? Ce ne pouvait être Louis XVIII, ni son frère, le futur Charles X ; ils étaient incapables de se jeter en pareille aventure. Ni le vieux Condé en raison de son âge, ni son fils trop pusillanime. Restait le petit-fils, Enghien, que l'on avait vu combattre naguère vaillamment et dont on savait combien il regrettait que ce ne fût pas dans les rangs français. On apprit qu'il résidait, fort imprudemment, en pays de Bade. On crut, au vu d'une information erronée, ou plutôt on se persuada qu'il était le Bourbon attendu par Cadoudal, autrement dit le véritable chef et responsable du complot. On ajoutait même qu'au moment de « l'explosion », il était prévu que le duc d'Enghien arriverait de l'Est et que le duc de Berry débarquerait en Normandie. Les anciens régicides faisaient chorus autour de Bonaparte, l'incitant à une prompte vengeance ; ils mesuraient surtout le péril qu'ils auraient couru si le plan de Cadoudal avait réussi. Bien qu'il fût capable de juger de sang-froid, Bonaparte éprouvait l'irrésistible besoin d'assouvir sa vengeance. Il vivait depuis trop longtemps dans la crainte d'être assassiné. Il fallait qu'à son tour il frappât un grand coup, afin de terroriser les royalistes. Il donna l'ordre d'arrêter le duc d'Enghien, en violant la frontière de Bade, c'est-à-dire de l'enlever.

Il s'est expliqué maintes fois sur cette décision, en particulier avec Las Cases :

« Quoi ! dit-il, journellement, à 150 lieues de distance, on me porterait des coups à mort, aucune puissance, aucun tribunal sur la terre ne sauraient m'en faire justice, et je ne rentrerais pas dans le droit naturel de rendre guerre pour guerre ! Quel est l'homme de sang-froid, de tant soit peu de jugement et de justice, qui oserait me condamner ? De quel côté ne jetterait-il pas le blâme, l'odieux, le crime ? Le sang appelle le sang ; c'est la réaction naturelle, inévitable, infaillible ; malheur à qui la provoque !... Quand on s'obstine à susciter des troubles civils et des commotions politiques, on s'expose à en tomber victime. Il faudrait être niais ou forcené pour croire et imaginer, après tout, qu'une famille aurait l'étrange privilège d'attaquer journellement mon existence, sans me donner le droit de le lui rendre : elle ne saurait raisonnablement prétendre être au-dessus des lois pour détruire autrui, et se réclamer d'elles pour assurer sa propre conservation : les chances doivent être égales. Je n'avais personnellement jamais rien fait à aucun d'eux, une grande nation m'avait placé à sa tête… »

Observons que le droit naturel qu'il invoque débouche très exactement sur la formule « le sang appelle le sang », c'est-à-dire sur la vendetta telle que la concevaient les Corses de naguère.

Et il ajoutait : « On aurait eu mauvaise grâce à se rejeter sur le droit des gens, quand on le violait si manifestement soi-même. La violation du territoire de Bade, sur laquelle on s'est tant récrié, demeure étrangère au fond de la question. L'inviolabilité du territoire n'a pas été imaginée en faveur des coupables… »

Il reconnaissait qu'autour de lui on avait peut-être péché par excès de zèle. Il ne cessa pourtant de revendiquer l'entière responsabilité de l'affaire.

Le 20 mars 1804, en fin d'après-midi, le duc fut amené à Vincennes. Harel, gouverneur du château, le conduisit au pavillon du Roi, où un logement avait été préparé. Il ignorait l'identité du prisonnier. Il lui était interdit de le questionner. Le duc s'installa devant la cheminée ; il semblait recru de fatigue, mais non inquiet de son sort. On apporta des victuailles. Il dit au gouverneur :

« Monsieur, j'ai une grâce à vous demander. J'ai avec moi un compagnon de voyage, c'est mon chien Mohilof, le seul ami dont on ne m'ait pas séparé. Permettez que je partage avec lui ce léger repas. »

Ensuite, le prisonnier s'étendit sur le lit et s'endormit aussitôt. Harel se retira.

Informé de l'arrivée d'Enghien à Vincennes, Bonaparte dicta une note destinée au conseiller Réal, lequel reçut mission d'interroger le prisonnier. En même temps, le général Hulin était chargé de présider une commission militaire de sept membres, Savary, aide de camp du Premier Consul, expédié à Vincennes, avec une légion de gendarmerie placée sous son commandement.

Peu avant minuit, la commission prit place dans le salon du gouverneur Harel. Le général Hulin donna aux juges militaires communication des ordres supérieurs : on les avait réunis pour juger un prince émigré, arrêté les armes à la main à proximité de la frontière française. Le Premier Consul exigeait que l'on fît prompte justice. Ensuite trois officiers se rendirent au pavillon du Roi et réveillèrent Enghien. Il dit :

« Eh bien ! pourquoi si tôt ? Le jour ne paraît pas encore... On est bien pressé. Il me semble que quelques heures plus tard vous auraient convenu, et à moi aussi ! Je dormais si bien... »

Il ne se doutait pas du sort qui l'attendait. Il croyait qu'on l'avait enlevé pour le garder en otage, sans plus. Il estimait n'avoir rien à se reprocher.

On le conduisit au salon d'Harel. Il ne comprit pas immédiatement qu'il comparaissait devant ses juges. Pour lui, l'uniforme était synonyme d'honneur ; il avait cette croyance dans le sang, celle de Condé, forte race militaire !

Il déclina son identité calmement, n'affecta aucune morgue, car la grandeur lui était naturelle. On l'interrogea sur ses activités contre-révolutionnaires. Il répondit sans hésiter. Il avait émigré avec son grand-père et son père. Il s'était battu contre les armées révolutionnaires, ne pouvant agir autrement, par fidélité envers son roi. Il vivait retiré à Ettenheim. L'Angleterre le pensionnait. Il nia avoir rencontré Pichegru, dont il condamnait les agissements. Il ne connaissait pas davantage Dumouriez. Il affirmait n'avoir jamais participé à un complot quelconque contre le régime en place. Au moment de signer le procès-verbal, il demanda la faveur d'être reçu par le Premier Consul. On l'autorisa à formuler sa requête au bas du document.

On le ramena alors au pavillon du Roi. L'attitude digne du prisonnier, sa demande d'audience à Bonaparte avaient impressionné les officiers. Ne pouvait-on surseoir au jugement, prévenir le Premier Consul de cette démarche imprévue ? Savary les invita à faire leur devoir dans les délais prescrits. Si le conseiller Réal était présent, il pourrait, seul, prendre sur lui de différer le jugement de quelques heures. Mais Réal dormait, ou feignait de dormir, quand le pli de Bonaparte lui avait été porté. On n'a pas osé le réveiller et, sinon, il n'a pas voulu se compromettre.

On ramena le duc d'Enghien. On recommença l'interrogatoire, pure formalité. À nouveau il nia avec force avoir trempé, directement ou indirectement, dans le complot de Cadoudal. Certes, il reconnaissait avoir combattu la Révolution mais en soldat, non pas en conspirateur :

« J'ai soutenu les droits de ma famille. Un Condé ne peut rentrer en France que les armes à la main. Ma naissance, mon opinion me font à jamais l'ennemi de votre gouvernement. »

On lui reprocha d'avoir combattu des Français. Il répliqua :

« Regardez-moi. Je suis un Bourbon. C'est vous qui avez tiré les armes contre moi. »

Réponse malheureuse, car ces hommes qui étaient ses juges avaient tous servi la Révolution, lutté pour détruire le principe qu'il représentait. Hulin prétendra, longtemps après, qu'il avait fait son possible pour sauver Enghien et que celui-ci aurait répondu :

« Je vois les intentions honorables des membres de la commission, mais je ne peux me servir des moyens qu'ils m'offrent. »

De toute façon, le duc était perdu. Sa fosse, creusée dans la soirée, l'attendait. En tout état de cause, c'était un émigré, coupable de trahison, tombant sous le coup de la loi. Les juges prononcèrent donc la sentence de mort, mais leur président rédigea une supplique au Premier Consul.

« Que faites-vous ? demande Savary.

— J'écris au Premier Consul.

— Votre affaire est finie. »

Hulin feignit de croire que Savary informerait Bonaparte de la demande d'audience. Mais, serviteur zélé (un peu trop !), Savary se mit alors en devoir d'exécuter le jugement sans désemparer. Sur son ordre, Harel alla chercher le condamné. Il le guida, sans un mot, vers la tour du Diable qui donnait accès aux douves.

« Où me conduisez-vous ? demandait Enghien… Est-ce à la mort ? Dites-le-moi !… Si c'est pour m'enterrer vivant dans un cachot, j'aime encore mieux mourir…

— Monsieur, veuillez me suivre et rassembler votre courage. »

On le poussa vers le mur, près d'une fosse ouverte. Il faisait face à un peloton d'exécution. L'adjudant Pelé, qui le commandait, lut le jugement à la lueur d'une lanterne. Le chien Mohilof n'avait pas quitté son maître.

« Y a-t-il quelqu'un qui veuille me rendre un dernier service ? »

Un lieutenant s'approcha, demanda ensuite des ciseaux. Le duc coupa une mèche de ses cheveux, enleva un anneau de ses doigts. Le lieutenant recueillit ces reliques. Enghien réclama alors le secours d'un prêtre. On ricana :

« Pas de capucinade ! »

Enghien mit un genou en terre, pria les yeux clos, se releva.

« Il faut donc mourir, et de la main des Français ! – Adjudant, commandez le feu ! »

L'adjudant souleva son bicorne. Enghien s'écroula, la tête, la poitrine et le ventre troués. On se pencha sur le cadavre. On lui vola sa redingote et sa montre, puis on le jeta dans sa fosse, face contre terre. Il était environ trois heures.

« Cette mort, dans le premier moment, glaça d'effroi tous les cœurs, écrivit Chateaubriand. On appréhenda le revenir de Robespierre. Paris crut revoir un de ces jours qu'on ne voit qu'une fois, le jour de l'exécution de Louis XVI. Les serviteurs, les amis, les parents de Bonaparte étaient consternés. » Paris, pour Chateaubriand, c'était d'abord le faubourg Saint-Germain, bastion royaliste. Mais il est certain que la nouvelle de cette exécution nocturne, et du dernier des princes de Condé, fut ressentie douloureusement. Il se trouva pourtant des gens pour se réjouir de ce qui n'était, après tout, autre chose qu'un crime politique décidé par Bonaparte. Au Tribunat, un certain Curée, ci-devant régicide, déclara : « Je suis enchanté, Bonaparte s'est fait de la Convention. » Ce qui signifiait quoi ? Qu'en versant le sang d'un Bourbon, Bonaparte s'identifiait aux juges de Louis XVI. Il importait peu qu'il devînt empereur, puisque, somme toute, il était désormais, lui aussi, un régicide ! Il n'y avait donc plus à craindre qu'il pactisât avec les Bourbons et avec la noblesse. Il avait choisi. Il s'était engagé dans une voie non douteuse.

Bonaparte comprit fort bien le parti à tirer des propos de Curée. Il déclara, profondément : « J'ai imposé silence pour toujours aux royalistes et aux jacobins. » D'ailleurs le même Curée venait de saisir le Tribunat d'une motion tendant à promouvoir Bonaparte empereur héréditaire, motion adoptée à l'unanimité moins la voix de Carnot. Le Sénat emboîta le pas. Pour se donner bonne conscience, il prit prétexte des attentats et des complots perpétrés contre la personne du Premier Consul, des périls auxquels sa disparition exposerait la patrie, partant, de la nécessité d'assurer sa succession. Le 4 mai 1804, il décida donc qu'il était « du plus grand intérêt du peuple français de confier le gouvernement de la république à Napoléon Bonaparte, Empereur héréditaire », tout en émettant le vœu que « la Nation ne soit jamais forcée de ressaisir la puissance et de venger sa majesté outragée ». Curieuse restriction ! Le 18 mai, le sénatus-consulte était adopté à la quasi-unanimité. Bonaparte était empereur !

Quatrième Partie

L'EMPEREUR

(1804-1807)

Ce pouvoir absolu sur la terre et sur l'onde,
Ce pouvoir souverain que j'ai sur tout le monde,
Cette grandeur sans borne et cet illustre rang,
Qui m'a jadis coûté tant de peine et de sang,
Enfin tout ce qu'adore en ma haute fortune
D'un courtisan flatteur la présence importune,
N'est que de ces beautés dont l'éclat éblouit,
Et qu'on cesse d'aimer sitôt qu'on en jouit.
L'ambition déplaît quand elle est assouvie,
D'une contraire ardeur son ardeur est suivie ;
Et comme notre esprit, jusqu'au dernier soupir
Toujours vers quelque objet pousse quelque désir,
Il se ramène en soi, n'ayant plus où se prendre,
Et, monté sur le faîte, il aspire à descendre.
J'ai souhaité l'empire, et j'y suis parvenu ;
Mais en le souhaitant, je ne l'ai pas connu ;
Dans sa possession j'ai trouvé pour tous charmes
D'effroyables soucis, d'éternelles alarmes,
Mille ennemis secrets, la mort à tout propos,
Point de plaisir sans trouble, et jamais de repos.

Corneille, *Cinna*, II, 1

I

LE SACRE

> *Je n'ai point usurpé la couronne: je l'ai relevée dans le ruisseau. Le peuple l'a mise sur ma tête.*
>
> NAPOLÉON à Montholon

Le sénatus-consulte du 28 floréal proclamait: « Le gouvernement de la République est confié à un empereur, qui prend le titre d'empereur des Français. Napoléon Bonaparte, Premier Consul actuel de la République, est empereur des Français. La dignité impériale est héréditaire dans la descendance directe, naturelle et légitime de Napoléon Bonaparte, de mâle en mâle, par ordre de primogéniture. » Toutefois l'hérédité était étendue à la descendance de Joseph et de Louis Bonaparte.

Ces dispositions devant être soumises au verdict populaire, Bonaparte prit un décret organisant le plébiscite, décret dans lequel il s'intitula: « Napoléon par la grâce de Dieu et les Constitutions de la République, empereur des Français. » Il avait, en effet, accepté la dignité impériale héréditaire, sous réserve qu'elle soit soumise « à la sanction du peuple » en théorie toujours « souverain ». Les registres de vote furent immédiatement ouverts pour deux mois, mais le régime impérial commença immédiatement à fonctionner, tant les résultats du plébiscite paraissaient peu douteux! Les statistiques donnèrent 3 572 329 oui, contre 2 579 non. Si, par rapport au plébiscite de l'an X, on constatait une légère augmentation des oui, les non étaient moins nombreux, soit que l'opposition de gauche ait diminué après le meurtre du duc d'Enghien et pour les raisons que l'on a dites, soit que les opposants de droite eussent préféré s'abstenir par prudence. Il est évident que le titre de roi eût porté ombrage, en rappelant des souvenirs trop proches. Au contraire, le titre d'empereur flattait l'amour-propre des Français; il était « romain », synonyme de grandeur et de gloire, plus militaire d'allure que dynastique. Naguère, on appelait « empire » le territoire français. Eh bien! le maître de cet empire portait le titre d'empereur, ce qui était logique. Un empereur pouvait être républicain, pas un roi!

Cependant des épigrammes couraient Paris, des chansons, des vers satiriques circulaient sous le manteau, étaient distribués en province. C'était la voix assourdie, mais tenace, de l'extrême droite et de l'extrême gauche qui se faisait entendre.

Dans ses *Mémoires,* le docteur Poumiès cite le texte d'un faire-part de deuil qui eut, selon lui, « un succès prodigieux ».

Le voici :

Citoyens frères et amis
De la province et de Paris,
Partisans de la République,
Grands raisonneurs en politique
Dont je partage la douleur,
Venez assister en famille
Au grand convoi de votre fille
Morte en couches d'un empereur.

L'indivisible citoyenne,
Qui ne devait jamais périr,
N'a pu supporter sans mourir
L'opération césarienne,
Mais vous ne perdez presque rien,

Ô vous que cet accident touche,
Car si la mère est morte en couches,
L'enfant, du moins, se porte bien.

« De la part de Barère, ancien directeur de la fabrique de la monnaie républicaine, place de la Révolution, tuteur de la défunte, et des citoyens Fouché, Réal, Roederer et Cie, ses plus proches parents… »

Au Faubourg, on goguenardait : « C'est une belle pièce, mais il y a vint scènes (Vincennes) de trop ! » Ou encore : « Le Sénat, après sa séance, est venu à Saint-Cloud ventre à terre. » Mais la satire la plus cruelle fut la chanson du « Prince Sanguin », colportée la veille du Sacre :

Je suis prince Sanguin
Mon cousin,
On en a preuve sûre,
Preuve du sang d'Enghien,
Mon cousin ;
Oh la bonne aventure,
Mon cousin !
Car personne n'en murmure,
Mon cousin,
Non, personne n'en murmure.

Qu'un Te Deum *demain,*
Mon cousin,
Puisque ma place est sûre,
Se chante au grand lutrin,
Mon cousin,
Pour ma bonne aventure,
Mon cousin,
Car personne n'en murmure.
Mon cousin,
On n'est pas à la fin,
Mon cousin, du sang, je vous l'assure,
J'en prétends prendre un bain,
Mon cousin, etc.

Citons encore ce quatrain, placardé dans les mêmes jours, par des mains audacieuses :

Je vécus très longtemps et d'emprunts et d'aumône,
De Barras vil flatteur, j'épousai la catin ;
J'étranglai Pichegru, j'assassinai Enghien
Et pour tant de forfaits, j'obtins une couronne.

Cependant la joie était générale : d'innombrables indices en attestent. Au camp de Boulogne, lorsque la proclamation de l'Empire fut connue, matelots, soldats, gens du peuple entonnèrent spontanément le vieil hymne révolutionnaire dont les paroles exactes méritent d'être rappelées :

Veillons au salut de l'Empire,
Veillons au maintien de nos droits !
Si le despotisme conspire,
Conspirons la perte des rois !
Liberté, liberté, que tout mortel te rende hommage ;
Tremblez, tyrans ! Vous allez expier vos forfaits !
Plutôt la mort que l'esclavage,
C'est la devise des Français.
Du salut de notre Patrie
Dépend celui de l'Univers.
Si jamais elle est asservie,
Tous les peuples sont dans les fers.
Liberté, liberté, que tout mortel te rende hommage,
Tremblez, tyrans ! Vous allez expier vos forfaits !
Plutôt la mort que l'esclavage,
C'est la devise des Français.

Ennemis de la tyrannie,
Paraissez tous, armez vos bras.
Du fond de l'Europe avilie
Marchez avec nous au combat.
Liberté, liberté, que ce nom sacré nous rallie,

Poursuivons les tyrans, punissons leurs forfaits !
Nous servons la même patrie,
Les hommes libres sont français !...

On le constate, le peuple de 1804 n'avait point varié. La Grande Nation se croyait plus que jamais porteuse de liberté, destinée à libérer nos frères opprimés ! C'était toujours ce beau mot de liberté qui fleurissait sur les lèvres. Ce que la République n'avait pu réaliser (abattre les rois !), Napoléon y parviendrait. Désormais, le « génie de la Révolution », c'était l'empereur qui l'incarnait. Et cette illusion – si c'en est une ! – explique beaucoup de choses, en particulier la ferveur du peuple à son égard et l'acceptation des sacrifices qu'il demandait, tout autant que sa légende. Quant au pauvre Enghien, si sa mort fait une ombre sur l'éclatante histoire du Consulat, on l'oublia vite. Les royalistes eux-mêmes ne restèrent pas insensibles aux splendeurs du Sacre. Nés courtisans, ils se souvenaient de Versailles et se prenaient à rêver des Tuileries. Les chandelles attirent toujours les papillons de nuit... Cependant, en juin, Cadoudal et onze chouans montaient à l'échafaud. Simple fait divers désormais ! Car les cérémonies succédaient aux fêtes. L'Empire commençait par un tourbillon de plaisirs, de commémorations grandioses, dans un déploiement jamais vu de toilettes luxueuses, d'uniformes étincelants. Le 14 juillet, jour anniversaire de la prise de la Bastille et de la fête de la Fédération, Napoléon inaugura l'ordre de la Légion d'honneur, associant ainsi dans l'opinion l'Empire et la Révolution. Le 30 juillet, l'Opéra donna *Ossian*, pièce exaltant l'héroïsme, et ce fut une soirée triomphale, malgré la médiocrité de la musique. Le 15 août, jour anniversaire de la naissance de l'Empereur, une immense parade militaire eut lieu au camp de Boulogne : devant 100 000 hommes, Napoléon distribua les premières croix attribuées non seulement aux dignitaires et aux officiers, mais aux soldats titulaires d'armes d'honneur et à quelques civils. Deux mille tambours battaient aux champs, mais leurs roulements étaient moins forts que les cris de « Vive l'Empereur ! ». En septembre, les badauds défilèrent devant les tableaux du Salon célébrant les hauts faits de Napoléon : « Les pestiférés de Jaffa », « La bataille d'Arcole », « La bataille de Lodi ». Dans tous les ateliers, couturiers, brodeurs, chausseurs, orfèvres, s'affairaient à préparer les costumes du Sacre, les bijoux, les parures, les épées et glaives d'apparat. Et les tapissiers commençaient à décorer l'illustre nef de Notre-Dame.

Dans la solitude du pouvoir suprême, l'Empereur poursuivait ses réflexions. Sans doute avait-il tout disposé pour que le Sacre revêtît un caractère assez grandiose pour frapper les imaginations, car il avait un sens inné, incomparable, de la mise en scène. Mais il entendait donner à cette cérémonie un sens profond. Ce n'était pas assez pour lui de coiffer la couronne impériale. Il voulait fonder une dynastie : la quatrième. L'exécution du duc d'Enghien s'inscrit très exactement dans ce contexte. À ses yeux, il marquait la fin des Bourbons, leur éviction définitive du ci-devant royaume. Ce n'était pas Napoléon qui avait supprimé le jeune prince, mais le peuple souverain incarné par son chef. Or, une dynastie ne se fonde durablement qu'avec l'appui de l'Église. Toute usurpation validée par le pontife devient légale. Alexandre le Grand se déclarait divin. Jules César prétendait descendre de Vénus. Ces temps étaient dépassés. Il restait qu'un souverain tenant son pouvoir de Dieu apparaissait plus fort qu'un souverain élu par les hommes. Dans le cas de Napoléon s'ajoutait le fait que, sacré par le pape, il prendrait la suite directe des anciens rois de France, en particulier de ce Louis XIV qu'il admirait pour sa grandeur et son amour de la gloire. En outre, la consécration religieuse faisait de lui l'égal des autres monarques européens, parmi lesquels l'empereur d'Autriche. Dès lors, ceux-ci n'auraient plus de raisons de le traiter d'usurpateur. D'où ses démarches auprès du Saint-Siège, à vrai dire singulières : l'Empereur ne voulait pas d'un couronnement à Rome (comme celui de Charlemagne); il exigeait que le pape vînt en personne à Paris. Pie VII tergiversa, puis céda. Le Sacre ne fut autre chose que la suite et la conséquence du Concordat, le Saint-Siège ne pouvant rien refuser à celui qui avait rétabli le culte catholique en France...

Le 28 novembre, l'Empereur endosse son costume de chasse et, botté, éperonné, galope en forêt de Fontainebleau. Il va au-devant du carrosse transportant le pape, non pour l'accueillir privément avant les cérémonies officielles, ni par prévenance à l'égard d'un vieillard rompu de fatigue, mais pour tourner le protocole romain, ne pas « s'humilier » devant le pontife : attitude lourde d'arrière-pensées ! Ainsi vêtu, il monte sans façon dans le carrosse et s'installe auprès du pape. On roule vers Paris. L'accueil respectueux des Parisiens surprend Napoléon, et l'irrite légèrement. Il conduit son hôte au pavillon de Flore. On réglera ultérieurement le cérémonial, dont l'Empereur se méfie. Deux questions se posent, tout de suite épineuses. Le pape veut poser la couronne sur la tête de l'Empereur : après tout, on l'a dérangé pour cela ; l'Empereur ne veut pas tenir sa couronne du pape. Pie VII reste inflexible et Napoléon feint de s'incliner pour couper court aux discussions. La seconde difficulté vient de Joséphine. La question d'hérédité n'a jamais cessé de la tourmenter, et pour cause ! Elle sait qu'elle ne peut plus avoir d'enfants. Elle a peur d'être répudiée ; elle connaît assez Napoléon pour savoir qu'il se remariera afin de se donner un successeur. Soudain, saisie de scrupules religieux, elle confesse au pape qu'elle n'est mariée que civilement à Bonaparte. Pie VII ne peut transiger sur ce point. La perfide le sait. Il est impossible dans ces conditions qu'elle soit sacrée impératrice, ce qui remet en cause tout le cérémonial. C'est un risque qu'elle court de sang-froid. Mais aussi quel avantage si Napoléon se laisse convaincre de faire préalablement bénir leur mariage ! Il ne pourra plus la répudier, sauf procès canonique difficile et long à soutenir.

L'Empereur est furieux, mais il accepte. La veille du Sacre, à la chapelle des Tuileries, l'oncle Fesch bénit, secrètement, le vieux mariage.

Nous sommes le 1er décembre 1804. Paris resplendit. Le directeur de la Police a, par ordonnance, prescrit illuminations et pavoisements en l'honneur de l'Empereur. On a rivalisé d'ingéniosité. On admire le décor lumineux inventé par un ingénieur. On y voit un personnage, encadré de rameaux de chêne et d'olivier, tenant une lunette braquée vers une étoile auréolée de cette inscription : « *In hoc signo salus* » (dans ce signe le salut). Au bas de la scène, deux autres inscriptions :

DE CET ASTRE BRILLANT, AH ! PUISSE L'INFLUENCE
ASSURER POUR JAMAIS LE BONHEUR DE LA FRANCE !

ÉGALEMENT CHER À TA GLOIRE
ET CHÉRI DU PEUPLE FRANÇAIS
IL DESCENDIT DU CHAR DE LA VICTOIRE
POUR SACRIFIER À LA PAIX.

Ce qui n'était pas mal trouvé, après la rupture de la paix d'Amiens ! Mais, n'importe, seule compte l'intention, et ce n'est qu'un exemple des flagorneries dont Napoléon est l'objet.

À Notre-Dame, la décoration, somptueuse, est en place. Aux Tuileries, chacun se prépare et se remémore son rôle. Le maître ne tolère aucune fantaisie, aucun manquement. Il n'y a pas une semaine qu'il a demandé au peintre Isabey sept esquisses représentant les phases essentielles de la cérémonie. Le bonhomme eut une idée de génie. Il acheta des poupées, les habilla de papiers peints et dorés et traça le plan de Notre-Dame à leur échelle. Il apporta son travail à Napoléon qui se déclara enchanté et convoqua immédiatement les acteurs.

2 décembre 1804, avant le départ du cortège pour Notre-Dame, Talleyrand présente à l'Empereur le nouveau chambellan, Thiard. « Sans la solennité du moment, écrivit ce dernier, j'aurais eu de la peine à garder mon

sang-froid. Il était déjà revêtu de son pantalon sans pieds en velours blanc parsemé d'abeilles d'or, de sa fraise à la Henri IV en dentelles et, par-dessus, son habit de chasseur à cheval, seule robe de chambre qu'il eût jamais eue. »

Depuis six heures du matin le canon tonne et les cloches sonnent à volée, en signe de joyeux avènement. Dès l'aube, la foule s'agglomère dans les rues pour ne rien perdre du spectacle. Dès huit heures, les membres des grands corps de l'État arrivent à Notre-Dame où le maître des cérémonies les conduit aux places qui leur sont réservées. À neuf heures, le pape sort des Tuileries, dans un carrosse d'apparat tiré par huit magnifiques chevaux gris pommelés. Devant lui, un ecclésiastique, monté sur une mule, porte une croix en vermeil. On s'agenouille ou on s'incline. Les mauvais esprits notent que c'est le pape qui attendra l'Empereur et en tirent malices. À l'entrée du pape, l'orchestre dirigé par Le Sueur a exécuté le *Tu es Petrus* et chanté tierces. Le pape s'est assis sur le trône dressé à son intention ; il semble perdu dans ses méditations et, certes, il a besoin de toute sa foi pour accepter l'humiliation qu'on lui inflige. Il n'est pas au bout de ses peines !

À onze heures, des salves d'artillerie annoncent le départ du cortège impérial. Leurs Majestés trônent dans un carrosse entièrement doré, dont scintillent les cristaux et que surmonte une couronne soutenue par quatre aigles aux ailes déployées. Huit chevaux de robe isabelle richement caparaçonnés le tirent. Rien n'égale la magnificence de l'escorte. Huit mille cavaliers défilent en grande tenue, entre une double haie d'infanterie, jalonnée de musiciens. Le temps est celui de décembre, assez bas et voilé de brume. Mais, à l'instant où l'empereur descend de voiture pour se rendre à l'archevêché, le soleil perce les nuages, allume les broderies d'or et d'argent, caresse les aiguillettes et les plumets, colore les soieries... Tout Paris est dehors. Il n'est pas une façade qui ne soit ornée de tentures, de guirlandes d'if, de festons de fleurs artificielles. Il est midi.

À l'archevêché, Napoléon revêt les ornements impériaux. À une heure moins le quart, Leurs Majestés arrivent à l'autel. On entonne le *Veni Creator*. Ensuite, la cérémonie, épuisante, se déroule selon le protocole. Mais au moment où le pape s'apprête à prendre la couronne pour la poser sur la tête de Napoléon, ce dernier s'en saisit prestement. Dans un geste plein de grandeur, il l'élève au-dessus de son front, puis s'en coiffe. Et de même pose-t-il le diadème sur la tête inclinée de l'Impératrice.

Lorsque le pape psalmodie : « *Vivat imperator in aeternum !* » les cris de « Vive l'Empereur ! », « Vive l'Impératrice ! » fusent vers la vieille nef qui en entendit d'autres ! Après la messe, qui prend fin à trois heures, Mgr Fesch, grand aumônier de France, apporte les Évangiles. Du haut de son trône, Napoléon prête serment. Il promet de respecter la Constitution, mais aussi d'employer tout son pouvoir pour le bonheur et la gloire des Français. Après le *Te Deum*, Leurs Majestés regagnent l'archevêché, saluées par des nouvelles ovations, auxquelles, il est vrai, se mêlent les cris de « Vive le Saint-Père ! », c'est la seule fausse note...

Il est six heures et demie quand le cortège impérial arrive aux Tuileries, précédant de quelques minutes le retour du pape.

Tel est, à peu près, le reportage qu'aurait pu faire un de nos journalistes actuels pour la radio ou la télévision. Il eût illustré son propos de superbes images dont le tableau de David ne rend qu'un faible compte et il eût achevé sa « prestation » sur une vue de Paris en fête, car partout on chantait et l'on dansait, encore que les réjouissances populaires fussent prévues pour le lendemain. Le matin du Sacre, la préfecture de police avait fait distribuer une chanson intitulée : « La Couronne de Napoléon, apportée de l'Olympe, de la part de Jupiter », œuvre de quelque poétereau de service et qui débutait ainsi :

Montant l'un des coursiers de la fière Bellone,
De l'Olympe Mercure apporte une couronne ;
Le roi des dieux l'envoie au héros des Français ;
Elle est le prix de ses succès.
Vous qu'il guida cent fois dans les champs de la gloire
Phalanges de guerriers, enfants de la Victoire !
En bravant de l'Anglais l'impuissante fureur,
Chantez Napoléon ! Chantez votre Empereur !...

Mais les Français étant gens de bon sens et d'entrain préféraient ces couplets chantés sur l'air « V'là c' que c'est d'aller au bois... » :

Napoléon est Empereur,
V'là c' que c'est d'avoir du cœur,
C'est l' fils aimé de la valeur,
Il est l'espérance
Et l'appui de la France ;
Il lui rendra tout' sa splendeur,
V'la c' que c'est d'avoir du cœur !

Ou encore, parce qu'on avait fait des distributions gratuites de pain, de vin, de volaille et de charcuterie :

Vive, vive Napoléon !
Qui nous baille
D' la volaille,
Du pain et du vin à foison,
Vive, vive Napoléon !
C'te fois c' n'est pas des ment'ries
Les poulards' tombent tout' rôties,
Et tout l' mond' peut, la cruche en main,
À la fontain' puiser du vin.
Vive, vive Napoléon...

En vain, du fond de son exil, Louis XVIII, se considérant comme souverain légitime de la France depuis la mort du dauphin, éleva-t-il une protestation contre la complaisance du pape. En vain l'émigré Joseph de Maistre qualifia-t-il celle-ci de « hideuse apostasie », osa-t-il écrire du Souverain Pontife qu'à force de se dégrader, il ne lui restait plus qu'à « devenir un polichinelle sans conséquence ». Napoléon avait visé juste. Les souverains d'Europe allaient s'empresser d'écrire à leur auguste « frère », à l'admettre dans leur aréopage. Et le premier d'entre eux fut l'empereur d'Autriche, François II. Sans attendre même la cérémonie du Sacre, il avait écrit à Napoléon :

« Monsieur mon frère, je prends une vive part à l'heureux avènement de Votre Majesté et de sa maison à la couronne impériale héréditaire de France et je l'en félicite avec une satisfaction bien sincère, analogue aux sentiments qu'elle m'inspire... »

Mais il était à Vienne un homme de génie, pour lequel les hypocrisies diplomatiques n'avaient aucun sens. Enfant du siècle des Lumières, adepte enthousiaste de la Révolution française, admirateur passionné de Napoléon Bonaparte, selon lui véritable héros de Plutarque, il venait d'apprendre le couronnement de son idole. Précisément, on avait achevé la copie d'une symphonie écrite en son honneur et il s'apprêtait à la lui envoyer. Il entra en fureur, s'écria : « Ce n'est donc rien qu'un homme ordinaire ! Maintenant il va fouler aux pieds tous les droits des hommes ; il ne songera plus qu'à son ambition ; il voudra s'élever au-dessus de tous les autres et deviendra un tyran. »

Il barra d'un trait rageur la dédicace à Bonaparte, griffonna : « Sinfonia eroica per festeggiare il sovenire d'un gran uomo. » C'était la *Symphonie héroïque*, celle que Beethoven préféra toujours, car ce qu'elle exprime, c'est la lutte prométhéenne du héros et de sa destinée. Beaucoup plus tard, lorsque son héros fut enchaîné sur l'île de Sainte-Hélène, il revint de ses préventions : « Les enfants de la Révolution et l'esprit du temps voulaient cet esprit de fer », disait-il.

Il disait encore : « Le comble de la fortune et, par excès d'orgueil, le comble de l'infortune. »

Mais qu'on ne s'y trompe pas, c'est l'atmosphère napoléonienne que l'on respire dans l'œuvre entière de Beethoven, pas seulement dans l'*Héroïque*. Écoutant la symphonie du *Destin*, un ancien soldat de la Grande Armée se leva, s'écriant : « L'Empereur ! C'est l'Empereur ! »

II

AUSTERLITZ

Les destinées de l'armée navale auront une grande influence sur les destinées du monde.

Instruction de NAPOLÉON
à l'amiral Villeneuve

Ce serait une erreur de croire que l'établissement du camp de Boulogne n'était qu'une feinte, ou une provocation à l'égard de l'Angleterre. Napoléon avait parfaitement saisi que le Sacre ne serait qu'un leurre tant que l'Angleterre ne l'aurait pas « reconnu ». Non moins persuadé que cette reconnaissance n'interviendrait jamais et que cette attitude rallumerait la guerre sur le continent, il ne voyait qu'un seul remède : supprimer l'Angleterre. C'était exactement ce que Louis XIV avait tenté l'année de La Hougue. Il fallait réussir là où le Roi-Soleil avait échoué. Encore disposait-il d'excellents vaisseaux et du talent de Tourville. Napoléon n'avait que la flotte héritée de la Révolution et commandée par Villeneuve ! Il crut pourtant que son génie pallierait les insuffisances, et sa volonté, les hésitations de son amiral. Le plan qu'il avait conçu n'était pas irréalisable. Il s'agissait de contrôler la Manche pendant vingt-quatre heures pour permettre le débarquement à Douvres d'une armée de 100 000 hommes. Dans ce but, Villeneuve avait reçu mission d'attirer la flotte anglaise dans l'Atlantique.

Au printemps de 1805, il appareilla pour les Antilles, mais ne rencontra pas les Anglais. Il revint à La Corogne, ayant fatigué ses vaisseaux et ses équipages sans profit. Napoléon lui expédia des ordres presque injurieux. Il ne pouvait admettre qu'une flotte de 30 vaisseaux de haut bord[1] se mît à l'abri par couardise. Il écrivit à Decrès, ministre de la Marine : « Avec 30 vaisseaux, mes amiraux ne doivent pas en craindre 24 anglais, sans quoi il faut renoncer à avoir une marine ! » Villeneuve se décida à quitter La Corogne, à se diriger vers Brest où l'attendait l'escadre de l'amiral Ganteaume. Mais, croyant qu'une flotte anglaise de force très supérieure lui barrait la route, il vira de bord, et, longeant la côte, alla s'enfermer dans Cadix. Napoléon était alors à Boulogne. Il passait revue sur revue et croyait l'affaire faite. Apprenant la retraite insensée de Villeneuve, il lui intima l'ordre de sortir, de balayer tout ce qu'il trouverait devant lui, d'opérer sa jonction avec l'escadre de Brest et de cingler vers la Manche : « Si vous paraissez ici trois jours, n'y paraîtriez-vous que vingt-quatre heures, votre mission sera accomplie. » Mais il fallait du temps pour que la lettre parvînt à son destinataire ! Or, la guerre menaçait sur le continent. Pour détourner le coup qui la menaçait, l'Angleterre n'avait pas ménagé son or. Ses diplomates avaient décidé le tsar Alexandre à contracter un traité d'alliance, signé le 11 mai. À son tour, l'Autriche, forte de l'appui russe, se laissa tenter ; le 9 août, elle adhéra à la coalition (la troisième). La Prusse hésitait. Il importait donc extrêmement de frapper Londres au plus vite. L'Empereur écrivit à Talleyrand : « Mon parti est pris. Mon escadre est sortie du Ferrol le 14 août : elle n'avait pas d'ennemis en vue. Si elle suit mes instructions, se joint à l'escadre de Brest et entre dans la Manche, il est encore temps, je suis le maître de l'Angleterre. Si au contraire mes amiraux hésitent,

1. Exactement 29 vaisseaux, dont 11 espagnols, l'Espagne étant alors notre alliée contre l'Angleterre.

manœuvrent mal et ne remplissent pas leur but, je n'ai d'autre ressource que d'attendre l'hiver pour passer avec la flottille. L'opération est hasardeuse ; elle le serait davantage si, pressé par le temps, les événements politiques me mettaient dans l'obligation de passer d'ici au mois d'avril. Dans cet état de choses, je cours au plus pressé : je lève mes camps... »

Il y est contraint par les événements, par l'absence de nouvelles de la flotte. L'invasion que préparent les Austro-Russes, il va la devancer ; c'est lui qui franchira le Rhin, s'enfoncera au cœur de l'Europe, en direction de Vienne. Que lui reprochent les coalisés ? Son couronnement comme roi d'Italie ? Mais il était déjà président de la République italienne ! L'annexion de Gênes ? Mais cette ville s'est offerte à la France. Ce ne sont là que des prétextes ; la vraie raison, c'est l'or de l'Angleterre. Dans peu de temps, l'empereur d'Autriche dira, amèrement : « Les Anglais sont des marchands de chair humaine. »

Pour l'heure, les Autrichiens investissent la Bavière. Ils croient l'Empereur à Boulogne. Mais, le 24 août, les cavaliers de Murat partent pour le Rhin. Le 26 août, ce sont les corps d'armée de Marmont et de Bernadotte, les divisions de Ney, Davout et Soult. Les jours suivants, toutes les unités s'ébranlent. Les soldats ignorent leur destination ; ils comptent bien revenir à Boulogne, régler son compte à la vieille Angleterre. Ils entonnent le *Chant du départ*, mais aussi les couplets de circonstance improvisés par quelque loustic de régiment :

Ne soyez pas si contents,
Messieurs de la Tamise.
Seulement pour quelques instants,
La partie est remise.
Nous songerons à vos appas,
Gentilles Boulonnaises.
Les Allemandes ne font pas
Oublier les Françaises...

Le 30 septembre, la situation est celle-ci : la Grande Armée, forte de 200 000 hommes, a passé le Rhin ; l'adversaire dispose de sept armées : en Italie, l'archiduc Charles avec 90 000 hommes ; en Allemagne, le feld-maréchal Mack avec 70 000 hommes ; en position intermédiaire, une armée de réserve (20 000 hommes) avec l'archiduc Jean ; en outre deux armées russes sous Koutouzov et Buxhoewden, aux effectifs non déterminés ; enfin deux corps anglo-russes menaçant Naples et le Hanovre. Les Autrichiens, une fois de plus, pèchent par excès de témérité, ils n'ont pas attendu de faire leur jonction avec les Russes, faute capitale qui n'a pas échappé à Napoléon. Dès lors, son plan de campagne est tracé ! Ayant ordonné à Masséna de « fixer » l'archiduc Charles en Italie, il va manœuvrer pour battre séparément les Autrichiens et les Russes. Sachant que Mack l'attend au débouché de la Forêt-Noire, il l'amuse par des diversions, lui fait croire que l'attaque principale aura lieu dans cette zone. Pendant ce temps, avec le gros de ses forces, il fonce vers le Danube. Le succès repose sur l'endurance des fantassins. Mack ne se doute pas qu'il a la Grande Armée sur les talons. Une suite de combats brillants mais acharnés le contraint à s'enfermer dans Ulm. Il capitule, le 20 octobre. La route de Vienne est ouverte et Napoléon y fait son entrée. Mais la guerre n'est pas finie, car il reste les Russes dont l'armée est intacte.

La seconde partie de la campagne va commencer, la plus dure. Koutouzov, apprenant la défaite autrichienne, comprend que son tour va venir. Il tente de rétrograder. Napoléon veut à tout prix l'anéantir avant qu'il ait reçu des renforts. Une faute de Murat, médiocre tacticien, fait échouer le coup. Koutouzov peut s'échapper. C'est alors que parvient au quartier général la nouvelle du désastre de Trafalgar (21 octobre 1805) : en quelques heures, par ses manœuvres hardies[1], Nelson a détruit la flotte de

1. Il est triste de constater que Nelson appliquait la tactique, à peine retouchée, de Suffren !

Villeneuve et sauvé l'Angleterre en perdant la vie. Napoléon reste imperturbable, mais d'ores et déjà il sait qu'il ne pourra plus envahir l'Angleterre. La nécessité de vaincre sur le continent, et de vaincre le plus vite possible et complètement, s'impose à son esprit. Il n'a pas le droit de commettre la moindre erreur. Seule une prompte victoire empêchera la Prusse d'entrer dans la coalition. Ce sera Austerlitz ! Tout ce qui précède cette célèbre bataille n'est que détails, marches et contremarches destinées à tromper l'adversaire, à le conduire droit au piège. En pleine possession de son génie, Napoléon semble lire dans la pensée des Austro-Russes. Il raisonne à leur place, devine qu'ils vont essayer de le tourner pour le couper de ses bases. Comme il l'a prévu, ils débouchent dans la plaine d'Austerlitz, prennent position sur le plateau de Pratzen. Napoléon dit à ses maréchaux :

« Avant demain soir, cette armée sera à moi ! »

Le 1er décembre, il étudie le terrain, visite les différents corps, s'entretient avec les soldats. Il a l'art d'émouvoir le troupier, d'attiser les courages. C'est la première fois que les Français vont affronter les Russes de Koutouzov et de Bagration. Il déclare aux hommes du 57e :

« Souvenez-vous que jadis je vous ai surnommés les Terribles.

— Sire, répond le sergent Bourgade, tu n'auras pas besoin de t'exposer demain : je te promets, au nom des grenadiers, que tu n'auras qu'à combattre des yeux. »

L'Empereur aime ces familiarités, ce tutoiement de camarade. Nulle part il n'est plus heureux qu'au milieu des soldats, des canons, des chevaux ; c'est son métier de prédilection.

Il dîne fort tranquillement, parle de littérature, de Corneille notamment. Il se rend ensuite chez les maréchaux cantonnés dans une chaumière. Il donne ses dernières instructions. Davout contiendra l'aile gauche de l'ennemi. Bernadotte commandera au centre. Soult sera à droite ; c'est lui qui portera le coup décisif. Passons sur les détails, nonobstant leur attrait, mais ils font trop images d'Épinal ! Citons cependant l'illumination générale du camp français dans le cours de la nuit. L'Empereur voulant inspecter une dernière fois les positions, spontanément les grenadiers allument des bottes de paille pour éclairer sa marche. L'effet de ces milliers de torches trouant l'obscurité abuse les Austro-Russes. Ils se sentent si forts, ils ont une telle supériorité qu'ils ne doutent pas que ces chiens de Français n'incendient leur camp et ne se mettent en retraite. Ils croient que la bataille promise pour le lendemain ne sera qu'une poursuite et se réjouissent un peu vite.

À sept heures et demie du matin, le 2 décembre, jour anniversaire du couronnement, les maréchaux se présentent à l'Empereur. Il est calme, presque souriant. Il répète son plan de bataille. Puis, la lorgnette à l'œil, observe les colonnes ennemies, les voit descendre du plateau en direction de l'aile Davout, apparemment isolée. Koutouzov est perdu. De même que le matin du Sacre, le ciel est obscur, mais, soudain, le soleil perce les nuées. Le combat s'engage. Il durera jusqu'à midi ; ensuite, ce ne sera plus pour les Austro-Russes qu'une débandade frénétique. Davout soutient l'attaque avec courage. Pour l'anéantir, les Austro-Russes glissent vers la gauche, abandonnant l'avantage de leur position sur le plateau de Pratzen. C'est exactement ce que Napoléon a calculé : la faiblesse apparente du corps Davout n'était qu'une ruse. Ce mouvement étant bien prononcé, il lance le corps de Soult vers Pratzen. Simultanément, sur l'aile gauche, il lance Murat et Lannes contre Bagration et ses Russes. Des hauteurs d'Austerlitz, le tsar Alexandre et l'empereur François ont assisté à l'effondrement de leur centre, puis de leur aile droite. Maintenant ils voient la gauche rejetée du plateau, basculée vers un lac gelé. Canonniers, fantassins, cavaliers tentent de fuir en traversant cette étendue. Mais l'artillerie française tire à boulets rouges et fait éclater la mince carapace. C'est une défaite sans précédent. La garde impériale russe elle-même n'a pu résister à la charge des cavaliers français...

Le 4 décembre, François II se présenta au bivouac de Napoléon qui lui dit :

« Je n'habite point d'autre palais depuis deux mois.

— Vous savez si bien tirer parti de cette habitation qu'elle doit vous plaire », répliqua François.

Il venait demander la paix. Elle lui fut accordée, sous certaines conditions. Le même jour, le comte von Haugwitz, émissaire du roi de Prusse, s'empressa de venir féliciter Napoléon :

« Voilà, dit l'Empereur, un compliment dont la fortune a changé l'adresse. »

Quant au jeune tsar Alexandre, il fut trop heureux que Savary lui permît, au nom de son maître, de se retirer dans ses États. Nul doute que ces ménagements n'eussent été calculés en fonction de l'avenir, c'est-à-dire d'une entente possible avec les Russes.

Le 5 décembre, la proclamation fameuse de l'Empereur fut publiée ; elle traduit mieux qu'une analyse détaillée l'ampleur de la victoire :

Soldats,

Je suis content de vous. Vous avez à la journée d'Austerlitz justifié tout ce que j'attendais de votre intrépidité ; vous avez décoré vos aigles d'une gloire immortelle. Une armée de 100 000 hommes, commandée par les empereurs de Russie et d'Autriche, a été en moins de quatre heures dispersée ou coupée ; ce qui a échappé à votre fer s'est noyé dans les lacs.

Quarante drapeaux, les étendards de la garde impériale de Russie, 120 pièces de canon, 20 généraux, plus de 30 000 prisonniers sont le résultat de cette journée...

Cette infanterie tant vantée, et en nombre supérieur, n'a pu résister à votre choc, et désormais vous n'avez plus de rivaux à redouter. Ainsi, en deux mois, cette troisième coalition a été vaincue et dissoute. La paix ne peut plus être éloignée ; mais, comme je l'ai promis à mon peuple, je ne ferai qu'une paix qui nous donne des garanties et assure des récompenses à nos alliés...

Nos ennemis voulaient m'obliger à placer sur leur tête la couronne de fer conquise par le sang de tant de Français : projets téméraires que, le jour même de l'anniversaire du couronnement de votre Empereur, vous avez anéantis et confondus...

Soldats, lorsque tout ce qui est nécessaire pour assurer le bonheur et la prospérité de votre patrie sera accompli, je vous ramènerai en France ; là, vous serez l'objet de mes plus tendres sollicitudes. Mon peuple vous reverra avec joie, et il vous suffira de dire : « J'étais à Austerlitz » pour que l'on réponde « Voilà un brave ! ».

Le 6 décembre, les plénipotentiaires français et autrichiens se réunirent à Presbourg. La paix fut signée le 20. L'Autriche renonçait définitivement à l'Italie, perdait Venise, l'Albanie et la Dalmatie ! Elle acceptait le remaniement de l'Europe. La Bavière était érigée en royaume, augmentée du Tyrol et du pays d'Anspach. Le duc de Wurtemberg devenait également roi et le margrave de Bade, grand-duc ; ils se partageaient la Souabe autrichienne. La Prusse recevait le Hanovre, mais cédait Clèves, le duché de Berg donné à Murat et la principauté de Neuchâtel donnée à Berthier, chef d'état-major général. L'Autriche consentait en outre à l'abolition du Saint-Empire. Elle s'engageait enfin à ne plus combattre la France.

Parallèlement à cette réorganisation de l'Europe, menée tambour battant, analogue à la réorganisation administrative, politique, religieuse de la France, et conduite avec les mêmes méthodes, l'Empereur amorçait l'implantation de sa dynastie dans les royaumes alliés. Le roi de Bavière avait été invité à donner sa fille à Eugène de Beauharnais, vice-roi d'Italie, et le prince de Bade à épouser Stéphanie de Beauharnais. Jérôme Bonaparte, contraint au divorce, allait convoler avec Catherine de Wurtemberg. Louis serait roi de Hollande et Joseph, roi de Naples dont les souverains légitimes s'étaient montrés trop favorables aux Anglais.

Mais le tsar et l'Angleterre restaient en dehors de ces combinaisons. Ils n'acceptaient pas davantage la nouvelle

Confédération germanique que le titre impérial de Napoléon. Dès lors, il était à prévoir que la trop éclatante victoire d'Austerlitz ne servirait de rien, qu'elle ne serait rien d'autre qu'un modèle de stratégie. Toutefois, à Londres, le Premier ministre Pitt, apprenant le désastre austro-russe, en mourut.

III

LA CAMPAGNE DE PRUSSE

Napoléon siffla et la Prusse cessa d'exister.

HEINE

Frédéric-Guillaume III de Prusse avait été pris de court au lendemain d'Austerlitz. Ce n'avait pas été de gaieté de cœur qu'il avait accepté d'échanger le Hanovre contre Neuchâtel et Clèves. Le Hanovre appartenait en effet à la Maison d'Orange, qui régnait sur l'Angleterre. Ayant tiré son épingle du jeu, le Prussien se rapprochait de Londres. Indécis comme il l'était, sans doute n'aurait-il jamais osé défier le nouvel empereur d'Occident : car, depuis l'abolition du Saint-Empire, Napoléon avait, de fait, relevé le titre. Mais il existait en Prusse un parti de la guerre, agissant, populaire, sûr de lui, dont le chef avoué n'était autre que la reine Louise, ardente et belle comme une Walkyrie. Ce parti prétendait qu'il n'y avait en Europe que deux armées capables de s'affronter : la prussienne et la française. Il rappelait que, depuis Rosbach et le Grand Frédéric, la Prusse ne s'était pas vraiment battue contre la France, Valmy n'étant qu'une promenade militaire. La victoire d'Austerlitz ne l'impressionnait que modérément, car il méprisait les soldats autrichiens et doutait du talent des généraux russes. Et il était vrai qu'en Europe l'armée prussienne était considérée comme la meilleure ; elle vivait sur cette réputation. Cette opinion, l'Empereur appartenait trop au XVIIIe siècle pour ne pas la partager : ce qui explique le soin qu'il avait apporté à empêcher la Prusse d'adhérer à la troisième coalition. De même, après la paix, avait-il évité les provocations et les incidents. Le 2 août 1806, il recommandait brutalement à Murat, nouveau grand-duc de Berg : « Vous ne savez pas ce que je fais. Restez donc tranquille. Avec une puissance telle que la Prusse, on ne saurait aller trop doucement. » Et à Talleyrand : « Réitérez-lui (à l'ambassadeur de France à Berlin) qu'à tout prix je veux être bien avec la Prusse et laissez-le, s'il le faut, dans la conviction que je ne fais point là paix avec l'Angleterre à cause du Hanovre. » Le *Moniteur* du 13 août affichait un bel optimisme : « Les affaires du continent se trouvent tellement arrangées aujourd'hui qu'il faut compter sur une paix durable. En vain sèmerait-on l'or et la corruption, on ne trouverait plus de souverain qui voulût vendre le sang de ses sujets. » Optimisme confirmé par l'ordre de Napoléon à Berthier (17 août) : « Il faut songer sérieusement au retour de la Grande Armée puisqu'il me paraît que tous les doutes d'Allemagne sont levés. » Mais moins de deux semaines après, il recevait une lettre de l'ambassadeur à Berlin l'informant des armements anormaux de la Prusse. « Cette lettre me paraît une folie, écrivit-il à Talleyrand. Il faut rester tranquille jusqu'à ce que l'on sache positivement à quoi s'en tenir. » Cependant la Prusse mobilisait et l'on signalait les mouvements d'un corps d'armée en route vers le Hanovre. L'Empereur ne s'en émut pas ; il rassura Berthier en ces termes : « Le cabinet de Berlin s'est pris d'une peur panique. Il s'est imaginé que, dans le traité avec la Russie, il y avait des clauses qui lui enlevaient plusieurs provinces. C'est à cela qu'il faut attribuer les ridicules armements qu'il fait et auxquels il ne faut donner aucune attention, mon intention étant effectivement de faire rentrer mes troupes en France. »

Croyait-il sincèrement que, l'Autriche étant hors d'état de combattre, la Prusse n'oserait pas le défier ? Ou feignait-il seulement de le croire et ne disait-il pas toute sa pensée à Berthier ? Dans la solitude, toute nouvelle pour lui, du pouvoir absolu, n'avait-il déjà plus confiance qu'en lui-même, se réservant de démasquer ses batteries au dernier moment ? Se sentait-il déjà à ce point invincible, et seul capable de concevoir un plan d'envergure ? Ou fut-il surpris par l'initiative un peu folle du roi de Prusse ? On peut, sans risque d'erreur, faire fond sur son intelligence. En supposant qu'il se soit abusé sur la durée de la neutralité prussienne, il savait parfaitement que Frédéric-Guillaume pouvait compter sur l'appui du tsar. La faute que le roi de Prusse était en train de commettre ressemblait point par point à celle de l'empereur d'Autriche : lui non plus n'attendait pas les Russes pour entamer les hostilités. D'où cette évidence qu'il y aurait deux campagnes successives, ce dont Napoléon dut se réjouir.

Le 5 septembre, il ordonna à Berthier de prendre des mesures de sûreté et de reconnaître l'itinéraire de Bamberg à Berlin. Le 10, il lui écrivit : « Les mouvements de la Prusse continuent à être fort extraordinaires. Ils veulent recevoir une leçon. » En grand secret, il expédia Caulaincourt avec sa Maison militaire. Le 12, il envoya un message mi-figue mi-raisin au roi de Prusse : « Si je suis contraint à prendre les armes pour me défendre, ce sera avec le plus grand regret. » Mais, le même jour, il fit savoir à Murat : « Si véritablement je dois encore frapper, mes mesures sont bien prises, et si sûres que l'Europe n'apprendra mon départ de Paris que par la ruine entière de mes ennemis. » Ce qui était peut-être s'avancer un peu trop ! Les Prussiens étant entrés à Dresde, la Garde impériale fut expédiée aussitôt, en poste, vers le Rhin. Le 25 septembre, Napoléon quittait sa résidence de Saint-Cloud. Mme de Rémusat note qu'il se mit en campagne avec répugnance : « Le luxe et l'aisance qui l'environnaient faisaient effet sur lui. Les âpretés de la vie de camp effarouchaient son imagination. » La brave dame confondait propagande et réalité. Elle ignorait que, depuis plusieurs semaines, le vainqueur d'Austerlitz n'arrêtait guère de dicter des instructions, d'arrêter les itinéraires de ses colonnes, avec la minutie et l'emportement qui le caractérisaient en pareille circonstance. Qu'il ait joué le regret, la lassitude, l'affreuse obligation de se battre encore et qu'il ait, ostensiblement, soupiré sur les agréments de la Cour, cela faisait également partie de ses plans. Devenu le point de mire de l'Europe, il tenait beaucoup à ce que l'on crût qu'il faisait la guerre malgré lui.

Il est pourtant indiscutable que le roi de Prusse ouvrît les hostilités, ne fût-ce qu'en massant ses troupes à proximité des avant-postes français. Il se flattait de gagner ainsi Napoléon de vitesse. Ce fut bien entendu le contraire qui se passa. Napoléon manœuvrait comme un seul régiment les 160 000 hommes et les 250 canons de son armée, tel César avec ses légions ! Les Prussiens s'étaient fragmentés et, par surcroît, dans leur euphorie belliqueuse, trop avancés. Napoléon coupa la route de Berlin. Des combats partiels s'engagèrent sur la Saale, au cours desquels les Français s'emparèrent des ponts. La rencontre décisive eut lieu à Iéna, le 24 octobre. L'avant-garde prussienne, commandée par le prince de Hohenlohe, donna dans le piège tendu par Napoléon. La veille, l'Empereur avait fait hisser des batteries sur une hauteur clé du dispositif. Lorsque l'infanterie prussienne déferla vers le plateau, elle fut hachée par les boulets. L'avant-garde retraita dans le plus grand désordre. Ce qu'apprenant, le roi de Prusse et le duc de Brunswick lancèrent le gros de leur armée plus au nord afin de franchir la Saale sur ce point. Mais Napoléon avait prévu cette manœuvre ; trois divisions attendaient l'arme au pied, à Auerstaedt, sous les ordres de Davout. Avec 28 000 hommes Davout rejeta 70 000 Prussiens, s'empara de 115 canons, captura 10 000 prisonniers. Brunswick avait été tué.

Ainsi, dans la même journée, les Français avaient-ils remporté deux victoires décisives. L'armée prussienne n'existait plus. Ses restes démoralisés refluaient vers Berlin. Les places fortes ne se défendaient même pas. Frédéric-Guillaume et sa Walkyrie s'étaient enfermés dans Koenigsberg, avec pour seul espoir l'intervention du tsar Alexandre. L'Usurpateur occupait leur capitale.

Le 21 novembre, il y signait même le redoutable décret imposant à l'Europe le blocus continental. Ce décret, applicable à tout ce qui était français et se prétendait allié de la France ou se soumettait à son influence, interdisait les ports au commerce britannique. Ne pouvant vaincre les Anglais sur mer, Napoléon se flattait de ruiner les banquiers, les armateurs et les industriels de Londres, en leur enlevant la clientèle de l'Europe, c'est-à-dire la quasi-totalité de leurs débouchés. Son esprit imaginatif voyait déjà le roi George et ses ministres aux abois, ne pouvant empêcher la famine, le chômage et les émeutes qui en seraient la conséquence inévitable. Il voulait « conquérir la mer par la puissance de la terre ». Donc, imposer à l'Europe de vivre sur elle-même, de se priver de produits d'origine coloniale (sucre, café principalement), de renoncer à vendre ses matières premières et ses propres produits fabriqués. On aperçoit la difficulté ! Et quelle surveillance un tel système nécessitait, par surcroît sans marine capable d'intercepter les navires clandestins. Tel était pourtant le calcul de l'Empereur, ou plutôt la dangereuse chimère qui rendrait bientôt sa puissance intolérable, puis la broierait. S'il était, relativement, libre de ses actes avant le décret de 1806, s'il pouvait à discrétion faire la guerre ou ne pas la faire, désormais il y serait contraint. Ce sera pour appliquer le blocus qu'il attaquera l'Espagne et s'enfoncera dans la terre russe. Cependant on peut invoquer pour sa défense l'implacable acharnement des Anglais à ramener la France à ses limites anciennes et voir dans le règne de Napoléon la phase aiguë d'une lutte multiséculaire. On peut même ajouter à cet argument la haine des rois à l'encontre d'un parvenu. Il n'en reste pas moins que l'expansion vertigineuse de l'empire n'était pas de nature à rassurer l'Europe. Après la chute retentissante de l'armée prussienne, l'Autriche était encerclée. Les rois, les petits princes allemands n'avaient plus qu'à filer droit, faute de quoi ils s'exposaient à perdre leurs possessions héréditaires ; d'où leurs courbettes, leurs flatteries, mais recouvrant quelles défiances, quelles sournoises espérances ? Ils baisaient la main qu'ils ne pouvaient couper.

Les victoires d'Iéna et d'Auerstaedt avaient réglé le compte de Frédéric-Guillaume, mais non terminé la campagne. La guerre avec le tsar Alexandre restait en suspens. Les adversaires s'observaient, gênés par un hiver qui s'annonçait diluvien. Les troupes russes s'étaient avancées jusqu'à Varsovie, qu'elles avaient brièvement occupée, puis évacuée : par prudence. Les Français firent leur entrée dans la capitale polonaise, s'y installèrent. L'Empereur y parut. Les nobles polonais attendaient tout de lui, et d'abord l'indépendance convoitée depuis si longtemps. Pour être délivrés des Russes et des Prussiens, ils eussent accepté pour roi n'importe lequel des frères ou des maréchaux de Napoléon, consenti les plus extrêmes sacrifices. Le « dévouement » de Marie Walewska en est un témoignage éloquent ! Le 6 décembre 1806, l'Empereur écrivait pourtant à Murat : « Je ne proclamerai l'indépendance de la Pologne que lorsque je reconnaîtrai qu'ils la veulent véritablement soutenir, et je verrai qu'ils la veulent et peuvent soutenir quand je verrai 30 000 à 40 000 hommes sous les armes, organisés, et la noblesse à cheval, prête à payer de sa personne. »

Inquiet, le tsar Alexandre fit faire volte-face à ses troupes commandées par Bennigsen. Il tablait sur l'effet de surprise, sur la mauvaise saison et sur l'endurance de ses propres soldats habitués au long hiver russe. Il savait les Français mal nourris, fatigués par les pluies continuelles. Il y a dans cette phase de la guerre l'ébauche de ce que sera la campagne de Russie, mais Napoléon ne saura pas s'en souvenir ! Le premier choc se produisit à Eylau, le 8 février 1807, dans une tempête de neige. L'Empereur, bien qu'inférieur en nombre, attaqua Bennigsen avec impétuosité. Ce fut une horrible boucherie, une bataille si incertaine que chacun des deux adversaires ordonna la retraite lorsque tomba la nuit. Un officier des avant-postes prévint qu'on entendait les Russes déguerpir. Les Français gardèrent leurs positions et purent s'attribuer la victoire, que Bennigsen revendiqua ! Il y avait 50 000 morts et blessés, dont 16 000 français. Le lendemain, Napoléon, visitant le champ de bataille, eut cette pensée : « Ce n'est pas la plus belle partie de la guerre. L'on souffre et l'âme est oppressée de voir tant de victimes. » Mais bientôt, il dictait à Bertrand une relation supposée, de *La Bataille d'Eylau, par un témoin oculaire, traduite de l'allemand* (*sic !*). Et comme Bertrand, caractère honnête et cœur pur, s'étonnait : « C'est de cette manière que parlera l'Histoire. » Dans ce tourbillon qu'était devenu son existence, les impressions, les sentiments s'effaçaient vite.

Mais, et pour cause ! la bataille d'Eylau n'avait rien tranché ; ce n'était qu'une bataille inutile, sans vainqueur ni vaincu, et dont Alexandre tirerait leçon. Là où les Autrichiens et les Prussiens avaient piteusement échoué, les Russes avaient failli réussir. Quelques régiments de plus, quelques batteries d'artillerie mieux placées, une stratégie mieux pensée, et l'invincible était anéanti ! Fort de ces convictions, le tsar maintint ses troupes à pied d'œuvre en attendant le printemps. Napoléon fit de même. Il s'installa au château de Finckenstein qui appartenait au Grand-Maître de la Maison du roi de Prusse. Dans cette confortable demeure, son génie fit merveille. Non seulement il y gouvernait l'Empire, mais il trouvait le temps d'entrer dans les détails, s'occupant de l'Opéra, du Collège de France, des jeunes filles de la Légion d'honneur, de l'approvisionnement extrêmement difficile de l'armée, de ses cantonnements, de ses mouvements. Il étudiait ses cartes, collectait et analysait les informations provenant des avant-postes, des espions et agents, préparait une bataille qu'il voulait décisive. Il trouvait même le temps d'écrire de tendres lettres à Joséphine et de rencontrer Marie Walewska. Il écrivait aussi à Hortense, qui venait de perdre son fils de la diphtérie, ce petit Charles Napoléon Louis dont il avait rêvé de faire son héritier, un futur empereur, celui qui l'appelait, aux jours heureux, « Nonon, le soldat ! ». Il créa un prix pour récompenser le médecin qui trouverait un remède contre le croup.

Le printemps était passé. Vers le 10 juin, on apprit que les Russes faisaient mouvement. Napoléon était à Preussich-Eylau quand on le prévint que l'ennemi attaquait en direction de Friedland. Il sauta à cheval, distança rapidement son état-major, se trouva bientôt seul au milieu des premiers blessés de la bataille. Il était midi. Lannes se battait depuis le matin ; il parvenait avec peine à soutenir les assauts répétés des Russes. Bennigsen, enhardi par son demi-succès d'Eylau, voulait en finir. Il avait projeté de tourner les Français, afin de les anéantir, Napoléon prit la relève ; il enveloppa Bennigsen et le détruisit presque entièrement.

« Je le vois encore, écrivit Norvins, à pied, cinglant et brisant de hautes herbes à coup de cravache, dire au maréchal Berthier :

— Quel jour est-ce aujourd'hui ?

— C'est le 14 juin, sire.

— Jour de Marengo, jour de victoire ! »

Et, certes, Friedland valait Marengo, et même Austerlitz...

Il ne restait plus une forteresse au roi de Prusse : le maréchal Lefèbvre avait pris Dantzig. Koenigsberg était tombée. L'armée russe avait cessé d'exister, bien que Bennigsen prétendît que les Français n'avaient pas osé le poursuivre, qu'il se retirait en bon ordre : il avait perdu toute son artillerie, un grand nombre de généraux et d'officiers. Le tsar s'empressa de demander un armistice. Il dépêcha vers Napoléon le prince Lobanoff, porteur d'instructions écrites. Stupeur de Napoléon, Alexandre lui écrivait : « L'alliance entre la France et la Russie a toujours été l'objet de mes désirs et je suis convaincu que seule elle peut garantir le bonheur et le repos de l'Univers... Je me flatte que nous nous entendrons parfaitement avec l'Empereur Napoléon pourvu que nous traitions sans intermédiaire. »

L'Empereur accepta l'entrevue qui eut lieu, comme on sait, à Tilsit, sur le radeau du Niémen, le 25 juin 1807.

Les premiers mots qu'échangèrent les deux empereurs furent ceux-ci :

« Sire, je hais les Anglais autant que vous !
— En ce cas la paix est faite ! »
Et il était vrai que le tsar, comme son père Paul Ier, se méfiait du Cabinet britannique. En outre, l'Angleterre n'avait pas été aussi généreuse pour cette coalition que pour la précédente. N'ayant plus les moyens de poursuivre la guerre, ne pouvant compter sur l'alliance de l'Autriche, il ne lui restait d'autre perspective, s'il voulait éviter l'invasion, que de traiter sans retard ! Enfin, et cette observation n'est pas négligeable, il avait l'âme d'un Slave, fertile en retournements, sincère mais dans l'instant, « byzantine » comme Napoléon le dira plus tard : à l'heure des déconvenues !

De son côté, l'empereur français n'était pas plus capable de prolonger les hostilités. Il y avait dix mois qu'il avait quitté Saint-Cloud. Son armée n'en pouvait plus. Il était urgent d'en finir. Mais, surtout, il croyait la partie gagnée contre l'Angleterre. En outre, depuis Austerlitz, il n'avait pas cessé de vouloir l'alliance franco-russe, estimant qu'elle porterait à l'Angleterre le coup décisif, en achevant de l'isoler.

Alexandre fit son possible pour amadouer l'Ogre de Corse et ce dernier pour séduire son hôte. Tous deux cherchaient leur avantage respectif. On se vit tous les jours, on mangea ensemble, on se fêta, on se jura amitié. Le roi et la reine de Prusse faisaient les bouts de table, comptant toujours sur l'appui du bel Alexandre. Mais le tsar s'intéressait davantage à Constantinople qu'à Magdebourg !

Le 8 juillet, on signa la paix, dite de Tilsit. Alexandre avait les mains libres en Turquie ; il prendrait la Finlande et un morceau de la Pologne, mais serait l'allié de la France contre l'Angleterre. La France se contentait de menus acquêts sur l'Adriatique, mais elle érigeait le reste de la Pologne en grand-duché de Varsovie. Quant à la Prusse, sauvée malgré tout par Alexandre, elle payait la note de cette longue et sanglante campagne : 154 millions, somme énorme ! Amputée d'une partie de son territoire, elle se réduisait à 5 millions d'habitants. Les

Hohenzollern ne feraient plus trembler leurs voisins ; ils étaient dorénavant plus faibles que la Bavière ou la Saxe et, sur l'échiquier de la nouvelle Europe, ne comptaient plus.

Les deux seules grandes puissances, au terme de tant de batailles, étaient l'Empereur d'Occident et l'Empereur du Nord, mais ils se donnaient la main et beaucoup croyaient que la réconciliation de Tilsit serait durable, assurerait pour dix ans la paix des peuples. Jamais Napoléon n'avait été si grand. Il avait atteint son apogée.

IV

L'INSTRUMENT DE GUERRE

Ce grand homme n'était pas un dieu ni un demi-dieu, mais il semblait cependant être plus qu'un homme ; il paraissait formé par les dieux pour gouverner les autres hommes.

Lieutenant CHEVALIER,
Souvenirs des guerres napoléoniennes

Comme on l'a signalé pour la campagne d'Italie, l'invincibilité de Napoléon reposait pour une part sur son génie, mais pour le reste sur les jambes de ses soldats. Il n'est donc pas indifférent, à ce point de l'épopée napoléonienne, d'examiner ce que fut la Grande Armée, peut-être le plus bel instrument de guerre jamais utilisé par un conquérant.

La première observation qu'il convient de faire tient au poids démographique de la France. Au début du XIXe siècle, elle totalisait environ 30 millions d'habitants, étant alors le pays le plus peuplé de l'Europe. Elle était même surpeuplée eu égard à son économie essentiellement agricole. C'était donc un immense réservoir d'hommes, dont Napoléon disposa quasi à volonté. Par malheur, il le crut inépuisable. L'Ancien Régime n'avait qu'une armée réduite, encadrée de nobles, officiers quasi héréditaires, composée de soldats de métier (les bas officiers) et de soldats recrutés par la presse soit parmi les paysans, soit dans la lie des populations citadines. La Révolution, ayant proclamé l'égalité, étendit le service militaire à tous les citoyens; mais ses appels aux armes, ses levées en masse à l'heure du danger ne produisirent pas la moitié des effectifs attendus. Le Directoire décréta l'obligation du service national pour tous les hommes de 20 à 25 ans, mesure dont le seul résultat fut d'augmenter le nombre des réfractaires. Cependant, en dépit de ce climat d'hostilité, d'ailleurs variable avec les régions, en dépit même des désertions sévissant comme une épidémie et décimant les régiments, au bout du compte le Directoire léguait à Bonaparte une armée « nationale ». Tel n'était pas le cas des autres pays d'Europe, la Prusse exceptée. Lorsque Bonaparte devint Premier Consul, malgré sa popularité, malgré les avancements rapides que promettait son génie militaire, l'attrait des Français pour la gloire des armes et le climat nettement belliciste de la Grande Nation, les défections restèrent considérables. Encore les autorités locales n'envoyaient-elles pas les hommes les plus robustes. Bonaparte écrivait alors à Brune : « Je me suis aperçu, en passant la revue des différents corps, qu'il y avait des conscrits absolument hors d'état de faire la guerre. Il est bien nécessaire que vous passiez vous-même la revue des conscrits et que vous renvoyiez chez eux ceux qui sont hors d'état, avant qu'on leur ait délivré des armes et des habits. » Peu après, afin d'éviter les levées trop spectaculaires, il autorisa les remplacements ; pour 1 500 à 1 800 francs on s'achetait un homme ! Néanmoins, les inaptes au service, malingres, difformes, boiteux, continuèrent d'affluer, améliorant les états de recrutement, mettant les préfets et les maires à l'abri des suspicions, mais ne comblant pas les vides de l'armée. Il faut cependant insister sur le fait que les appels, décrétés par sénatus-consulte, ne peuvent se comparer aux mobilisations, même partielles, des temps modernes. Une classe représentait alors environ 200 000 hommes. Sur ce nombre, les appels n'excédaient guère 80 000 conscrits, même en temps de guerre, du moins pendant le Consulat et le début de l'Empire. Les aînés de trois orphelins, les fils aînés de veuves, ceux qui avaient déjà un frère aux armées étaient dispensés du service. En outre, certains départements de l'Ouest étaient ménagés, notamment la Vendée ravagée et saignée par l'insurrection de 93. Puis, les appels se succédant à des intervalles de plus en plus rapprochés et croissant en importance, déserteurs, réfractaires furent de plus en plus nombreux et organisés. Certains se mutilaient volontairement, d'autres se faisaient arracher les incisives, le plus grand nombre se cachaient dans des fermes isolées, malgré la surveillance et les sanctions. Pour repeupler l'armée, on en vint rapidement à appeler des recrues de plus en plus jeunes. La moyenne d'âge, qui était d'un peu plus de 20 ans en 1804, tomba à 18 ans dès 1807, l'année de Friedland. À partir de la campagne de Prusse, suivie d'un hivernage en Pologne et de la réouverture des hostilités contre les Russes, le déséquilibre s'amorça entre les ressources en hommes et les besoins sans cesse grandissants de l'Empereur. D'où l'obligation dans laquelle il se trouva de lever des régiments dans les pays alliés, adjoignant à la Grande Armée des troupes allemandes et italiennes, avec les risques que cela comportait.

Quand on considère les effectifs engagés dans une bataille (rarement plus de 100 000 hommes dans chaque parti), on se demande la raison d'une telle consommation ! Le chiffre des tués, des blessés semble peu élevé (surtout par comparaison avec les pertes de la Seconde Guerre mondiale !). Mais il faut savoir que, faute d'un service de santé approprié, la moitié au moins des blessés mourait faute de soins assez rapides ou par gangrène. Et surtout que les maladies contractées, non seulement en campagne, mais dans les camps, voire dans les casernes, provoquaient en moyenne autant, sinon plus, de décès qu'il n'y avait de tués en combat et de blessés. Mortalité effrayante due au manque d'hygiène, à l'insuffisance de nourriture, aux maladies vénériennes, aux dysenteries et surtout à l'effort physique proprement inhumain demandé aux soldats. Il n'était pas rare qu'ils eussent 30 à 40 km à parcourir en une journée, avec leurs armes et leur fourniment. On buvait l'eau des mares et des rivières. L'intendance ne suivait pas : selon le vieil adage, la guerre devait nourrir la guerre ; on vivait sur le pays : aux chefs de corps de prendre leurs mesures, s'ils le pouvaient. Très fréquemment, au terme d'une marche interminable, sous une pluie battante, on devait se battre au lieu de dormir. Heureux les pays où l'on pouvait ramasser des pommes de terre et trouver de l'eau-de-vie. On dormait au hasard, à l'orée d'un bois ou dans un sillon, à la fraîche. « Il tombait des cordes ! », une expression que l'on rencontre souvent dans les mémoires des humbles. Car les généraux, les officiers supérieurs, avaient des tentes personnelles ou réquisitionnaient des chaumières. Quand on veut descendre un peu plus bas dans le monde napoléonien, se faire une idée précise, il ne faut point regarder les grandes peintures officielles, ni considérer d'un œil amoureux les escadrons et les bataillons en miniature qui défilent dans les vitrines des collectionneurs. Il y a plus de vérité dans certaines lithographies de Raffet : en particulier celle où l'on voit l'Empereur dans sa houppelande au milieu de ses grenadiers gonflant le dos, le bonnet à poil incliné, les souliers pataugeant dans une boue épaisse. Encore s'agit-il ici de la Garde impériale…

Car il y avait une très grande différence entre les soldats de la Garde et ceux de la ligne. Les premiers avaient un bel uniforme, la haute paie, la meilleure nourriture, les plus beaux armements, les cantonnements de choix. Ils avaient même droit d'être appelés « Monsieur ». C'étaient les enfants chéris du maître, la garde prétorienne du nouveau César. En bataille, ils ne donnaient qu'à la dernière extrémité, seulement pour porter le coup décisif et faire honte aux hésitants. Sauf exceptions, c'étaient eux qui paradaient aux revues du Carrousel, défilaient dans Paris, et faisaient dans les villes étrangères des entrées triomphales. La Garde était une armée dans la Grande Armée, avec ses fantassins (les fameux grenadiers), ses cavaliers (dragons, chasseurs et grenadiers à cheval que l'on surnommait « les immortels »), ses artilleurs et ses marins. Pour entrer dans ce corps d'élite, les recommandations ne servaient à rien : « Vous devez partir du principe qu'il faut avoir pour me garder[1] quatre quartiers de noblesse, c'est-à-dire quatre blessures reçues sur le champ de bataille. »

Mais la ligne, qui rassemblait parfois 200 000 hommes et plus, quelle était sa situation ? Peu enviable. La seule période où elle fut présentable, conforme à l'idée que nous nous faisons de l'armée impériale, fut celle du camp de Boulogne et d'Austerlitz. Les hommes étaient en bonne santé, entraînés par l'exercice et correctement vêtus. « À Austerlitz, disait Napoléon, l'armée était la plus solide que j'aie jamais eue. Les bons soldats ! La superbe bataille !... Depuis ce temps-là, mes armées ont été en baissant de qualité, quoique à Iéna j'eusse de bonnes troupes. »

L'un des problèmes était de vêtir les recrues. On manquait de drap, de teinture, la Révolution ayant à peu près ruiné l'industrie. Dès 1803, on avait du mal à leur distribuer une veste et une culotte. Comment les soldats se fussent-ils attachés à leur uniforme ? Ils n'en avaient pas, ou si peu, et tout de suite dans un tel état ! Car les fournisseurs, malgré les colères de l'Empereur, continuaient à voler. Ils épaississaient le cuir des souliers avec des lamelles de carton, achetaient des matières premières au rabais, fabriquaient vite et mal, et vendaient fort cher : il est vrai que les paiements se faisaient un peu tirer l'oreille... Napoléon rêvait d'une armée d'imagerie, propre à séduire les foules et à éveiller les vocations. Il prenait un vrai plaisir à méditer lui-même les couleurs des parements et signes distinctifs, à inventer des uniformes superbes, tout en se contentant lui-même de la tenue que l'on sait. Mais la France était incapable de satisfaire la demande et des hommes allaient au feu avec une veste de voltigeur et des pantalons de paysan.

1. C'est-à-dire : pour entrer dans la Garde impériale.

Quelques chefs de corps, par exemple Davout, s'efforçaient d'obtenir des tenues convenables pour leurs régiments; ils devaient se battre contre les commis du ministère, adversaires plus retors que les Prussiens ou les Russes. Certains régiments, héritiers de traditions anciennes, comme les hussards, avec leurs dolmans à tresses et leurs pelisses doublées de fourrure, faisaient exception. Ou bien les corps d'élite, tels que les dragons, les cuirassiers ou les artilleurs. Mais le reste n'était qu'un magma immense de houppelandes grisâtres tachées de boue, effrangées ou trouées, avec pour toutes marques de reconnaissance des shakos enveloppés de toile cirée remplaçant les bicornes de naguère.

L'armement des fantassins se composait d'un fusil (modèle 1777) et d'un briquet. On devait déchirer la cartouche avec les dents avant de l'introduire dans le canon et de bourrer la poudre à l'aide d'une baguette de métal. L'allumage s'opérait par percussion d'une pierre de silex vissée dans le «chien». La balle portait à 500 mètres, mais n'était vraiment meurtrière qu'à la moitié de cette distance et le tir ne pouvait être très rapide. Chaque fantassin recevait avant l'action une cinquantaine de cartouches, dont la pluie détrempait souvent le carton et mouillait la poudre. Aussi les hommes en venaient-ils promptement à l'arme blanche qui était la baïonnette. Quant au briquet, c'était un petit sabre courbe utilisé surtout pour les travaux de cantonnement. Ces armes se détérioraient facilement: auquel cas les soldats les jetaient. C'est ainsi qu'à Austerlitz on perdit 12 000 fusils. En ce domaine également la production française n'aurait pu faire face, mais, après chaque victoire, on réquisitionnait l'armement ennemi ou l'on puisait dans ses magasins.

L'artillerie était celle que Gribeauval avait mise au point sous Louis XVI. Elle avait grandement aidé aux premières victoires de la République. Napoléon, étant de la spécialité, sut tirer le meilleur parti de ces canons de bronze dont le tir était d'une précision rigoureuse jusqu'à 700 mètres, moins bon jusqu'à 1 200, mais portait jusqu'à 1 800 mètres. Quoique solides et cerclées de fer, les roues se brisaient fréquemment, et les artilleurs abandonnaient alors la pièce. Napoléon inventa des forges de campagne permettant des réparations rapides et sur les lieux.

Pour traîner plusieurs centaines de batteries, des milliers de charrettes et monter les régiments de cavalerie, il fallait des chevaux, et qui fussent robustes ! Ce fut un autre grave problème que leur recrutement, car il périssait en moyenne quatre chevaux pour un homme. À certaines époques, la pénurie fut telle que les beaux dragons furent provisoirement transformés en fantassins, suprême déchéance pour un cavalier ! Il advint aussi que l'on attelât des bœufs, moins fragiles et plus faciles à nourrir. La France, ayant vidé ses haras et ses élevages, dut acheter des chevaux au Danemark, au Holstein, en Prusse, imposer des contingents aux pays alliés ; il manqua néanmoins 30 000 bêtes pour que la cavalerie fût complète.

Napoléon s'occupait de tout cela, bombardait Daru et ses bureaucrates, les commissaires, les préfets, les maréchaux, de notes incendiaires, d'exhortations à mieux faire. Il déplorait que le pain de munition fût si mauvais. Il s'occupait des souliers, de la teinture et de la qualité des uniformes, houspillait les fournisseurs, cherchait des solutions de rechange, encourageait les initiatives. Quand il passait un corps en revue, généralement à l'improviste, il interrogeait les simples soldats, les sous-officiers, avec une évidente bienveillance et une attention soutenue. Aucune complaisance de sa part : sa mémoire infaillible enregistrait chaque réponse, ses yeux brillants scrutaient chaque visage, chaque regard. « S'ils m'aimaient tant, disait-il, c'est qu'ils savaient que je les protégeais contre le despotisme de leurs colonels, qui voulaient toujours faire avancer de jeunes protégés au détriment des vieux serviteurs. Je pensais le contraire, car je respecte un vieux soldat ; on a beau dire qu'un jeune homme a de l'impétuosité, un ancien serviteur qui a survécu à beaucoup de batailles a un aplomb et une expérience que ne possède pas un jeune. »

Sa grande idée, ç'avait été précisément d'amalgamer dans la même unité les vieux et les jeunes, ceux-là pour compenser l'inexpérience de ceux-ci, les seconds pour soutenir de leur fougue et de leurs forces l'âge des premiers. Mais le secret de sa réussite, malgré les misères sans nom et les pertes effroyables, ç'avait été de donner au soldat ce sens de l'honneur qui n'appartenait jadis qu'aux gentilshommes. Pour lui, seul un brave pouvait prétendre à la noblesse. Il avait, dans cet univers étrange qui était le sien, anobli le peuple tout entier ! Finalement, pour ce solitaire, l'armée était devenue une famille et, pour certains briscards datant de l'Égypte ou de Marengo, la seule famille. « Le militaire, disait-il encore, est une franc-maçonnerie ; il y a entre eux tous une certaine intelligence qui fait qu'ils se reconnaissent partout sans se méprendre, qu'ils se recherchent et s'entendent : et moi, je suis le grand maître de leurs loges. » Ils le surnommaient : « Petit Caporal », « Le Tondu », le « Père La Violette », « Jean de l'Épée ». Ces familiarités lui plaisaient ; il les encourageait même, heureux d'être apostrophé brusquement par une vieille moustache ou par un jeunot qui n'avait pas froid aux yeux, voire d'être traité en camarade. Il savait, comme pas un, relever les courages, électriser la troupe, ayant le sens du mot qui touche le cœur, de l'ironie qui fait mouche. Sa tenue si simple, presque pauvre dans sa sobriété, contrastait avec les chamarrures, les dorures et les panaches de son état-major ; elle faisait merveille.

Le lieutenant Chevalier, des chasseurs de la Garde, raconte : « Napoléon en campagne mangeait très peu, il déjeunait à neuf ou dix heures du matin et ne mangeait plus qu'à huit ou neuf heures du soir, et très peu. Il portait toujours l'habit ou le frac vert de notre régiment, avec deux très petites épaulettes de général, sans aiguillettes, un seul crachat, celui de l'Aigle, et la décoration de simple chevalier de la Légion d'honneur, un gilet de casimir blanc et une culotte courte pareille, des bottes à l'écuyère (dans l'intérieur, des bas de soie et des souliers à boucles en or), le grand cordon rouge entre l'habit et le gilet, le petit chapeau historique, et une épée. Lorsqu'il faisait froid, il passait sur son habit la redingote grise connue de tout le monde. Quand il faisait route à cheval, au milieu de nous, il avait l'air d'être notre colonel, alors, la pluie, la grêle, la neige, l'orage, rien ne l'empêchait de continuer sa route, il n'y faisait aucune attention. Le prince Berthier marchait toujours à côté de lui, puis les aides de camp, les généraux, les officiers d'ordonnance et son mamelouk Roustan. S'il faisait froid et qu'il mît pied à terre, les chasseurs de l'escorte s'empressaient de faire un peu de feu, alors il s'amusait à pousser le bois avec ses pieds, ou tournait le dos au feu, ses mains derrière. Si en route il avait besoin de satisfaire un petit besoin, il mettait pied à terre au milieu de nous et, sans façon, faisait son affaire, je l'ai vu quelques fois changer de linge. On peut dire que Napoléon, au milieu de nous, était au centre de sa famille et paraissait chez lui, il y était certainement bien plus à son aise qu'entouré de ses courtisans.

« Le plus souvent, l'Empereur montait un cheval blanc, quelquefois chamois. Ce cheval, quoique richement caparaçonné, était simplement harnaché ; une bride ordinaire avec un fil d'or comme tous les officiers de sa garde, une housse avec un galon et des franges en or, comme tous les généraux. Il était assez bien à cheval, mais s'y tenait très mal, la bride négligemment dans la main, le plus souvent dans la main droite, souvent même, il ne la tenait pas du tout, mais il avait toujours des chevaux bien dressés à cette négligence, sans cela, il se serait rompu le col. Cependant, il aimait beaucoup à galoper dans les champs, alors on courait souvent pêle-mêle, arrivait qui pouvait ; il arrivait quelquefois qu'il n'avait plus personne.

« Roustan ou le mamelouk était toujours près de lui ; il portait le bidon d'argent de l'Empereur dans lequel il y avait la goutte où il touchait rarement, il préférait, si le goût lui en venait, en demander au premier venu. C'était certainement l'officier le plus simplement vêtu de tout son état-major. Cependant, à regarder de près, sa simplicité était toujours excessivement propre et très recherchée.

« Si l'on était devant l'ennemi, il mettait pied à terre, faisait rester son escorte, se portait en avant avec le prince Berthier ; avec sa lunette, il observait les mouvements de l'ennemi et revenait chercher son cheval. Lorsque nous étions tous à cheval et qu'entouré de son escorte, l'Empereur observait l'ennemi, ces messieurs en honnêtes courtisans ne manquaient jamais de nous faire les honneurs de quelques coups de canon, c'est pourquoi Napoléon seul était plus à son aise.

« Lorsque nous faisions route, l'Empereur fredonnait assez souvent quelques refrains de rue, un refrain était suivi d'un autre, souvent même pas sur l'air voulu, par exemple : *Dansons la Carmagnole – Monsieur Dumollet ou Madame Denis*, ou quelques refrains italiens. On dit qu'il ne chantait pas bien du tout, il avait cependant une belle voix, forte, étendue et bien sonore. »

Bientôt cet homme qui chante, un million de spectres suivront ses pas…

V

L'INSTRUMENT POLITIQUE

Ce n'est pas à la politique de disposer de nous, mais aux hommes de disposer de la politique.

NAPOLÉON à Las Cases

Au sommet de la pyramide, il y avait l'Empereur, par la grâce de Dieu et la volonté du peuple et qui, décidant de tout, pouvait dire à l'imitation du Roi-Soleil, « l'État, c'est moi », et qui le dit[1]. Il était assisté, dans l'exercice du pouvoir suprême, par six grands dignitaires dont les titres avaient été imaginés par Talleyrand, lequel les avait empruntés au Saint-Empire germanique. C'étaient le grand-électeur, l'archichancelier d'Empire, l'archichancelier d'État, l'architrésorier, le connétable et le grand-amiral, dont la nomination revenait à l'Empereur et dont les fonctions avaient surtout un caractère honorifique. On y casa, par manière de consolation, certaines personnalités évincées, tels Cambacérès et Lebrun. Toutefois le grand-électeur convoquait le Sénat, le Corps législatif, les collèges électoraux, mais sur ordre du souverain, et non sur son initiative propre ou sous la pression de factions politiques. L'archichancelier d'Empire recevait les

1. À Sainte-Hélène.

serments des magistrats ou les présentait à l'Empereur; il veillait à la promulgation des lois et des sénatus-consultes; il présidait le Conseil d'État à la place de son maître. L'archichancelier d'État recevait les ambassadeurs et les présentait à l'Empereur; il contresignait et promulguait les traités et conventions diplomatiques. L'architrésorier surveillait la dette publique, contresignait les titres délivrés aux créanciers de l'État, soumettait à l'Empereur les documents de comptabilité générale et formulait des propositions sur la gestion financière. Le connétable et le grand-amiral assumaient un rôle semblable pour la Guerre et la Marine.

Venaient ensuite les ministres, en nombre variable, observation faite que Napoléon, qui, cela va sans dire, les nommait, ne voulut jamais de Premier ministre. Il ne concevait pas que l'un d'entre eux, ayant prééminence sur ses collègues, en profitât pour prendre de l'importance et outrepasser ses pouvoirs. D'ailleurs, s'il écoutait volontiers les avis et suggestions de ses ministres, il n'en poursuivait pas moins le but qu'il s'était fixé et ne déviait pas d'une ligne. Pour lui, ce ne devaient être que de grands commis, chargés d'exécuter ses ordres et de le renseigner chacun dans son secteur. Il déclarait, non sans quelque humour: « J'avais rendu tous mes ministères si faciles que je les avais mis à la portée de tout le monde, pour peu qu'on possédât du dévouement, du zèle, de l'activité, du travail. » Il oubliait d'ajouter ce à quoi il tenait le plus: « du talent ». Il voulait en réalité, parce que c'était sa méthode de gouvernement, que, dans la conduite des affaires comme dans leur information, ils fussent à jour. Ce qu'il exigeait d'eux était si difficile et si contraignant que cela supposait une expérience confirmée jointe à un effort quotidien. Il n'aimait pas changer d'équipe, moins parce qu'il était un homme d'habitude que par souci d'efficacité. Pour ce même motif il reprenait certains ministres provisoirement disgraciés, comme ce fut le cas pour Fouché et Talleyrand. En tout état de cause, il choisissait ses collaborateurs en raison de leurs aptitudes déjà révélées, de leur spécialisation connue et mise à l'épreuve.

Hormis la direction de leurs services, ils n'avaient toutefois que des pouvoirs limités et dont l'Empereur corrigeait souvent les effets. De plus, il coordonnait leur activité par l'entremise de la secrétairerie d'État (confiée à Maret, futur duc de Bassano).

Les quatre assemblées prévues par la Constitution de l'an VIII subsistaient intégralement, à savoir le Conseil d'État qui préparait les lois, le Tribunat qui les discutait, le Corps législatif qui les votait, le Sénat qui les contrôlait, mais ce n'était qu'un leurre, qu'une survivance des institutions républicaines. Dès le début de l'Empire, le Tribunat, en raison même de ses attributions, était visé : « Ce sont des bavards et des phraseurs que je chasserai, disait l'Empereur. Tous les troubles des États viennent des bavardages de la Tribune ; je n'en veux plus... Ils ne perdent rien pour attendre. » En 1807, les cinquante Tribuns furent agrégés au Corps législatif, ou bénéficièrent de quelque sinécure. Ils furent assez courtisans pour remercier l'Empereur de la grâce qu'il leur faisait. Mis au pas par cet exemple, le Corps législatif s'empressa de voter les lois qu'on lui soumettait. Restait le Sénat. Il conservait une importance relative, ne fût-ce que par le nombre, et par le rang de certains de ses membres : princes de la famille impériale et dignitaires de l'Empire. Napoléon nommait son président pour une année ; mais il pouvait présider lui-même ou déléguer l'un de ses dignitaires. Les pouvoirs des sénateurs s'étaient en apparence accrus. Deux commissions avaient été créées au sein de l'Assemblée. L'une avait à connaître des incarcérations abusives, l'autre de la liberté de la presse. Elles pouvaient demander, par le truchement du Corps législatif, qu'un ministre fût déféré en Haute Cour. Il n'est pas besoin de spécifier qu'elles n'usèrent pas de cette prérogative, la raison d'État primant toute autre considération, la liberté fût-elle ostensiblement violée ! En revanche, ces bons pères conscrits reçurent des grades enviés dans la Légion d'honneur, des dotations appréciables, des titres nobiliaires, et autres avantages de nature à apaiser les scrupules constitutionnels. Autre flatterie du pouvoir, c'était désormais le Sénat qui s'occupait des droits de la famille impériale, de ses biens, de ceux de la Couronne et des fiefs héréditaires qui seront bientôt distribués aux futurs ducs d'Empire. Mais enfin son rôle essentiel restait de voter les sénatus-consultes, avec toute la docilité et la promptitude que l'on attendait de lui. À travers le Sénat, c'était donc Napoléon en personne qui légiférait. Et les sénateurs de rendre ponctuellement les sénatus-consultes appelant les conscrits sous les drapeaux : ce qui, après tout, ne semble pas extraordinaire, sauf qu'à partir de 1807 on inaugura les appels anticipés, sous le prétexte d'instruire les recrues. Même dans les phases critiques, lorsque Napoléon commença à éprouver des revers et que sa popularité se dégrada, le Sénat ne lui opposa pas de résistance, quand il n'allait pas au-devant de ses désirs. C'est que, depuis ses débuts, il avait fortement glissé vers la droite. Initialement composé d'anciens constituants ou d'anciens conventionnels, il s'était augmenté de ci-devant nobles, de généraux et de prélats, nouvel exemple de l'amalgame voulu par le maître, de l'unification des opinions et des classes. Condéens et révolutionnaires oubliant le passé faisaient bon ménage. L'intérêt primait tout, car les traitements étaient substantiels et l'on servait une rente aux veuves.

Amalgame aussi dans le Conseil d'État dont l'importance et l'utilité n'avaient cessé de grandir et qui était devenu, les ministres mis à part, l'organe essentiel du gouvernement, l'instrument parfait entre les mains expertes de Napoléon. Il avait montré son savoir-faire et son dévouement, lors de la rédaction du Code civil et des autres Codes. Désormais c'était à lui qu'il incombait officiellement, non seulement d'élaborer les lois, mais les textes d'application, de proposer les réformes des grands services et leurs règlements, et d'en contrôler l'exécution par les administrations. On le consultait même pour des actes administratifs individuels. Ses avis faisaient autorité ; ils préfiguraient les arrêts rendus de nos jours par la Haute Juridiction.

Il se divisait en cinq sections, avec des attributions nettement spécialisées : finances, législation civile et criminelle, intérieur, guerre, marine, chacune avec son président désigné pour un an. En 1806, s'y ajoutèrent deux sections permanentes, celle des pétitions et celle du contentieux. Simultanément, aux conseillers d'État s'adjoignirent les maîtres des requêtes et les auditeurs, des conseillers hors section qui étaient de hauts fonctionnaires ne siégeant qu'en assemblée générale, et des conseillers en service extraordinaire. Enfin certains conseillers ou auditeurs se virent confier des missions temporaires soit à l'étranger, soit aux armées. Car ce que voulait Napoléon, c'était à la fois une élite de techniciens et de juristes, et un vivier où il pût, selon les besoins, puiser des administrateurs, des préfets ou des diplomates familiarisés avec les rouages de l'administration.

Les lois, sénatus-consultes, décrets et règlements, éclairés, complétés et souvent renforcés par une cascade d'instructions et de lettres, convergeaient vers les préfets. Ceux-ci, à l'échelle de leur département, tenaient le rôle brillant, mais délicat, de mini-empereurs. Ils coordonnaient les activités des assemblées locales, conseillaient, stimulaient et contrôlaient les maires, surveillaient l'opinion et devaient montrer envers le pouvoir central autant de zèle que de soumission. L'inconfort de leur position tenait d'une part à la médiocrité de maires peu instruits ou craignant de se compromettre aux yeux de leurs administrés, d'autre part aux exigences accrues de Paris en matière de conscription. Nombre de préfets, il faut y insister, furent des administrateurs de grande valeur sachant, par leur influence personnelle, concilier les intérêts locaux et les ordres souvent draconiens émanant des bureaux. Sous bien des rapports, ils constituèrent la véritable assise politique du régime.

Il est une autre observation qui ne peut être passée sous silence. C'est le prurit de zèle qui avait saisi la fonction publique, à tous les niveaux. Si la multitude des soldats avait conscience de participer à la gloire de l'Empereur, une très grande majorité de fonctionnaires avait également conscience de détenir une parcelle de pouvoir et de participer effectivement à l'élaboration du grand œuvre. Il y avait l'honneur du soldat; dorénavant, il y eut aussi l'honneur d'être un serviteur de l'État. Il n'est que de prendre la peine de consulter les documents de cette époque, les rapports, les plans, les états, les registres de correspondance, pour se convaincre de l'ampleur des tâches effectuées et de l'application des commis. Mais le maître veillait, tantôt plongé dans ses hautes réflexions et tantôt vérifiant des additions, corrigeant des erreurs, sabrant les formules creuses, portant dans les marges un avis sans appel, voire une décision pour un détail infime.

Une dictature? Oui, mais éclairée et restant humaine, ne serait-ce que par ce respect presque maniaque des réalités et des faits. Un despote, mais avide d'informations, attentif à gouverner selon l'opinion, tout en imposant sa volonté; par surcroît non cruel: ce qui le sépare, ô combien, de certains tyrans avoués ou déguisés de notre temps! « Cette nation, déclarait Napoléon à Sainte-Hélène, avait besoin d'un gouvernement fort. Tant que je suis resté à la tête des affaires, la France a été dans l'état où était Rome quand il fallait un dictateur pour sauver la République... Je me suis trouvé, durant plusieurs années, placé entre les partis qui tourmentaient ma patrie, comme un cavalier monté sur un cheval fougueux et qui cherche toujours à se cabrer et à jeter d'un côté ou de l'autre, et que, pour faire marcher droit, il est obligé de tenir fermement en bride. Il faut absolument qu'un gouvernement qui succède à des révolutions, qui est assailli sans cesse par les ennemis du dehors et agité intérieurement par des intrigues, soit un peu dur. »

On notera d'ailleurs, en contrepoint du principe d'autorité, la volonté constante d'unifier (l'amalgame), de tempérer la rigueur des lois par des mesures individuelles, d'apaiser les esprits, voire de chercher à séduire pour convaincre mieux. La devise du régime impérial aurait pu être: organiser pour agir. Ce n'est certes pas par un coup de fortune que la France anarchique et appauvrie du Directoire est devenue, en si peu d'années, un puissant empire, la nation pilote de l'Europe, à même de remplir enfin la mission que les girondins et les montagnards lui avaient successivement assignée. La même irrésistible volonté qui avait transformé le petit lieutenant phraseur de 1792 en successeur de Charlemagne, avait libéré et canalisé les forces bouillonnantes de notre pays. Ce n'était donc pas tout à fait à tort que Napoléon s'identifiait à la France, et qu'il prétendait « coucher » avec elle.

VI

L'HOMME NAPOLÉON

> *NAPOLÉON. – J'aime le pouvoir, moi ; mais c'est en artiste que je l'aime… Je l'aime comme un musicien aime son violon.*
>
> *ROEDERER. – Quand il en joue bien.*
>
> *NAPOLÉON. – Je l'aime pour en tirer des sons, des accords, de l'harmonie, je l'aime en artiste…*

Mais « l'artiste » disait aussi : « Je suis né et construit pour le travail. » Et encore : « Je ne vis que dans la postérité, je travaille à fonder. Je veux établir un bon système d'administration. Un beau matin, j'en suis persuadé, on verra renaître l'Empire d'Occident, parce que les peuples fatigués se précipiteront sous le joug de la nation la mieux gouvernée. » Et cela, à Roederer : « Si je parais toujours prêt à tout, à faire face à tout, c'est qu'avant de rien entreprendre j'ai longuement médité, j'ai prévu ce qui pourrait arriver. Je travaille toujours, en dînant, au théâtre ; la nuit, je me réveille pour travailler. »

Ce ne sont pas ici des vantardises, mais l'expression même de la vérité. Napoléon réunit-il ses ministres, il prolonge la séance fort avant dans la nuit et, pour secouer les somnolences, s'écrie : « Allons, allons, messieurs, réveillons-nous ! Il n'est que deux heures du matin. Il faut gagner l'argent que nous donne le peuple français. »

Au Conseil d'État, il agit de même. Trémont, alors jeune auditeur, affirme : « J'ai assisté à des séances présidées pendant sept heures consécutives par l'Empereur. Son influence stimulante, la prodigieuse pénétration de son esprit analytique, la lucidité avec laquelle il résumait les questions les plus compliquées, le soin qu'il apportait, non pas même à supporter, mais à provoquer la contradiction, produisaient un entraînement égal à celui qu'il exerçait sur l'armée. On s'épuisait de travail comme on mourait sur le champ de bataille. »

Sans doute parce qu'en Napoléon, le chef civil égalait le général, quand il ne le supplantait pas ! La boutade selon laquelle c'est finalement le général qui détrôna l'empereur après l'avoir fait est loin d'être fausse. Dans son métier d'empereur, il restait en effet incomparable. On chercherait en vain celui de nos souverains – Louis XIV excepté, quoique à un degré moindre – qui eût montré autant d'application. Il n'est pas exagéré de dire qu'il a été un bourreau de travail, ce qui lui donnait le droit d'exiger le maximum de ses collaborateurs. Son emploi du temps en atteste.

Il n'est pas rare que, préoccupé par une affaire délicate, il se lève à deux heures du matin. En robe de chambre de bazin blanc en été, de molleton en hiver, un madras noué autour de la tête, il passe de sa chambre à son cabinet de travail. Là, dans la solitude, dans le silence seulement rythmé par le mouvement de la pendule et les pas d'une sentinelle, il étudie ses dossiers, note une idée, prépare les décisions et les dictées du lendemain. Ou bien, pris de soupçon, il contrôle des états financiers. Ou encore, il relit un rapport. Il arrive que l'aube le surprenne en plein travail. Alors il demande un bain, puis, vers cinq heures, se recouche, mais pour se faire réveiller ponctuellement à sept heures. Il ne s'attarde jamais au lit. Il n'est jamais assez malade pour cela. Il ne souffre que de malaises vite jugulés : des rhumes, des douleurs au niveau du foie et des vomissements consécutifs à des repas trop rapides, à l'absence d'hygiène alimentaire. Il est robuste ; du moins le paraît-il. Sa volonté mène tout, y compris sa personne physique.

Le valet Constant ouvre la fenêtre. L'Empereur est gai, presque toujours. Il fredonne un de ses airs favoris, questionne le valet sur les potins du château, avale une tasse de thé ou de feuilles d'oranger. Il prend un bain très chaud, pendant que le secrétaire, Méneval, lui lit les journaux. Entre alors Corvisart, son médecin personnel, qui ne vient point examiner son illustre patient, mais bavarder avec lui. Ensuite, l'Empereur se rase, le mamelouk Roustan tenant le miroir. Après quoi, Constant l'inonde d'eau de Cologne et le frictionne à tour de bras.

« Plus fort, dit le maître, plus fort, comme sur un âne ! »

Il s'habille, toujours aidé par Constant. Ce n'est pas un cérémonial compliqué. Il est inutile de lui proposer plusieurs habits, comme on pratiquait avec les rois. Hormis pour son linge de corps, l'Empereur n'est pas difficile. Sa tenue est quasi toujours la même ; une culotte blanche, des bas de soie blanche, des souliers à boucle d'or, un gilet blanc et une veste d'uniforme. Le dimanche, il endosse le frac bleu de colonel des grenadiers de la Garde. Les autres jours, celui de colonel des chasseurs de la Garde, vert et rouge, avec de misérables épaulettes. Rien en somme ne le distinguerait d'un quelconque officier supérieur, sinon le grand cordon et le crachat de la Légion d'honneur. La croix qu'il porte à sa boutonnière est celle d'un simple chevalier : car il est fréquent qu'il en décore brusquement un soldat ou un visiteur qu'il veut récompenser.

À cette époque, il avoisine 40 ans. Déjà, l'embonpoint le gagne, sans qu'il soit encore obèse. Il n'a cessé de craindre cet épaississement. Ni les courses à cheval, ni la frugalité, ni l'effort physique ne l'empêchent de grossir. Son visage a perdu cette teinte bistre et olivâtre qui lui donnait un aspect maladif et, sous l'effet du hâle, virait au cuivre rouge. Désormais il est d'un blanc mat. Les traits ne sont plus aussi burinés. Les orbites sont moins accusées, car les joues se sont remplies. Le profil a cependant gardé sa netteté. Un masque d'empereur romain taillé dans un marbre pâle, à peine veiné, et dont émane une sorte de fascinante et mâle beauté ! Parfois le masque s'humanise d'un bref sourire, aussitôt repris. Le regard est resté du bleu changeant et profond des saphirs. Cependant ce visage s'applique en vain à l'immobilité. Sous l'influence d'une impression, d'une idée, d'un sentiment un peu vif, d'une émotion, il s'anime, passe de la séduction à la colère, de la mélancolie à la gaieté, de la sévérité à l'ironie. Ce front lisse et courbe est un ciel serein ou traversé de sombres et brusques orages, tantôt lumineux et tantôt obscur. L'œil s'éteint ou s'allume, mais non pas à volonté ! Napoléon a beau prétendre qu'un homme d'État doit avoir le cœur dans la tête, il a aussi ses nerfs et qui, dans certaines circonstances, le trahissent, se traduisant par des accès de fureur, des gestes désordonnés, des convulsions même dont les Anglais insinuent que ce sont des crises d'épilepsie. Tout n'est pas mise en scène dans le comportement de l'Empereur ! Le César est un homme, et parfois un pauvre homme ; là gît sa vraie grandeur, on veut dire son authenticité…

Il est maintenant huit heures. Tel un bureaucrate modèle, il arrive à son bureau où déjà le secrétaire Méneval s'est installé. Il s'assied à son bureau, le dos à la cheminée : il est extrêmement sensible à l'humidité et l'on fait du feu pendant les deux tiers de l'année. Ce bureau d'acajou est en forme de rognon. Il l'a dessiné lui-même et les ébénistes en ont fabriqué un exemplaire pour chacune des résidences impériales. Il présente en son milieu une double encoche qui rapproche Napoléon de son interlocuteur, tandis que les papiers s'accumulent aux deux bouts. C'est un meuble « fonctionnel ».

Sur le cuir vert, devant l'Empereur, est une chemise de papier tellière contenant le courrier qui a été dicté la veille. Napoléon relit, rature, signe. Méneval a classé sur un guéridon les dépêches reçues pendant la nuit et la correspondance arrivée le matin. Napoléon en prend rapidement connaissance. Il a quitté son fauteuil de bureau et s'est assis dans une causeuse, près de la cheminée. Il dicte alors la réponse aux affaires simples et, au fur et à mesure, jette les lettres à terre : c'est « le répondu ». Il a mis de côté « le courant », qui est le courrier dont il s'occupera au cours de la journée, et « le suspens » qu'il se réserve d'étudier plus à fond. C'est en somme un premier « débroussaillage », les premiers exercices de l'athlète... Il se détend ensuite en parcourant le rapport quotidien du préfet de police et les bulletins de police adressés par Fouché, puis les journaux. Il dicte éventuellement quelques canevas d'articles : on n'est jamais si bien servi que par soi-même, et Napoléon a mesuré toute l'importance de la presse et de la propagande, c'est en cet art délicat un maître !

À l'issue de ces lectures (très exactement la consultation du baromètre politique), il lui arrive de dicter les ordres qu'il juge nécessaires.

Méneval est devant l'unique fenêtre, plume d'oie à la main. Il écrit sur des demi-feuilles de papier tellière pliées à mi-marge et préparées à l'avance. Le vrai travail va commencer. Napoléon a repris place au bureau. Il attaque « le courant ». Il dicte comme s'il parlait, sans jamais répéter. Son débit s'accélère à mesure qu'il s'échauffe ou s'irrite. Il s'est levé à nouveau. Il marche dans la pièce, en long, en large, à grands pas, « comme la pendule marque le mouvement d'une horloge ». Le rythme de cette marche coïncide avec la dictée. Terrible besogne pour le secrétaire qui, bien sûr, connaît les tournures favorites du patron, ses manies stylistiques, mais a dû s'inventer une sténographie et des points de repère pour ne rien perdre. Dès que l'Empereur est sorti, il ramasse « le répondu » qui jonche le tapis, le classe avec ses propres notes. Il ne lui reste plus qu'à transcrire...

À neuf heures, en effet, le chambellan gratte à la porte pour annoncer le Lever, comme au temps des rois à Versailles ! Mais ce Lever impérial est réduit à son minimum. Napoléon entre au salon où l'attendent les chefs de service du palais et quelques ministres, parmi lesquels le ministre de la Police est le plus assidu. À cette occasion, les hauts fonctionnaires appelés de province sont présentés à l'Empereur qui leur dit quelques mots ou les interroge longuement. Parfois le dialogue se prolonge jusqu'au déjeuner. Mais, le plus souvent, talonné par le travail, Napoléon l'abrège. Il arrive même que le Lever ne dure guère plus de cinq minutes. Par contre, le Grand Lever qui a lieu le jeudi, est plus animé ; tous ceux qui ont « leurs entrées » au palais ne manquent pas de s'y trouver. On le constate, l'étiquette a dans une certaine mesure été rétablie, mais elle a pris une coloration militaire. Ce sont des revues de personnalités que passe l'Empereur.

Le déjeuner a lieu à dix heures précises, quand l'Empereur ne l'a pas oublié, ou n'est pas absorbé par ses dictées, car, une fois bâclé le cérémonial du Lever, il est retourné à son Cabinet. Il déjeune seul, sur une petite table, en présence d'un préfet du palais et servi par Dunan, le maître d'hôtel. Il mange vite, sans souci des taches de sauce et de la bienséance. Dans sa précipitation, il lui arrive de se servir avec la main. Il aime toujours le poulet à la provençale, rebaptisé Marengo, mais aussi la poitrine de mouton grillée, les côtelettes, les fritures de poissons, les pâtes à l'italienne, les haricots et les lentilles. Il n'est exigeant que sur la bonté du pain. Pour le reste, il prend au hasard d'un plat ou de l'autre. Il boit maintenant de préférence du chambertin coupé d'eau. Il n'a rien d'un gastronome ni d'un amateur de grands crus. Il mange pour se nourrir, en un quart d'heure. Parfois il demande les enfants d'Hortense, de Caroline ou d'Élisa, les taquine et joue avec eux. Un jour, la petite Napoléonne Bacciochi lui fit cette réponse dont le bon oncle se divertit toute la journée : comme il lui reprochait, le sourcil froncé : « Mademoiselle, j'en apprends de belles. Vous avez pissé au lit, cette nuit ? », cette jeune dame du monde (âgée de 5 ans) prit un air pincé : « Mon oncle, si vous n'avez que des bêtises à dire, je m'en vais. »

Pendant ce moment de répit, il aime aussi recevoir ses amis privés, écrivains, peintres, architectes, savants, à savoir David, Denon, Barbier, Talma pour lequel il a une admiration sans mélange. Pour l'Empereur, « un talent, dans quelque genre qu'il soit, est une vraie puissance ». Et il se vante « d'ôter son chapeau » devant Talma : ce dont peuvent rêver les « puissances » d'aujourd'hui passablement laissées de côté, sinon traitées en quantités négligeables... Barbier est bibliothécaire. Il se présente en habit de cour couleur prune, à manchettes de dentelle et boutons dorés, l'épée sur la cuisse et la perruque poudrée, suivi d'un serviteur portant une grande corbeille bourrée de livres. Il rend compte des nouveautés. Il transmet aussi les suppliques des écrivains à l'Empereur. C'est encore lui qui a composé la bibliothèque « portative » qui suit Napoléon en campagne.

La récréation ayant pris fin, Napoléon retourne à son travail. Il poursuit « le courant » et recommence à dicter : tantôt la réponse intégrale, tantôt un simple canevas. Ce qui est affolant pour le secrétaire, c'est qu'il passe sans transition d'une question à l'autre : de la formation d'un corps d'armée à une note diplomatique, d'un état du Trésor à un projet de fortification. Sa mémoire est prodigieuse (un cerveau « à tiroirs »). Mais, comme il le dit lui-même : « Le métier d'empereur a ses outils comme tout autre. » Ce qui signifie que chaque compartiment de son cerveau se complète d'un « livret ». Ces livrets sont des états dressés par chaque ministre, selon un modèle uniforme et aisément maniable. Toutes les quinzaines, ils sont mis à jour. De même, tous les quinze jours, on lui remet une carte de France diversement coloriée et faisant ressortir le prix du blé : pour lui, c'est « un thermomètre de sûreté ».

La besogne ainsi déblayée, Napoléon consent à se délasser. Cela consiste à examiner les comptes du domaine extraordinaire, le livret des dotations, grâces et récompenses. Il gère sa cassette avec tout le sérieux d'un bon bourgeois. C'est un spectacle étrange, réservé au seul Méneval, que de voir le conquérant du monde qui « louis-philipparde » de la sorte. Mais aussi, il a été si pauvre qu'il prend à se sentir à l'aise un plaisir de jeune homme. Sa cassette, c'est en somme son argent de poche, la seule vraie richesse !

Mais, parce qu'il lui faut prendre chaque jour de l'exercice intellectuel et que la lecture est le baume de son existence, l'adjuvant sans pareil et le vrai repos, au milieu des dictées, il saisit un livre, s'empare brusquement d'une brochure, et s'y plonge. Ce peut être *Ermenard*, roman de Mme Gay, un ouvrage de Mme de Genlis ou de Mme de Staël, *Atala* ou le *Génie du christianisme* de ce Chateaubriand qui l'attire par son talent et l'irrite par ses collusions avec le faubourg Saint-Germain, une scène du cher Corneille ou de Racine, un fragment de Tacite ou de César, de Frédéric le Grand ou de Quinte-Curse, ou quelque libelle traduit de l'anglais... Cependant, quand un officier apporte une dépêche, un pli urgent, quelque information importante, on entend :

« Écrivez !... »

Le pas et la voix partent ensemble, et cela peut durer des heures ! Il arrive qu'il lui faille deux secrétaires, voire le renfort d'un aide de camp. À l'un il dicte un ordre à quelque ministre, à l'autre la minute d'un décret, au troisième un message à expédier. César dictait aussi à deux secrétaires ! Dans sa fébrilité, l'Empereur veut aider ses collaborateurs. Il plie la lettre qu'il vient de signer, se brûle les doigts en la cachetant.

Cinq heures sonnent. Napoléon en a (provisoirement) fini avec ce qu'il appelle « le cabinet intérieur ». Commence alors « le cabinet extérieur ». Il se déroule dans le salon voisin où l'on a dressé deux petites tables couvertes d'un tapis vert à franges d'or. Sur chacune, une écritoire ; de chaque côte, le fauteuil du maître et celui de son visiteur. Napoléon prend place à l'une ou à l'autre. C'est l'audience des ministres. Elle a lieu généralement debout, Napoléon marchant. Chaque ministre sort des papiers de son portefeuille ; il ne s'assied que si l'Empereur lui dicte une instruction.

Le mercredi il y a conseil des ministres. Napoléon, toujours assis le dos à la cheminée, le préside. Le ministre secrétaire d'État, qui est secrétaire de séance, lui fait face. Lorsque s'ouvre le Conseil, l'Empereur est aussi dispos que s'il n'avait rien fait depuis le matin. Les dictées du cabinet intérieur, les conversations du cabinet extérieur, n'ont entamé ni ses forces physiques ni sa vivacité intellectuelle, ni son alacrité.

Les lundi, jeudi et samedi, il y a conseil d'administration, où un seul type d'affaires est débattu. Y prennent part le ministre concerné, les chefs de service, voire des fonctionnaires convoqués de province : trésoriers généraux, ingénieurs des ponts et chaussées, ingénieurs ou officiers de marine, etc. Fréquemment, ces conseils, que l'on peut qualifier de « techniques », se prolongent jusqu'à sept heures du soir.

Les mardi et vendredi, l'Empereur préside les séances du Conseil d'État, non point de façon distraite, mais en véritable animateur, ainsi que l'a noté l'auditeur Trémont.

Chaque jour, le travail administratif s'achève avec Maret, responsable de la secrétairerie d'État (rouage essentiel de la machine impériale), qui a pour mission de réunir les procès-verbaux, de rendre les actes exécutoires, de les diffuser et, naturellement, de classer les originaux. Ce sont là les archives vivantes.

Napoléon a eu un joli mot pour définir la charge de Maret : « C'était le grand notaire de l'Empire ».

Entre six et sept heures – mais il est souvent neuf heures et parfois plus ! –, Napoléon rejoint enfin l'Impératrice Joséphine, un modèle de patience. Elle attend son impérial époux en bavardant avec ses dames de compagnie. Elle s'est parée pour lui plaire. Les diamants scintillent à ses doigts et sur sa gorge. Elle dissimule ses rides sous des fards un peu trop marqués peut-être, mais elle a gardé sa sveltesse et ce charme indéfinissable qui, naguère, ont séduit Bonaparte. Aux Tuileries, elle a le privilège de dîner en tête à tête avec lui. À Saint-Cloud, il retient toujours des ministres et des dignitaires à dîner. Ces repas sont d'ailleurs un supplice pour les invités. Ils ne durent pas plus d'un quart d'heure, par exception vingt minutes. Le maître se lève de table et tout le monde s'empresse de l'imiter. Ceux qui ne sont pas habitués ont à peine eu le temps de déplier leur serviette, mais enfin ils ont dîné à la table de l'Empereur ! Les grands officiers, le préfet du palais, les chambellans, les dames du palais et les généraux de la Garde mangent à une table séparée que préside le grand-maréchal du palais. Les officiers de la Garde, le fourrier, les pages, les aides de camp et le chirurgien de service ont également une table à part. Ainsi que les secrétaires, le colonel Bacler d'Albe, maître des cartes et plans de l'Empereur, et les dames de compagnie.

On se rend ensuite au salon de l'Impératrice. On s'installe aux tables de jeu, on forme cercle pour des entretiens privés. Napoléon consent, rarement, à faire une partie de whist ou de vingt-et-un. Il préfère les échecs ou le billard. Mais rien ne vaut pour lui que de se trouver un interlocuteur intelligent ou complaisant : il le gratifie d'une improvisation brillante. La soirée prend fin entre neuf et dix heures, mais il arrive que l'Empereur l'abrège ou prenne congé : des événements graves, ou tout simplement le manque de temps, l'obligent à tenir un conseil nocturne. Lorsqu'il a quitté le salon, la conversation s'anime, les groupes se forment, chacun respire à son aise. En présence de Napoléon, on se surveille, car rien n'échappe aux yeux de l'aigle, et le reproche, ou le trait d'ironie, part comme une balle, dépassant souvent la pensée. Plus d'une fois il a regretté d'avoir fait de la peine. Il est vrai qu'il a dit également qu'il valait mieux blesser que haïr. Mais vis-à-vis des dames, par un reste de timidité, il manque souvent de galanterie.

Le dimanche est jour « de représentation ». On ouvre les grands appartements pour accueillir la Cour au grand complet. Les robes d'apparat, les uniformes chamarrés, les fracs brodés des dignitaires civils se pressent dans les galeries. Dès que paraît le maître dans sa méchante tenue de grenadier, l'atmosphère se raidit. Le programme de la journée commence par une messe en musique à la chapelle, se poursuit par une revue et par une audience diplomatique. Parfois l'Empereur réunit son conseil privé pour examiner les recours en grâce. Le soir, il y a dîner de famille en présence de Madame Mère, puis cercle dans les grands appartements ou spectacle dans la salle du château, car Napoléon aime beaucoup le théâtre, et toujours les tragédies classiques.

Chaque soir, il reçoit les chefs de service du palais et leur distribue ses ordres pour le lendemain. Avant de se coucher, il prend connaissance des dépêches qui viennent d'arriver. Après quoi, il consent tout de même à se coucher.

Telle est la journée type de l'Empereur en temps de paix et, généralement, pendant les mois d'hiver. Car il aime la campagne, les bois. Le grand air lui est indispensable. À la belle saison, il part pour Malmaison, Saint-Cloud, Trianon ou Rambouillet. À l'automne, Compiègne et Fontainebleau ont ses préférences. Pour se tenir en forme, plus que par goût, il participe à des chasses. Elles sont pour lui le prétexte de galopades effrénées. Cependant qu'il soit aux Tuileries ou dans une autre de ses résidences, l'emploi du temps demeure identique, la priorité reste au travail.

À l'armée, il se fait suivre par trois équipages : une voiture de poste, une calèche de service, une brigade de chevaux de selle. La voiture est un coupé jaune, sans ornements superflus, mais confortable. C'est même une sorte de cabinet mobile, avec un matelas pour dormir, une bibliothèque de voyage, un jeu de tiroirs contenant du papier, de l'encre, des dossiers, des instruments de toilette. Quand l'Empereur est à cheval, cette voiture roule à l'arrière-garde. Elle est destinée à de longs parcours. Au contraire, la calèche est utilisée pour les courses rapides, par exemple d'un corps d'armée à l'autre. Berthier, chef d'état-major, y est seul avec Napoléon. Roustan s'assied sur le siège. L'écuyer de service galope près de la portière droite, et le général qui commande l'escorte près de la portière gauche. Cette escorte est formée de chasseurs de la Garde, aux dolmans verts et pelisses rouges. Les aides de camp suivent, avec le page de service qui porte la longue-vue de l'Empereur et le « chasseur du portefeuille » qui porte en bandoulière l'étui à cartes, ainsi qu'une écritoire et un compas. Il y a parfois une deuxième calèche avec le grand-maréchal du palais. En effet, où que Napoléon établisse son quartier général, parfois dans une simple chaumière, l'endroit prend aussitôt le nom de « palais ». On le divise aussitôt en salon de service, cabinet de travail, et chambre à coucher. Quel que soit l'entassement, un ordre parfait y règne et quand Napoléon commande : « À cheval ! », tout le monde est en selle dans la minute qui suit.

Il monte des chevaux arabes, de petite taille, au pelage gris-blanc, dociles, doux au galop et trottant l'amble, admirablement sélectionnés et dressés. C'est qu'il n'a rien d'un écuyer, quoïqu'il monte en casse-cou. Le dos voûté, il tient négligemment les rênes de la main droite et laisse pendre son bras gauche. Son corps se balance à l'allure du cheval, qu'il ne mène pas réellement, mais qui est habitué à suivre les deux chasseurs et les deux officiers ouvrant la marche. Perdu dans ses réflexions, Napoléon va tantôt au pas, tantôt au trot et tantôt au galop sans se soucier le moins du monde des accidents de terrain. Le mamelouk Roustan est alors son valet de chambre à cheval ; il porte la fameuse redingote grise ! L'arrivée d'une dépêche oblige parfois l'Empereur à mettre pied à terre. Établi sur le revers d'un fossé, il dicte en hâte une réponse.

Quand on fait halte, les valets avancent le mulet qui porte la cantine. Ils étendent sur l'herbe la nappe de cuir qui recouvre les paniers, installent les provisions. On forme cercle autour de l'Empereur. Chacun se sert et mange gaiement. Napoléon est dans sa famille militaire, celle qui a son cœur. S'il y a de la brume ou s'il fait froid, les chasseurs improvisent un feu. L'Empereur bivouaque !

Pendant les batailles, il se tient à l'arrière, au centre de la zone d'opérations et sur une éminence afin d'avoir une vue d'ensemble, de discerner le point faible et de donner ses ordres en conséquence. Une partie de la Garde est devant lui, et l'autre derrière. Il n'est jamais si loin que les boulets ne ricochent jusqu'à lui : mais le danger le laisse indifférent ; il croit en son étoile.

Le quartier général, en rase campagne, se compose de trois tentes : celle de l'Empereur, celle des officiers de sa Maison et celle du major général. Elles sont en coutil blanc rayé de bleu et frangé de laine rouge.

La tente de Napoléon se divise en deux pièces : le cabinet, avec une table à écrire, un fauteuil couvert de maroquin rouge, deux tabourets (l'un pour le secrétaire, l'autre pour l'aide de camp de service) ; la table et les sièges sont pliants. Et la chambre, meublée d'un lit de fer (démontable) à sangles, avec des rideaux de soie verte, un nécessaire de toilette et, pour descente de lit, le tapis de pied de la calèche. La tente est elle-même en double épaisseur, l'intervalle servant de corridor et de magasin : là dort le fidèle mamelouk. L'aide de camp et le secrétaire s'allongent comme ils le peuvent dans le cabinet.

La tente peut être dressée en quelques minutes. Tous les accessoires sont contenus dans des tubes de cuir numérotés, et portés à dos de mulet. Le lit mérite une mention spéciale : l'Empereur aime à le montrer ! Il a six pieds de long, trois de large, quatre de haut. C'est un ingénieux système de tiges d'acier s'ajustant aisément. C'est aussi un mulet qui a l'honneur de le transporter : les deux matelas et les rideaux, roulés dans un sac de cuir, attachés sur le bât ; de part et d'autre les fourreaux contenant les pièces métalliques. Les valets de pied de la Maison sont responsables de cette installation. L'entraînement ne leur manque certes pas ! Mais il leur arrive de monter cet ensemble, alors qu'il est nuit close, à la lueur de deux ou trois méchantes lanternes balancées par le vent. Le maître attend, en faisant les cent pas ; déjà, il s'impatiente...

Si le campement se maintient plusieurs jours dans un même lieu, l'Empereur y travaille comme s'il était aux Tuileries. On a donc retiré du fourgon spécial les sacs de cuir dans lesquels on a placé les portefeuilles, livrets des ministres, « munitions de bureau ». On a disposé aussi les cassettes en acajou contenant la bibliothèque portative, dont les livres sont toujours rangés selon le même ordre. Car, et ce point est capital, le général reste l'Empereur : ce qui signifie qu'en campagne, non seulement il doit échafauder ses plans, ordonner les mouvements des troupes, régler le moindre détail, mais encore administrer l'empire. Sous la fameuse tente à raies bleues, il signe des décrets, stimule les ministres, étudie, comme aux Tuileries, à Saint-Cloud ou à Fontainebleau, rapports, informations de police, états de trésorerie, etc. Il trouve même le temps de parcourir les journaux et de dicter quelques embryons d'articles pour le *Moniteur*, puis, sa journée finie, d'ouvrir l'un de ses livres préférés afin de se laver l'esprit... C'est bien réellement, ainsi que l'observait le lieutenant Chevalier, un être un peu plus qu'humain, infatigable, increvable, une force de la nature. La même terrible volonté le guide et le soutient. Il reste cinq ou six heures à cheval, sous la pluie, dans les rafales de vent, sans s'en apercevoir. Sa tyrannie, il se l'inflige d'abord à lui-même, et plus qu'à tout autre, sachant la valeur de l'exemple. Il est vrai qu'il peut dormir et s'éveiller quand il le veut, cinq minutes ou quatre heures. Mais, quelles que soient ses exigences et ses brusques colères, il est, vis-à-vis de ses serviteurs, de ses familiers, la bonté même, bien qu'il n'en laisse rien paraître et tourne le dos pour ne pas entendre un merci. Ses pincements d'oreille bien connus, ses bourrades traduisent une espèce de camaraderie. L'armée le rend un peu à sa jeunesse. La guerre réveille en lui le petit général de 1793, de la première campagne d'Italie et, il faut le dire, multiplie son génie.

Et voici, pour ajouter une dernière touche au portrait de Napoléon de la quarantaine, ces quelques notules. Pour le général Dumonceau qui le vit à Schoenbrunn en 1805 : « Son abord était calme et froid, sa parole brève, sans brusquerie, son regard fixé sur celui qu'il interrogeait, sa démarche naturelle, sans aucune prétention. » Mais pour l'un de ses secrétaires, le baron Fain, il marchait un peu courbé, les mains dans les poches, et sinon se dandinait, les mains derrière le dos. Pour Pasquier, conseiller d'État : « Les traits de sa figure calme et sérieuse rappelaient les camées représentant les empereurs romains. Il était petit, et cependant l'ensemble de sa personne était en harmonie avec le rôle qu'il avait à soutenir. L'habitude du commandement et le sentiment de ses forces la grandissaient. » Pour le colonel de Gonneville qui venait d'assister à une revue du Carrousel : « L'Empereur était loin d'avoir la tournure martiale et terrible du personnage que, dans mon ignorance, j'avais pris pour lui. Il portait une redingote grise de la plus simple apparence, un petit chapeau à ganse noire, sans autre ornement que la cocarde, etc. Il montait un admirable cheval arabe gris. » Molé, qui s'est donné le loisir d'observer l'Empereur au Conseil d'État, veut raisonner son admiration : « Sa tête était superbe et n'en rappelait aucune autre. Sans avoir grande foi dans le système de Gall, à la profondeur de sa tête, à la conformation de son beau front, à l'enchâssement de ses yeux, aux belles proportions de son visage et à la régularité de ses traits, enfin à son regard perçant et voilé plutôt que doux, à son sourire plus dénigrant que gai, et plutôt moqueur que caressant, je crus reconnaître toutes les facultés qui élèvent l'homme et le rendent propre à dominer, mais aucune des qualités qui le font aimer ou simplement estimer. » Le baron Fain, qui travaillait avec l'Empereur des journées entières, était à même de bien le connaître et de se faire une opinion solide ; il écrit : « La régularité de ses traits prenait facilement dans le travail et la préoccupation une teinte de sévérité imposante. Mais, dans le laisser-aller de l'intimité, son sourire reprenait une grande amabilité. Il riait rarement. Quand il riait, il poussait des éclats. Mais c'était plutôt pour forcer l'ironie que par grosse joie. Au surplus nul visage d'homme ne changeait plus vivement au gré des impressions de l'âme. De ce même regard qui, naguère, était caressant, tout à coup il sortait des éclairs. »

Mme de Rémusat, qui s'ennuyait ferme aux Tuileries, mais était ravie d'en être, porte ce jugement très féminin, toutefois perspicace : « … Dans aucune occasion il ne voulait manquer à son système favori, qui était de tenir les esprits, ce qu'il appelait en haleine, c'est-à-dire en inquiétude. »

Mais Napoléon livrait sans doute la clef de son caractère, quand il confiait à Roederer : « Il y a en moi deux hommes distincts : l'homme de la tête et l'homme du cœur. »

VII

NAPOLÉONIDES ET MARÉCHAUX

Je suis très honnête homme ; j'ai la bêtise de croire à la sainteté des liens de famille.

NAPOLÉON, à Montholon

On apprend en marchant, et je vois aujourd'hui combien le principe fondamental des anciennes monarchies de tenir les princes de la maison régnante dans une perpétuelle dépendance du trône est sage et nécessaire. Mes parents m'ont fait beaucoup plus de mal que je ne leur ai fait de bien.

NAPOLÉON, à Metternich

L'incroyable ascension de Napoléon avait nécessairement entraîné la fortune des Bonaparte. Fortune qui se traduisait à la fois par une extraordinaire promotion sociale et par un enrichissement propre à donner le vertige. Le jour du Sacre, on sait que l'Empereur laissa échapper cette exclamation : « Ah ! Joseph, si notre père nous voyait ! » qui pouvait passer pour le comble du ridicule ou pour sublime. Mais si Napoléon restait lucide au milieu des grandeurs et percevait leur fragilité, tout autres se révélèrent les frères et sœurs qui se crurent « nés » et donc ne se privèrent pas de se disputer l'héritage fictif « du feu roi notre père ». Seule de la famille, Madame Mère, la hautaine et secrète Letizia, gardait assez les pieds sur terre pour douter de l'avenir. Napoléon n'a cessé de la révérer ni de célébrer son grand caractère, sa force d'âme, son élévation et sa fierté. Destin digne de Shakespeare, ou de Plutarque, que celui de cette femme sortie de rien, mère d'un empereur, de trois rois, d'une reine et de princesses souveraines, et, après la catastrophe, restant assez haute et digne pour imposer le respect à l'Europe victorieuse de son fils. Très certainement Napoléon tint d'elle cette force intérieure expliquant en partie sa réussite. Inversement, Madame Mère fut certainement la première à l'assaillir de requêtes, de suggestions, pour qu'il s'occupât de ses frères et sœurs, ne les laissât pas dans la « misère ». Il l'écoutait par trop volontiers. C'était là la corde sensible, la faiblesse du grand homme. Il se considérait depuis la mort de Charles comme étant l'aîné de la famille, le responsable et le protecteur de la tribu. Peut-être aussi le fait de distribuer des places et de l'argent, puis des titres et des royaumes, à la nichée des Bonaparte, flattait-il sa vanité. « Napoléon, notait Metternich, avait un grand faible pour sa famille. Bon fils, bon parent, avec ces nuances que l'on rencontre plus particulièrement dans l'intérieur des familles bourgeoises italiennes, il souffrait des débordements de quelques-uns des siens sans déployer une force suffisante pour en arrêter le cours, lors même qu'il aurait dû le faire dans son intérêt évident. » Et le général Rapp va plus loin : « Tous, excepté sa mère, ont abreuvé Napoléon d'amertume. Il n'a cependant cessé de leur prodiguer les biens et les honneurs. »

Joseph avait été destiné, on s'en souvient, à l'état ecclésiastique, mais il n'avait pu se résoudre à s'engager. Bel homme, fort intelligent et cultivé, il aimait pardessus tout le farniente et les dames. Il s'était bravement mis à la remorque du petit général dès que celui-ci avait percé. Napoléon éprouvait à son égard une sorte de respect instinctif : celui du cadet pour son aîné. Ce fut bien la seule raison pour laquelle il l'avantagea très nettement. Car, pour le reste, il le jugeait à sa mesure, indolent, sceptique et vaniteux. Il fit de lui, lors du grand remaniement de l'Europe, un roi de Naples, ce qui était, relativement, acceptable. Mais il le promut ensuite roi d'Espagne, et le malheur fut que Joseph se prît pour un grand capitaine. Mais enfin il resta au moins fidèle à son empereur de frère, lors de la débâcle.

Lucien pouvait être tout, et ne fut rien. C'était après Napoléon, le plus doué des Bonaparte, mais aussi le plus conscient de sa valeur, le plus obstiné dans ses décisions, bonnes ou mauvaises, le plus aventureux. À Sainte-Hélène, Napoléon disait : « Lucien eut une jeunesse orageuse ; dès l'âge de 15 ans il fut mené en France par M. de Sémonville, qui en fit de bonne heure un révolutionnaire zélé et un clubiste ardent. » Lancé très tôt dans la politique, pour laquelle il était fait, on sait le rôle qu'il assuma le 18 Brumaire en tant que président du Conseil des Cinq-Cents. Orateur de talent, rompu aux affaires, il aurait pu seconder puissamment son frère. Encore eût-il fallu qu'il consentît à plier devant lui. Napoléon lui offrit vainement les trônes d'Italie, du Portugal et d'Espagne. La seule condition que mettait l'Empereur, soucieux de moralité, était que son frère divorçât. Lucien avait épousé une ci-devant femme galante, Alexandrine de Bleschamp, veuve Joubherton. Comme Napoléon lui reprochait son « sot » amour pour une putain, l'autre répliqua du tac au tac : « Au moins la mienne est-elle jeune et jolie. » Allusion directe au passé un peu trouble de Joséphine. Bref, Lucien ne céda pas, préféra l'exil et la « persécution ». Il ne revint en France qu'aux Cent-Jours, quand il n'était plus temps...

Louis, c'avait été le petit frère emmené à Auxonne, nourri, éduqué, instruit par le lieutenant Bonaparte. À cause de ces souvenirs communs, l'Empereur l'aimait. Il eût voulu faire de lui un grand prince. Mais Louis avait reçu en Italie la visite nocturne d'une dame qui l'avait gratifié d'une maladie vénérienne si grave que toute sa vie en fut perturbée et diminuée. Marié, quasi de force, à Hortense de Beauharnais, il ne cessa d'être malheureux et d'infliger à sa femme les pires humiliations. En peu d'années, Louis fut général, gouverneur de Paris et roi de Hollande. Mais, une fois installé à Amsterdam, il oublia qu'il devait sa couronne à Napoléon, manifesta des velléités d'indépendance sous le prétexte de défendre « son peuple ». Et, lui aussi, préféra résilier son trône et s'exiler plutôt que de reconnaître ses torts. Lorsque Napoléon eut connaissance des mémoires écrits par le petit frère, il soupira : « Quoi ! Louis aussi ! »

Jérôme était encore adolescent lorsque Napoléon devint Premier Consul. On ne peut lui reprocher d'avoir jamais manqué de déférence envers lui. Il était au contraire la docilité même, pourvu que l'on payât ses dettes et qu'il pût prendre de la vie ce qu'elle avait de meilleur. Au cours de ses navigations – puisqu'il prétendait être marin –, il avait épousé une fillette de Baltimore, Elisabeth Patterson. Fureur de l'Empereur ! Lequel de ses frères aurait donc conscience du rang des Bonaparte, comprendrait que les frasques de la famille intéressaient désormais l'Europe entière, éclaboussaient la Dignité impériale ? Mais Jérôme n'avait pas les entêtements de Lucien ; c'était un joyeux fumiste, à condition qu'on le dédommageât, il consentait à tout ce qu'on voulait. Il se laissa donc divorcer d'avec son Américaine et remarier avec Catherine de Wurtemberg. Récompense : la couronne de Westphalie. Comme roi, il se distingua principalement par ses galanteries, son goût du faste et ses gaspillages. L'Empereur le renflouait, après avoir soulagé sa bile. Aux heures noires, Jérôme crut opportun de trahir.

L'aînée des sœurs Bonaparte, et la plus laide, Élisa, mariée à l'obscur Bacciochi, fut faite grande-duchesse de Toscane. Elle s'institua promptement préfète et lieutenante de l'Empereur au-delà des Alpes. Par plus d'un point elle lui ressemblait. Il disait d'elle : « C'était une maîtresse femme. Elle avait de l'esprit, une activité prodigieuse et connaissait les affaires de son cabinet et de ses États aussi bien qu'eût pu le faire le plus habile diplomate. Elle correspondait directement avec ses ministres, leur résistait souvent et quelquefois me forçait à me mêler aux discussions. » Bacciochi en était, bien entendu, réduit au rôle de prince consort. Cependant Élisa trahira elle aussi son frère, en se concertant avec le roi de Naples (Murat) pour tenter de conserver son grand-duché.

Pauline fut la plus belle femme de son temps : en témoigne l'admirable nu de Canova ! Mais aussi l'immoralité faite femme ! Mais encore la plus déraisonnable des Bonaparte, et la plus facétieuse : à la Cour, elle singeait les dignitaires, tirait la langue à Joséphine, se permettait les pires réflexions. Veuve du général Leclerc, on l'avait remariée au prince Camille Borghèse, époux complaisant. Napoléon ne lui accorda en propre que le petit duché de Guastalla. Il la savait bonne à rien, sauf à répandre la gaieté autour d'elle et à faire l'amour qui était la seule occupation de sa vie. Mais, à la fin de l'Empire, cette tête folle ne varia point et montra pour Napoléon autant d'affection que naguère. Pour elle, il n'était pas l'Empereur, mais Napoléon Bonaparte, natif d'Ajaccio, son frère.

Caroline, mariée au beau Murat, était dévorée d'ambition. À force d'assiéger Napoléon de prières, elle finit par obtenir un royaume : celui de Naples. Et ce fut elle qui, sentant le vent tourner, poussa cyniquement son mari hors du droit chemin, trahison qui le conduisit d'ailleurs au tombeau. Napoléon n'avait cependant pas grande opinion de son beau-frère, il le jugeait même sévèrement : « Si Murat n'avait pas été mon beau-frère, je n'aurais jamais pensé à lui pour le royaume de Naples. Je savais bien qu'il était mauvaise tête, mais je croyais qu'il m'aimait. »

Quant à Eugène de Beauharnais, son beau-fils, il n'eut également avec lui que des déceptions, mais d'une autre sorte. L'ayant élevé comme son propre enfant, il le couvrit de titres, le nomma vice-roi d'Italie, l'adopta, le maria à la fille du roi de Bavière. Un temps, il crut pouvoir en faire son héritier. Force lui fut de constater qu'Eugène avait plus de bonne volonté que de talent, et qu'il manquait de caractère. Et l'ex-vice-roi, déçu dans ses espérances, crut lui aussi avantageux d'abandonner son bienfaiteur.

Telle était donc la famille Bonaparte. On ne peut que s'étonner que le jugement de Napoléon ait pu si longtemps s'égarer sur le compte de ses frères et sœurs dont le dénominateur commun restait, sauf exception, l'envie. Mais cet homme était comme les autres hommes, ni plus ni moins : il avait un cœur ; la solitude du pouvoir, il en sentait le poids :

« Croit-on que les affaires se conforment toujours à notre désir ? disait-il à Girardin. Vont-elles mal, nous sommes accablés sous leur poids. C'est alors que les épanchements du cœur sont nécessaires. Ils deviennent un véritable besoin. Mais où déposer les secrets de ce cœur, lorsqu'on promène autour de soi ses regards sans avoir la certitude de rencontrer ceux d'un ami ? »

Ses amis eussent pu être ces soldats de fortune dont il avait fait des maréchaux, des princes et ducs, qu'il avait couverts d'honneurs et d'argent ! Bernadotte, ancien sergent « Belle-Jambe », maréchal en 1804, prince de Pontecorvo en 1806, deviendra prince, puis roi de Suède. Berthier est prince souverain de Neuchâtel et Valangrin ; il sera prince de Wagram en 1809. Marmont sera duc de Raguse. Ney, duc d'Elchingen et prince de la Moskova. Davout, duc d'Auerstaedt et prince d'Eckmühl. Avant de devenir roi, Murat sera grand-duc de Berg et de Clèves. Bessières sera duc d'Istrie. Et Lannes, duc de Montebello. Pour n'en citer que quelques-uns... Rares seront ceux qui resteront fidèles jusqu'au bout, comme Ney. Presque tous quitteront le navire qui fait eau, pour sauver les biens, les grades, la fortune qu'ils tiennent de l'Empereur. Certains, les plus excusables, auront prématurément vieilli, ne se sentiront plus capables d'affronter les intempéries et la mort. À Sainte-Hélène, Napoléon eut un mot très juste à leur sujet : « J'ai été plus abandonné que trahi. »

Mais, à la période où nous sommes, celle de l'apogée, tous ces maréchaux servent avec zèle, Bernadotte excepté (mais à cause de Désirée Clary, l'Empereur pardonne beaucoup !). Certains ont encore le privilège de tutoyer Napoléon, comme au temps de Castiglione, de Rivoli, ou de la bataille des Pyramides. Lasalle, Rapp, Junot « La Tempête », Lannes, sont de ceux-là. Ils peuvent encore dire tout ce qui leur passe par la tête, sans que l'ancien camarade Bonaparte se formalise. Exemple, ce dialogue rapporté par le capitaine Coignet :

LANNES. – Le sang d'un Français vaut mieux que toute la Pologne !

NAPOLÉON. – Si tu n'es pas content, va-t'en !

LANNES. – Non, tu as besoin de moi.

Au bout du compte, ses vrais fidèles et sa vraie famille, faut-il le répéter ? ce sont les soldats. Il les aime, parce qu'il est l'un d'entre eux. La nuit, il va d'un bivouac à l'autre, s'arrête devant le feu, demande ce qui bout dans la marmite, goûte une pomme de terre sans grimacer, pouffe de rire en entendant une drôlerie, échange des quolibets, connaît les mots qui plaisent aux humbles et ceux qui ragaillardissent. Il arrive qu'on abuse un peu de sa bonté, mais il sait qu'il demande tant contre si peu : les quelques sous de la solde, une toute petite parcelle de gloire ! Il sait aussi que, le lendemain, il parcourra le champ de bataille, et ce qu'il y verra.

Mais il est aussi l'homme qui a dit : « Je sens en moi de l'infini. » Et : « Je me dois à ma gloire. Si je la sacrifie, je ne suis plus rien. »

CINQUIÈME PARTIE

LES FAUTES

(1807-1812)

... Déjà, dans sa pensée immense et clairvoyante,
L'Europe ne fait plus qu'une France géante,
Berlin, Vienne, Madrid, Moscou, Londres, Milan,
Viennent rendre à Paris hommage une fois l'an,
Le Vatican n'est plus que le vassal du Louvre,
La terre à chaque instant sous les vieux trônes [s'ouvre
Et de tous leurs débris sort pour le genre humain
Un autre Charlemagne, un autre globe en main...

....

Il méditait toujours son projet surhumain,
Cent aigles l'escortaient en empereur romain,
Ses régiments marchaient, enseignes déployées ;
Ses lourds canons, baissant leurs bouches essuyées,
Avec un bruit d'airain sautaient sur leurs affûts...

VICTOR HUGO, *Les Feuilles d'automne*

I

LE CATÉCHISME IMPÉRIAL

Il rapetisse l'histoire, et il agrandit l'imagination.

Mme d'HOUDETOT

Que ne s'en est-il tenu au superbe empire de 1807 ? L'Autriche, la Prusse étaient réduites à l'impuissance ; la Russie avait fait alliance. L'Europe était soumise à Napoléon, avec désormais pour capitale Paris. À l'intérieur de la France, l'opposition, les anciens partis n'osaient plus rien tenter. Les catholiques, les protestants, les juifs, les francs-maçons et les athées n'étaient plus que des Français. L'amalgame opérait ses bienfaits, encore qu'il fût encore un peu illusoire et que le Faubourg restât à l'écart, non toujours sans regrets ! Un glissement insensible, mais constant, s'opérait vers une sorte d'aristocratisation de la société, on veut dire un nivellement vers le haut, vers plus d'aisance et de bonheur. Encore quelques années de paix, et la nation eût été régénérée, eût connu une prospérité, une puissance, un rayonnement sans égal. La jeunesse elle-même s'apprêtait à prendre la relève et rêvait, comme il est naturel, de destinées éclatantes ; il en sortira, faute d'emploi, le mouvement romantique : on écrira ce qu'on ne pouvait plus vivre, car ce n'est pas rien que de grandir au milieu des uniformes et au son des tambours. Donc tout pliait devant le génie de cet homme, tout lui obéissait et s'appliquait à l'imiter. Il croyait néanmoins, avec, sous son orgueil incroyable, une espèce d'humilité, qu'il ne pourrait se soutenir sans un surcroît de gloire ; que chaque année devait apporter sa ration de victoires, de conquêtes, d'entreprises toujours plus audacieuses ; qu'il régnait d'abord sur l'imagination de son peuple. Il croyait aussi qu'il n'y avait point de dynasties durables sans intervention de la Providence. D'où le Sacre ! D'où la formule « Empereur des Français par la grâce de Dieu ». Ce n'était pas assez. Il obtint des évêques et du Saint-Siège leur accord pour la promulgation d'un décret définissant le nouveau catéchisme. On l'intitula *Catéchisme de Bossuet*, et on y inséra la doctrine de l'évêque de Meaux. Pourquoi ce choix ? Napoléon répond lui-même : « Le jour où par bonheur je rencontrai Bossuet, où je lus, dans son *Discours sur l'histoire universelle*, la suite des empires et ce qu'il dit magnifiquement des conquêtes d'Alexandre, et ce qu'il dit de César qui, victorieux à Pharsale, parut en un moment par tout l'Univers, il me sembla que le voile du temple se déchirait du haut en bas et que je voyais les dieux marcher. Depuis lors cette vision ne m'a plus quitté, en Italie, en Égypte, en Syrie, en Allemagne, dans mes journées les plus historiques. » Or, selon l'évêque de Meaux, c'est la Providence qui fait l'Histoire, gagne les batailles, défait les règnes, suscite les hommes d'exception, guide leurs pas, les précipite vers leur ruine, et cela quels que soient leurs talents : ils ne sont au bout du compte que les instruments de Dieu et les expressions momentanées de sa volonté. Désormais, Napoléon – dont cependant les croyances sont assez floues – se range dans la catégorie des prédestinés. Il n'est pas né roi, mais la Providence l'a fait empereur, parce qu'il en devait être ainsi. Quelle force aux yeux des crédules et des enfants ! On lit dans le *Catéchisme* de 1806 :

Demande : *Quels sont les devoirs des chrétiens à l'égard des princes qui les gouvernent, et quels sont, en particulier, nos devoirs envers Napoléon Ier, notre Empereur ?*

Réponse : *Les chrétiens doivent aux princes qui les gou-*

vernent, et nous devons en particulier à Napoléon Ier, notre Empereur, l'amour, le respect, l'obéissance, la fidélité, le service militaire, les tributs ordonnés pour la conservation et la défense de l'Empire et de son trône. Honorer et servir son empereur est donc honorer et servir Dieu lui-même.

Demande : *N'y a-t-il pas de motifs particuliers qui doivent plus fortement nous attacher à Napoléon Ier, notre Empereur ?*

Réponse : *Oui, car il est celui que Dieu a suscité dans les circonstances difficiles, pour rétablir le culte public de la religion sainte de nos pères, et pour en être le protecteur. Il a ramené et conservé l'ordre public par sa sagesse profonde et active ; il défend l'État par son bras puissant ; il est devenu l'oint du Seigneur par la consécration qu'il a reçue du Souverain pontife, chef de l'Église universelle.*

Demande : *Que doit-on penser de ceux qui manqueraient à leurs devoirs envers notre Empereur ?*

Réponse : *Selon l'apôtre saint Paul, ils résisteraient à l'ordre de Dieu même, et se rendraient dignes (*sic !*) de la damnation éternelle...*

Toutefois, comme on l'indique plus loin, la publication de ce catéchisme était liée aux problèmes spécifiques de l'enseignement primaire. Car ce qui distingue absolument Napoléon de l'espèce commune des tyrans, c'est la tolérance. Si, par suite de la signature du Concordat, l'Église romaine avait été reconnue comme étant la religion de la majorité des Français et, dans une mesure relative, celle du gouvernement, elle n'avait cependant pas pour autant le caractère exclusif d'une religion d'État. Elle coexistait avec l'Église réformée. Jamais il ne vint à l'esprit de Napoléon de pratiquer la politique de Louis XIV en ce domaine, persécutant les jansénistes et les protestants avec un acharnement égal. S'il se méfiait, non sans raisons, de certaines sectes parareligieuses, tel le mouvement théophilanthropique, il avait pour les croyances religieuses une bienveillance appuyée. « Si je gouvernais un peuple de juifs, déclarait-il, je rétablirais le Temple de Salomon. » Ce n'étaient pas là vaines paroles de propagandiste, mais l'expression même de ses convictions. Pour lui c'était respecter la souveraineté du peuple que d'assurer pleinement la liberté de croire et de suivre le culte de son choix. Précisément, son attitude envers les juifs est à cet égard tout à fait typique. Il fut le premier souverain à se pencher sur la difficile question posée par l'insertion des israélites dans la société. Il fut aussi le premier à leur conférer un véritable droit de citoyenneté, à les transformer en Français à part entière ! Or, depuis la destruction de leur antique royaume, c'étaient des errants, des proscrits, offerts à toutes les humiliations, vivant enfermés dans des ghettos, ne pouvant de ce fait s'identifier à aucun peuple d'Occident. Les révolutionnaires, dans un grand élan de fraternité, leur avaient bien entendu accordé la citoyenneté française. Mais les choses en étaient restées là. Bien plus, Robespierre n'avait pas craint d'évoquer à la tribune de la Convention, les « vices » et « l'avilissement » des juifs, tout en reconnaissant, il est vrai, qu'ils étaient la conséquence du traitement qu'on leur avait infligé. Toutefois l'Incorruptible ne fit rien pour empêcher qu'on les guillotinât sous le seul motif d'être juifs. Sous le Directoire, la situation était identique, condamnant les israélites à vivre dans une semi-clandestinité, leurs synagogues restant fermées. Cependant un faible espoir se dessinait. Dès la première campagne d'Italie, Bonaparte avait affranchi les juifs, notamment ceux des États pontificaux. Pendant la campagne d'Égypte, lors de l'expédition de Syrie et du siège de Saint-Jean-d'Acre, il avait appelé les juifs à se rallier sous ses drapeaux, afin de « restaurer l'antique Jérusalem ». Dans l'hypothèse où Saint-Jean-d'Acre eût capitulé, peut-être eût-il reconstitué le royaume d'Israël aux dépens des Arabes. Cette bienveillance du jeune général à l'égard de leurs coreligionnaires fut connue des israélites d'Occident qui, dès le début du Consulat, osèrent tenter plusieurs démarches en vue d'obtenir le droit de citoyenneté. Les juifs parisiens organisèrent une grande cérémonie religieuse pour célébrer le sacre de l'Empereur. Une pétition lui fut présentée, lui demandant

« d'achever sa gloire » en libérant Israël. En tant que continuateur de la Révolution, Napoléon ne pouvait opposer un refus : il se devait de transcrire dans les faits les décisions prises par la Constituante et la Convention. En tant qu'empereur, il ne pouvait se satisfaire d'accorder suite à la requête des juifs, il lui fallait assumer le rôle de régénérateur d'Israël, en sorte que l'intégration ne fût point seulement théorique mais effective et utile : les juifs avaient trop longtemps vécu à l'écart pour que la nécessité d'un véritable changement de mentalité n'apparût pas à Napoléon. Par ailleurs, et malgré les bouleversements de la Révolution, la vieille haine des chrétiens pour les bourreaux de Jésus et les usuriers rapaces persistait. Il se heurtait donc à une opposition très dure, venant simultanément de l'extrême gauche et de la droite. Le Conseil d'État lui-même ne cachait pas son hostilité. Très astucieusement l'Empereur prit le biais de la lutte contre l'usure, par conséquent de la réorganisation des communautés juives, pour en arriver à la promulgation d'un véritable statut d'Israël en France.

Le 26 juillet 1806, il réunit une assemblée juive d'une centaine de délégués. Le portrait de l'Empereur en costume de sacre avait été placé dans la salle. Des discours enthousiastes furent prononcés, dont l'enflure fera sourire, mais situe l'atmosphère de la réunion : « Voici qu'avec les nuées du ciel nous est venu le fils de l'homme à qui l'Ancien des jours a donné le royaume et la puissance ! » ou encore : « C'est du plus grand des princes que je veux louer les exploits et les bienfaits, car aucun mortel n'a égalé sa grandeur. » En fait, l'assemblée devait répondre à un questionnaire très précis, dans le but d'appliquer le Code civil aux israélites. Application d'autant plus délicate qu'elle impliquait la rectification de plusieurs concepts touchant à la religion même. Ce qui explique la raison pour laquelle l'Empereur décida de réunir un sanhédrin, ou tribunal suprême en matière de foi. Audace énorme, si l'on y réfléchit quelque peu : le sanhédrin n'avait pas siégé depuis la chute de Jérusalem et la fin du royaume d'Israël. Il se sépara en avril 1807, après avoir arrêté les dispositions attendues : suppression de la polygamie, approbation des mariages avec des chrétiens, obligation religieuse d'obéir à la législation de l'Empire, interdiction des prêts usuraires. Au cours de ses réunions, on entendit ces paroles mémorables : « Ô Israël, sèche tes larmes, car ton Dieu a jeté ses regards sur toi et vient renouveler son alliance. Grâces soient rendues au libérateur de ton peuple, au héros à jamais célèbre qui enchaîne les passions humaines comme il a su confondre l'orgueil des nations. Il élève les humbles et rabaisse les superbes : image sensible de la divinité, qui se plaît à dissiper la vanité des hommes. Ministre de l'éternelle justice, etc. »

Cette assimilation osée de Napoléon à Dieu ne devait pas absolument lui déplaire, lui qui regrettait de ne pouvoir, comme Alexandre le Grand, se réclamer d'une naissance divine ! Mais il n'eut certes pas moins de plaisir à entendre le représentant des juifs du Midi : « Nous ne formons plus une nation dans la nation. La France est notre patrie. Israélites, telle est aujourd'hui votre situation. Vos devoirs sont tracés ; votre bonheur est préparé... »

Par ses décrets de 1808, Napoléon conférait le droit de citoyenneté aux juifs de France et d'Italie. Il reconnaissait le culte hébraïque. Les juifs avaient l'obligation d'adopter les normes de l'état civil, en choisissant un patronyme fixe et des prénoms. Ils ne pouvaient cependant exercer un commerce sans autorisation du préfet, cette restriction visant à limiter l'usure et à donner satisfaction aux populations de l'Est un peu trop pressurées par les prêteurs juifs. Le progrès était immense, bientôt accéléré par l'appui du pouvoir aux israélites investissant leurs fonds dans les manufactures et le grand commerce. Le « Concordat » d'Israël est un nouvel exemple de l'amalgame impérial.

On relève à l'égard de l'enseignement des méthodes identiques, tendant au même but d'unification. Au début du Consulat, la situation de l'enseignement primaire est lamentable, nonobstant les grandes décisions révolutionnaires. L'enseignement secondaire est dispensé par des écoles centrales (une pour 300 000 habitants). Quant à l'enseignement supérieur, il est resté, malgré quelques créations heureuses, à l'état embryonnaire faute de moyens. La médiocrité de l'enseignement public avait largement favorisé le développement des écoles privées, au grand dam des jacobins. Bonaparte fit donc préparer divers projets qui, remaniés, devinrent la loi du 11 floréal an X. On se bornera à en indiquer le cadre, d'autant qu'elle fut complétée à plusieurs reprises et que son application resta inachevée. L'école primaire restait la parente pauvre, dont les charges se partageaient entre les communes et les familles. Les écoles confessionnelles étant aussi nombreuses furent soumises à un agrément et à des contrôles. On comprend dès lors l'intérêt que présentait le *Catéchisme de Bossuet* : c'était un instrument de gouvernement d'autant plus efficace qu'il s'adressait à la jeunesse. Les écoles secondaires étaient intermédiaire entre l'école primaire et le lycée ; elles revêtaient, toutes proportions gardées, le caractère d'établissements techniques, les humanités y cédant le pas aux sciences exactes. Les lycées étaient des pépinières d'officiers, d'ingénieurs, de juristes ; ils préparaient les cadres futurs de la nation. Les élèves – tous internes – étaient soumis à une discipline rigoureuse. Groupés en compagnies, ils évoluaient au son du tambour. Dans les cérémonies officielles, les grands défilaient en armes et en uniforme. L'enseignement supérieur complétait l'enseignement des lycées. Un effort particulier fut consenti dans le domaine du droit en raison de la promulgation des Codes et des problèmes jurisprudentiels posés par leur application. Le corps des professeurs et surveillants formait l'Université soumise à un grand-maître, qui fut M. de Fontanes, médiocre poète mais bon administrateur. L'ensemble du personnel avait l'obligation de servir fidèlement le régime. L'ambiance toute militaire trouvait son aliment dans la lecture obligatoire des Bulletins de la Grande Armée.

Même ingérence du pouvoir dans le domaine de la presse et de la littérature ! Napoléon la croyait nécessaire : il l'a dit et répété. Il était orfèvre en la matière et, même, avait-il débuté fort jeune par une certaine *Lettre à Buttafucco* et par *Le Souper de Beaucaire*. Raison de plus pour se défier de ce véhicule de la pensée difficilement contrôlable. Dans les journaux qu'il avait fondés pendant la première campagne d'Italie et la campagne d'Égypte, n'avait-il pas souvent gêné le gouvernement, et suscité cette image de lui-même qu'il n'entendait pas voir gâter par les plumitifs ? Pendant la Révolution, les citoyens se jetaient littéralement sur les journaux dont les rédacteurs avaient plus d'une fois semé le trouble dans les esprits et fomenté les journées insurrectionnelles les plus fameuses, fait et défait la réputation des tribuns, expédié indirectement nombre de grands hommes à l'échafaud. Pour rétablir un ordre durable, il importait de les mettre hors d'état de nuire. Le 17 janvier 1800, le nombre des journaux fut en conséquence ramené à treize. Encore furent-ils soumis à la surveillance du ministre de la Police, de même que les livres et les pièces de théâtre. Une série d'arrêtés, pris en 1805, subordonna encore plus étroitement la presse au pouvoir ; les journaux épargnés reçurent un secteur d'exploitation dont, sous aucun prétexte, ils ne pouvaient sortir. Et, à mesure que les premiers revers se manifesteront dans l'Empire, cette tendance ira en s'aggravant : certains propriétaires de journaux seront expropriés, certains directeurs mis en état d'arrestation. Il faut dire que ces mesures restaient relativement clémentes, par comparaison avec le sort de certains journalistes sous la Terreur et sous le Directoire (qui en avait déporté quarante !). Inversement, l'Empereur utilisait la presse officielle (le *Moniteur*) soit pour maintenir sa popularité, soit pour attaquer ses adversaires, et en particulier pour répondre aux immondes libelles anglais, soit pour préparer l'opinion à de nouvelles mesures, voire à une nouvelle campagne. Tantôt, il rédigeait lui-même les articles, tantôt il en dictait le canevas, mais on reconnaît aisément ce qui est de sa main et ce qui est de commande.

Relativement aux livres et aux imprimeurs, un rigoureux système de censure fut élaboré par le Conseil d'État, et appliqué par le ministre de la Police. Il en était de même des œuvres théâtrales. La censure pouvait prescrire des coupures, mais aussi l'interdiction totale de l'ouvrage ou de la pièce. Tout en disciplinant la littérature, l'Empereur l'encourageait. Et nul ne regretta plus que lui que son règne ne fût pas illustré par ces grandes tragédies qui restent l'ornement du siècle de Louis XIV. Les seuls grands écrivains de l'Empire étaient l'un et l'autre dans l'opposition : Chateaubriand par fidélité monarchique, ce qui était honorable, et Mme de Staël par dépit amoureux, ce qui l'était moins : éprise de Bonaparte jusqu'à la folie, elle avait rêvé d'être son égérie ; le Premier Consul n'aimait pas les femmes politiques.

Vis-à-vis des théâtres, même tutelle administrative ! Dès 1806, il est interdit d'ouvrir une salle sans autorisation. Puis les théâtres trop proches des grands théâtres tels que la Comédie-Française, l'Opéra ou l'Opéra-Comique, sont fermés. Les salles sont ensuite classées par spécialités et doivent s'y tenir à peine de sanctions. Enfin, en 1807, une Surintendance des théâtres est créée, et fonctionnera comme au temps des rois.

Il est évident que toutes ces mesures – dont beaucoup paraissent aujourd'hui abusives ou vexatoires – trouvaient une justification momentanée dans la conjoncture politique. Quand on veut en finir avec l'anarchie, il faut trancher dans le vif et organiser. Le risque est à la fois le caporalisme et le colbertisme, et finalement une certaine sclérose. Mais, touchant aux écrivains et aux auteurs de pièces de théâtre, est-il tellement sûr que le régime impérial étouffât les talents, interdît à quelque créateur génial de paraître ? Nul n'empêcha Chateaubriand de devenir ce qu'il fut et de composer son œuvre. Inversement, à quoi servit à Raynouard, le pâle tragédien des *Templiers*, d'être soutenu, faute de mieux, par le pouvoir ?

« Ce que j'ai fait, j'ai dû le faire, disait Napoléon, car il n'y avait que moi, moi tout entier, pour succéder à la Révolution et tenir la place. »

« ... Après moi, ajoutait-il, je comprends autre chose, un gouvernement de tempérament et d'équilibre. »

II

LA GUERRE D'ESPAGNE

Le défaut de la cuirasse, c'est l'Angleterre. C'est le duel à mort qui oppose la France, quel que soit son régime, aux îles Britanniques depuis 1793. Sans doute le roi d'Angleterre avait-il alors déclaré la guerre à la Révolution, mais la cause réelle, profonde, durable de l'inexpiable conflit est plus économique que politique. La superproduction manufacturière des Anglais, l'absolue nécessité pour eux d'écouler les denrées coloniales qu'ils entreposaient expliquent cet acharnement. Ils ne pouvaient, à aucun prix, accepter l'expansion française qui leur fermait des débouchés sur le continent. Sans la clientèle européenne, ils ne pouvaient équilibrer leur budget, ni continuer à développer une industrie déjà équipée de machines à vapeur. La paix d'Amiens avait fait illusion, mais la mauvaise foi des deux partis, la crainte de la concurrence mise en avant par les industriels et les commerçants français en avaient rapidement faussé le sens et restreint la portée. Après tout, l'idée même d'un blocus ne vint pas de Napoléon, mais des Anglais. En 1804, ils bloquèrent les ports français de la Manche et de la mer du Nord. Après Trafalgar, sûrs de détenir la maîtrise de la mer, ils étendirent le blocus jusqu'à l'Elbe. Ce que l'on appelle blocus continental (le décret de Berlin pris en 1806) ne fut donc que la réplique logique de la France et de ses alliés. Si l'Angleterre prétend bloquer l'Empire, celui-ci bloquera les îles Britanniques en leur interdisant l'entrée de ses ports. Par là, la puissance ennemie sera acculée à la ruine, puisque ses navires n'aborderont plus en Europe et qu'elle ne pourra y vendre ses produits. Corollairement, tout individu de nationalité anglaise arrêté sur le territoire de l'Empire ou de ses alliés sera traité en prisonnier de guerre, et les marchandises anglaises, saisies. À mesure que Napoléon étendra ses conquêtes, l'embargo progressera au nord vers la Russie, au sud vers la Grèce. Le traité de Tilsit incluant la Russie et la Prusse dans ce système, l'Angleterre riposta en obligeant tous les navires du monde à transiter par les ports anglais, afin de couper l'Europe de ses approvisionnements de contrebande. Par le décret de Milan (1807), Napoléon déclara de bonne prise tout navire ayant transité par l'Angleterre. – Il étendit cette mesure aux navires américains, fermant ainsi le commerce de l'Empire aux Nations neutres. Malgré la contrebande – tolérée, puis quasi organisée – le manque de certains produits ne tarda pas à se faire sentir. Napoléon encouragea vigoureusement la fabrication des produits de remplacement : le pastel fut substitué à l'indigo, la garance à la cochenille, la chicorée au café, le miel et le sirop de raisin au sucre de canne qui sera remplacé bientôt par le sucre de betterave. Fait plus grave : les puissances satellites durent exclusivement commercer avec la France, mais au profit de celle-ci : ce qui provoqua un mécontentement croissant et suscita les premières résistances, car la France, insuffisamment équipée, vendait plus cher que l'Angleterre et payait moins bien les matières premières. Finalement, Napoléon adopta un système de licences d'exportation limité aux grains, aux vins et aux alcools, avec en contrepartie l'obligation d'importer du bois, du chanvre ou du fer. C'était reconnaître indirectement l'échec de cette guerre économique.

Par malheur elle avait engagé Napoléon dans l'aventure espagnole. On conçoit que le blocus continental et le contre-blocus se disputassent la péninsule Ibérique. C'était par le Portugal et l'Espagne que les produits de contrebande s'infiltraient en Europe. Traditionnellement le Portugal était allié de l'Angleterre. Au contraire l'Espagne l'était de la France: elle avait même combattu à son côté à Trafalgar. À Madrid, l'homme fort était Manuel Godoy, « prince de la paix » et favori de la reine Marie-Louise de Parme. Le roi Charles IV, un Bourbon, ne comptait pas. Or, contre le trio royal, se dressait le parti des patriotes espagnols groupés autour du prince des Asturies, Ferdinand; ils ne voulaient rien moins que renverser leur benêt de roi et lui substituer l'infant. Curieuse situation où Manuel Godoy comme ses adversaires se flattaient d'utiliser Napoléon pour arriver à leurs fins. Tout ce qui intéressait alors l'Empereur c'était l'application stricte du blocus par la péninsule. Il ne tenta même pas de négocier avec le Portugal la fermeture de ses ports aux navires britanniques. Il crut plus simple de proposer le partage de ce petit royaume. Il fut convenu qu'une armée française aurait libre passage à travers l'Espagne, imprudente concession de la part d'un pouvoir chancelant. Manuel Godoy, se croyant sûr de l'appui de Napoléon, se sentant par ailleurs menacé par le parti de l'infant, s'empressa de faire arrêter celui-ci sous l'inculpation de complot contre le roi son père. Ferdinand n'était qu'un misérable; il dénonça ses amis et les principaux chefs de son parti. Après quoi, il implora la clémence de Charles IV. Pendant que se déroulait cette révolution de palais, le maréchal Junot franchissait joyeusement la frontière des Pyrénées, s'approchait de la Castille, non sans laisser derrière lui des garnisons françaises dans les forteresses. L'opinion espagnole ne s'émut pas tout de suite; elle ne s'occupait que du procès de l'infant et croyait que Napoléon soutenait les prétentions de Godoy. Mais l'Empereur ayant fait savoir qu'il ne voulait être mêlé en rien à cette affaire, la fureur populaire éclata contre le favori, la reine et le pauvre roi. Le 17 mars 1808, l'insurrection d'Aranjuez contraignit Godoy à s'enfuir et Charles IV à abdiquer en faveur de son fils. Junot venait de disperser l'armée portugaise à Abrantès (d'où son titre de duc d'Abrantès). Le 23 mars, Murat entrait à Madrid à la tête d'une autre armée et, par la menace ou la persuasion, obligea Charles IV à révoquer sa décision. Il l'assura, avec une entière perfidie, que l'Empereur, plein de sollicitude pour l'Espagne et la famille régnante, dénouerait aisément et dans l'intérêt de tous cette pénible situation. Tel fut l'objet apparent de l'entrevue de Bayonne. Charles IV, son indigne épouse et le prince Ferdinand se laissèrent conduire à ce traquenard. L'entrevue se déroula, dans les premiers jours de mai, au château de Marrac. Le roi, la reine et leur fils rivalisèrent de bassesse, étalèrent leurs turpitudes devant Napoléon. Ce dernier, partagé entre le mépris et la faim de conquête, ne sut pas résister à la tentation. Finalement il extorqua à Ferdinand sa renonciation au trône, et à Charles IV la cession de ses droits, contre une rente, le château de Compiègne et celui de Chambord. Ferdinand recevait aussi une pension, les châteaux de Valençay et de Navarre. Mais, dans le même temps, éclatait à Madrid le Dos de Mayo, sanglante émeute contre l'occupant français. Murat rétablit l'ordre, durement; il ne put empêcher la formation de nombreuses juntes, ou comités de résistance. Ni l'Empereur ni son entourage ne comprirent l'importance de cette flambée de haine. Ils crurent qu'elle était le fait d'une poignée de moines et de démagogues. L'Empereur aurait dû se souvenir de la triste expérience espagnole de Charlemagne. Ce dernier toutefois s'en était dégagé promptement; encore n'avait-il pu éviter l'épisode de Ronceveaux où son arrière-garde avait sombré. Napoléon s'obstina. Il pouvait à Bayonne arbitrer fortement le conflit qui divisait la famille régnante et l'opinion. Bien loin de là, il n'avait manœuvré que dans le but avoué de mettre la main sur l'Espagne. Le 10 mai 1808, l'Europe fut stupéfaite d'apprendre que Joseph Bonaparte était « muté » de Naples à Madrid. Des Cortès supposés le proclamèrent roi d'Espagne. Le 20 juillet, Joseph fit son entrée à Madrid, sous la protection des baïonnettes. Il était à peine plus capable de gouverner que Charles IV. Tout de suite, on le surnomma « Joseph Bouteille » (Pepe Botella). Mais quels talents n'eût-il pas fallu pour apaiser la colère de ce peuple ! Il n'était pas une province où la junte, avec la bénédiction des évêques, n'organisât la guérilla contre les Français, d'ailleurs avec des fortunes diverses. Personne en Europe ne doutait de la victoire des troupes impériales. Pourtant, si Bessières battit complètement le général de La Cuesta à Médina del Rio Seco, Lefebvre-Desnouettes piétinait devant Saragosse et Dupont capitulait à Baylen, le 19 juillet. Simultanément Wellington débarquait au Portugal avec une division anglaise et contraignait Junot à se rendre. Tous les adversaires de Napoléon dressèrent l'oreille. Ils venaient de comprendre que la Grande Armée n'était pas invincible. Ils en tirèrent des conclusions redoutables.

Le roi Joseph n'aspirait guère qu'à être relevé de ses fonctions. En vain son frère l'exhortait-il à faire le roi, à prendre des mesures, à payer d'audace. Malgré sa médiocrité, Joseph jugeait plus sainement de la situation. Mais c'était en vain qu'il soulignait l'hostilité unanime dont il était l'objet. L'Espagne entière était en insurrection. Par surcroît, un corps de 30 000 Anglais venait de débarquer à La Corogne, sur les ordres de sir John Moore.

Désormais Napoléon ne pouvait reculer, à moins de perdre la face. Il rassembla une armée de 200 000 hommes, emmena l'élite de ses maréchaux (Ney, Soult, Lefebvre, Masséna, Bessières). Les Espagnols ne disposaient que de 80 000 hommes de troupes régulières. Ils furent balayés en quelques semaines. Soult rejeta les Anglais vers La Corogne et les força à se rembarquer. Au début de décembre, Napoléon et Joseph (qui avait dû fuir !) se rejoignirent à Madrid, cependant que Moncey et Mortier mettaient le siège devant Saragosse qui capitula, après une défense désespérée, en février 1809. Napoléon pouvait quitter l'Espagne en vainqueur et croire que son frère pourrait enfin régner. Il y laissa Victor et Sebastiani pour achever son œuvre, nettoyer les derniers îlots de résistance et s'emparer des dernières places rebelles, ce qu'ils firent.

Mais, dans le désastre, le peuple espagnol se retrouva tel qu'en lui-même, héroïque et farouche, mêlant les atrocités au mysticisme. Le clergé prêcha la guerre sainte contre les Français considérés comme les suppôts de Satan. Un catéchisme spécial (encore un !) fut enseigné aux enfants :

— *Qui es-tu ?*
— *Espagnol par la grâce de Dieu.*
— *Quel est ton ennemi ?*
— *Napoléon.*
— *De qui est-il sorti ?*
— *Du péché.*
— *Que sont les Français ?*
— *D'anciens chrétiens devenus hérétiques.*
— *Est-ce un crime d'être français ?*
— *Non, un Français n'est damné qu'après l'âge de 7 ans.*
— *Que mérite l'Espagnol qui se met à leur service ?*
— *La marque des traîtres et la mort.*
— *Est-ce un péché d'assassiner un Français ?*
— *Non, c'est mériter le Ciel...*

Les bandes de guérilleros, stimulés par une propagande intensive, mais aussi par les excès de toute nature commis par l'occupant, se reformèrent en dépit des représailles. Armés d'espingoles et de coutelas, les guérilleros se recrutaient principalement dans les classes pauvres et la petite bourgeoisie. Des chefs improvisés les encadraient : hidalgos sans fortune, curés et paysans, rivalisant entre eux d'atrocités. Ils manquaient de moyens, mais des informateurs bénévoles, les femmes elles-mêmes et parfois de jeunes enfants les aidaient. Tel se vantait d'avoir fait égorger 600 prisonniers ; tel autre de couper les nez et les oreilles et tel autre de faire scier ou écarteler les traînards tombant entre ses mains. On clouait aux portes des villes des membres épars, des têtes suppliciées. On crucifiait aux arbres bordant les grandes routes. Les Français, rendus furieux par ces meurtres, investissaient les villages, passaient la population au fil de l'épée, incendiaient les maisons. Ils fusillaient des otages. Ils pendaient les guérilleros capturés. Eux aussi, ils en vinrent aux tortures et aux mutilations. Tout leur était hostile, et la nature elle-même avec ses gorges, ses défilés, ses cloisonnements montagneux, sa chaleur torride et les rafales sèches de la sierra. Les convois étaient interceptés. Il fallait un escadron pour escorter un général se rendant d'une ville à l'autre. Encore les Français ignoraient-ils le sort ignoble fait à leurs camarades de Baylen : après avoir accepté leur reddition, on les avait encaqués dans des pontons putrides, à la manière anglaise, puis déportés dans l'îlot rocheux de Cabrera : en 1815, les navires de guerre français rapatrièrent les survivants : ils étaient 3 000 sur 16 000, les autres étaient morts de faim ou du typhus.

Malgré la victoire de Soult à Ocaña, en 1809, et l'occupation de l'Andalousie, la guerre subversive continua. Ce fut en vain que Napoléon détacha de l'Espagne ses provinces du Nord. De plus Wellington réapparut au Portugal, s'y fortifia, et Masséna ne put le déloger. 1811 marque le début du recul. Masséna fut battu à Fuentès de Onoro par Wellington. L'année suivante Marmont perdit la bataille des Arapiles. La Grande Armée était épuisée et démoralisée. Elle avait trop accoutumé de vaincre en une seule bataille terminant la campagne comme un coup de tonnerre, pour supporter cette guerre d'usure. La retraite de Russie enhardit encore les Espagnols et permit aux Anglais d'augmenter leur aide en hommes et en subsides. Wellington s'empara de Madrid. Soult dut évacuer l'Andalousie pour ne pas être pris à revers. Mais Wellington le rejoignit et l'écrasa à Vittoria. À la fin de 1813, il n'y avait plus de Français en Espagne et le traité de Valençay rendait son trône à Ferdinand, ci-devant prince des Asturies. C'était donc un échec complet, sanglant et coûteux ! C'était aussi l'inéluctable sanction d'une grave erreur de Napoléon. Il avait méjugé le peuple espagnol en l'assimilant à ses souverains. Pouvant se rétracter et chercher une solution pacifique à un conflit sans issue, il s'était obstiné et, par cette obstination, il avait usé pour rien la plus belle des armées, un instrument de guerre encore intact et qui lui fera grandement défaut à l'heure des revers. Il n'a pas davantage aperçu les conséquences profondes de la résistance espagnole, sa valeur symbolique. Ses victoires n'avaient servi de rien, puisque l'hydre des guérillas renaissait sans cesse et remettait en cause presque immédiatement le gain de batailles âprement disputées. Il n'entendit point la tragique leçon que les guérilleros donnaient à l'Europe encore assujettie. Il manqua l'occasion de montrer sa volonté de paix en arbitrant le conflit interne de l'Espagne. Agissant de la sorte, il se fût assuré d'une alliance effective, utile et durable. L'intérêt de l'Espagne n'était point d'embrasser la cause de l'Angleterre, mais bien celle de la France. Tout l'y incitait, le passé comme le présent. Ce fut l'impardonnable faute de Napoléon de l'avoir rejetée dans le clan adverse.

III

L'ENTREVUE D'ERFURT

Tous ces crimes d'État qu'on fait pour la couronne,
Le ciel nous en absout, alors qu'il nous la donne.
Et dans le sacré rang où sa faveur l'a mis,
Le passé devient juste et l'avenir permis.
Qui peut y parvenir ne peut être coupable ;
Quoi qu'il ait fait ou fasse, il est inviolable.

CORNEILLE, *Cinna*

Revenons sur nos pas, à l'été de 1808. Les événements d'Espagne venaient de porter un coup sensible au prestige de Napoléon. L'Autriche, la Prusse relevaient la tête, ne demandaient qu'à profiter des événements pour prendre leur revanche. La diplomatie anglaise poussait à l'ouverture d'un second front, sachant que l'Empereur, embarrassé dans les affaires espagnoles, ne pourrait résister à une coalition à l'est. La Confédération du Rhin, les neutres ou supposés tels, supportaient de plus en plus mal les effets du blocus continental. La Russie elle-même, malgré les promesses de Tilsit, semblait regretter l'alliance française. Le tsar Alexandre s'entourait de conseillers francophobes ; tout laissait croire qu'il se rapprocherait à brève échéance de l'Angleterre, car la vaste Russie souffrait aussi du blocus, voyait sa monnaie et son commerce péricliter. Des informations alarmantes parvenaient notamment de l'Autriche qui réarmait. Pour agir en Espagne, Napoléon devait avoir les mains libres. Il ne pouvait prendre le risque d'être attaqué sur ses arrières, d'exposer la France à être envahie quand il serait au-delà des Pyrénées avec ses meilleures troupes.

Tel fut l'objectif de l'assemblée d'Erfurt, tenue en septembre-octobre 1808. Mais, préalablement, l'Empereur avait eu des pourparlers avec Metternich, maître de la politique autrichienne. Il disait : « Une main invisible est en jeu, cette main est celle de l'Angleterre... L'Angleterre a gagné cinquante pour cent sur vos armements. Depuis qu'elle espère vous entraîner de nouveau, cela la rend plus tenace, plus intraitable que jamais. Vous me forcez à armer la Confédération, à lui dire de se tenir sur ses gardes. Vous m'empêchez de retirer mes troupes de la Prusse et de les faire rentrer en France... Vous me forcez à m'adresser au Sénat et à lui demander deux conscriptions[1]. Vous vous ruinez, vous me ruinez. L'Angleterre peut vous donner de l'argent, mais jamais assez, et elle ne m'en donne pas (*sic !*). Les États de la Confédération, déjà bien assez malheureux, se ruinent. Et quand toute la population masculine se trouvera sous les armes, il faudra donc faire lever les femmes ? Cet état peut-il durer ?... Qu'espérez-vous donc ? Êtes-vous d'accord avec la Russie ?... Mais dans la supposition contraire, que pouvez-vous contre la France et la Russie réunies ? Et la première guerre avec l'Autriche sera une guerre à mort. Il faudra que vous veniez à Paris ou que je fasse la conquête de votre monarchie... » Sous-entendu : que j'enlève son trône aux Habsbourg d'Autriche, comme je l'ai fait des Bourbons d'Espagne ! Mais l'opération séduction-menaces échoua devant la sagacité de Metternich qui, sous ce flot d'éloquence, apercevait clairement la « gêne » de Napoléon, son désir en tout cas de différer le conflit avec l'Autriche.

La rencontre internationale d'Erfurt fut préparée avec d'autant plus de soin. Indépendamment du faste qu'il entendait déployer, des fêtes qu'il voulait offrir aux

1. L'appel anticipé de deux classes.

empereurs et aux rois réunis pour la circonstance, dans le dessein de les éblouir, il était résolu de revenir d'Erfurt avec la certitude de pouvoir agir librement en Espagne. « Je veux être sûr que l'Autriche sera inquiète et contenue, déclara-t-il à Talleyrand. Et je ne veux pas être engagé d'une manière précise avec la Russie pour ce qui concerne les affaires du Levant. Préparez-moi une convention qui contente l'empereur Alexandre, qui soit dirigée contre l'Angleterre, et dans laquelle je sois bien à mon aise pour tout le reste. Je vous aiderai : le prestige ne manquera pas... »

Deux jours après, Talleyrand revint avec le projet. Napoléon : « Il faut ajouter à un des derniers articles... que dans le cas où l'Autriche donnerait des inquiétudes à la France, l'empereur de Russie, sur la première demande qui lui en serait faite, s'engage à se déclarer contre l'Autriche et à faire cause commune avec la France ; ce cas étant également un de ceux auxquels s'applique l'alliance qui unit les deux puissances. C'est là l'article essentiel, comment avez-vous oublié cela ? Vous êtes toujours autrichien ! » À quoi le perfide Talleyrand répondit avec une courbette : « Un peu, Sire, mais je crois qu'il serait plus exact de dire que je ne suis jamais russe et que je suis toujours français. »

Et Napoléon de reprendre : « Il faut que vous soyez à Erfurt un jour ou deux avant moi. Pendant le temps que durera le voyage, vous chercherez les moyens de voir l'empereur Alexandre. Vous le connaissez bien, vous lui parlerez le langage qui lui convient. Vous lui direz qu'à l'utilité dont notre alliance peut être pour les hommes, on reconnaît une des grandes vues de la Providence. Ensemble, nous sommes destinés à rétablir l'ordre général en Europe. Nous sommes jeunes l'un et l'autre, il ne faut pas nous presser. Vous insisterez beaucoup sur cela... »

L'entrevue d'Erfurt fut telle que Napoléon la désirait, en tous points magnifique. Autour des empereurs français et russe se pressaient les rois de Saxe, de Bavière, de Wurtemberg, les représentants des Hohenzollern et des Habsbourg, l'élite des diplomates et des militaires. Les parties de chasse, les banquets, les bals, les représentations théâtrales succédaient aux entretiens. Les acteurs de la Comédie-Française jouèrent Corneille, Racine et Voltaire. On rapporte qu'à la soirée d'*Œdipe*, lorsque fut prononcé le vers fameux: « L'amitié d'un grand homme est un bienfait des dieux », Alexandre se pencha vers Napoléon et murmura: « Je m'en aperçois tous les jours. » Napoléon était fort content de son ami russe. Il déclarait alors: « L'empereur Alexandre me paraît disposé à faire tout ce que je voudrai. S'il vous parle, dites-lui que j'avais d'abord envie que la négociation se fît entre le comte de Romanzoff et vous, mais que j'ai changé: ma confiance en lui est telle que je crois qu'il vaut mieux que tout se passe entre nous deux. » L'atmosphère était à l'euphorie. Napoléon se montrait le meilleur des hôtes, le plus enjoué, le plus prévenant et, dans sa puissance, le plus simple des hommes, disant par exemple: « Quand j'avais l'honneur d'être simple lieutenant d'artillerie... » Le concert de louanges l'étourdissait un peu. Il ne distinguait pas très bien la flagornerie du compliment sincère; il n'était pas né dans les Cours; la gentillesse de bonne compagnie, les prévenances calculées d'Alexandre endormaient sa méfiance. À force d'entendre proclamer qu'il était le premier prince du monde, il se persuadait qu'il ne cesserait pas de l'être. Il misait aussi sur la naïveté et les épanchements de cœur du Russe. Or Alexandre était assez intelligent et rusé pour comprendre ce que l'on attendait de lui et quel prix il pourrait tirer de sa complaisance, fût-elle momentanée. Il accepta de freiner la Prusse et l'Autriche, sans toutefois s'engager à aider Napoléon en cas de conflit. En échange, Napoléon lui concéda la Finlande et lui laissa carte blanche sur la frontière turque. En application du traité d'Erfurt, Alexandre s'emparera de la Bessarabie. Cependant Napoléon avait atteint son objectif immédiat, qui était de pouvoir librement conquérir l'Espagne: on a vu ce qu'il était advenu de cette entreprise. L'Autriche pouvait attendre patiemment son heure. Elle s'était fait un nouvel allié en la personne de Talleyrand qui venait d'accepter de trahir son maître contre une confortable rétribution. Napoléon avait pu, dans un terrible accès de fureur, couvrir d'outrage le prince de Bénévent, le traiter de lâche et de voleur, clamer qu'il était « de la m... dans un bas de soie », il n'empêcherait pas Metternich d'être désormais ponctuellement renseigné sur notre politique intérieure et extérieure, sur les difficultés de recrutement et d'approvisionnement en munitions et en armes. Et l'on s'interroge sur les raisons qui firent que Napoléon épargna le ci-devant évêque, traître à tous les partis et la cupidité faite homme.

Finalement, le seul avantage que l'Empereur retira d'Erfurt fut d'avoir séduit quelques écrivains, dont l'illustre Goethe. Le poète fut reçu par l'Empereur, en présence de Talleyrand, de Berthier et de Daru. Tout de suite, la conversation s'engagea et la diversité de la culture de Napoléon stupéfia Goethe. Il fut d'autant plus vite conquis que l'Empereur, après avoir critiqué le *Mahomet* de Voltaire, loua grandement *Werther* qu'il connaissait à fond. Il est suprêmement habile pour un chef d'État de chatouiller ainsi l'amour-propre d'un écrivain : c'est, pour le moins, s'assurer de quelques belles pages que la postérité relira, commentera ! D'où les réflexions de Goethe dans ses entretiens avec Johann Peter Eckermann :

« Napoléon maniait le monde comme Hummel son piano. Ce qui le distingue parmi les grands hommes, c'est qu'à toute heure il était toujours le même. Avant la bataille, après la bataille, après une victoire, avec une défaite, il était toujours debout sur ses pieds, lucide, sachant toujours ce qu'il devait faire. Il était toujours dans son élément, toujours prêt pour toute circonstance, de même que Hummel est toujours prêt, qu'il s'agisse d'un adagio ou d'un allegro, qu'il joue de la basse ou du chant. C'est là la facilité, qui se trouve partout où il y a un vrai talent, dans les arts de la paix comme dans les arts de la guerre, au piano comme derrière les canons. »

Ou encore :

« Napoléon avait un tact particulier pour choisir les gens et placer toute force agissante dans sa vraie sphère. »

Et encore :

« Personne presque ne peut être comparé à Napoléon… Les Grecs comptaient les créatures de cette espèce au rang des demi-dieux. »

Et comme Eckermann observait :

« Il fallait qu'il y eût en lui quelque puissance enchanteresse pour que les hommes s'attachassent tout de suite à lui et se laissassent conduire ?

— Certes, répondait Goethe, c'était un être d'un ordre supérieur. Mais la cause principale de cette puissance, c'est que les hommes étaient sûrs, sous ses ordres, d'arriver à leur but. »

Eckermann demandant ensuite : « Il avait grand air ? »

Goethe : « Il était lui, et on le regardait parce que c'était lui. »

Ce qui rejoint l'exclamation du jeune Heine, évoquant la visite de Napoléon à Düsseldorf :

« Que devins-je, lorsque je le vis lui-même, de mes propres yeux, lui en personne, hosannah ! l'Empereur !… Il voyait rapidement, d'un regard, toutes les choses de ce monde… »

Au bout du compte, les seules conquêtes durables que fit Napoléon furent celles de l'esprit. Mais cela, il ne le comprit qu'à Sainte-Hélène.

IV

LA NUIT DE WAGRAM

Je laisse à Joseph mes meilleures troupes et je m'en vais à Vienne seul avec mes petits conscrits, mon nom et mes grandes bottes.

NAPOLÉON

Le traité d'Erfurt n'était qu'un marché de dupes. Il se solda par un répit pendant lequel l'Autriche accrut ses armements. Jamais elle n'avait accepté la fin du Saint-Empire ni les amputations de son territoire et jamais elle n'avait cru à la pérennité d'une dynastie Bonaparte. L'énorme empire napoléonien n'était à ses yeux qu'un colosse aux pieds d'argile : les affaires espagnoles le montraient assez. Voulant éviter à leur pays les ravages d'une guerre subversive et leur épargner les risques d'un nouvel échec, l'empereur François et ses généraux s'efforcèrent d'amplifier et de réformer leur armée. Imitant Napoléon, ils amalgamèrent, en mobilisant les réservistes, volontaires et soldats chevronnés. Ils créèrent un corps de pionniers et un corps d'ambulanciers militaires. Avec l'aide pécuniaire de l'Angleterre, ils parvinrent à mettre sur pied une masse de 500 000 hommes. Ils se persuadèrent que la supériorité numérique était un facteur décisif en matière de stratégie. Il eût mieux valu réformer leur état-major et ses méthodes de combat. Mais trop de généraux chenus imposaient encore leur avis, auxquels les revers successifs n'avaient rien appris. Parallèlement, les diplomates échouaient à entraîner la Prusse et la Russie dans la guerre ! elles préféraient attendre ! Quelle que fût l'issue de la campagne, il était certain qu'elle épuiserait gravement les réserves de la France en hommes. Le nœud du problème était là. L'époque approchait où Napoléon ne disposerait plus du superbe instrument qui lui avait assuré tant de victoires, où son génie ne suppléerait plus à l'infériorité quantitative et, surtout, qualitative de son armée.

À tout hasard, Napoléon prit les devants et déclara la guerre à l'Autriche, suscitant contre lui la Cinquième Coalition. Il est vrai que cette dernière ne comptait dans ses rangs que l'Autriche et l'Angleterre et, symboliquement, l'Espagne et le Portugal. L'Empereur ne disposait que de 200 000 hommes et de 500 canons. En outre, les meilleures de ses troupes étant immobilisées sur le front espagnol, son armée se composait pour moitié de jeunes recrues, moins résistantes à la fatigue physique et sans expérience militaire. L'Empereur ne pouvait donc exiger d'elle les efforts que la Grande Armée avait fournis lors des précédentes campagnes. Il devait en particulier restreindre les trop longues marches, c'est-à-dire renoncer aux effets de surprise et aux mouvements enveloppants. Mais son génie était encore dans toute sa force. D'ailleurs, une fois de plus, les erreurs tactiques des généraux autrichiens l'aidèrent puissamment.

L'archiduc Charles déclencha l'attaque le 10 avril 1809 ; il envahit la Bavière avant que les corps d'armée français n'eussent opéré leur jonction : c'était une initiative excellente. Toutefois il se mit en tête de protéger Vienne et, divisant ses forces, ne put ni sauver sa capitale ni tronçonner l'adversaire. Davout battit l'ennemi à Tengen, Lannes à Abensberg. Vaincu à Eckmühl, à nouveau par Davout, le 22 avril, l'archiduc Charles se replia derrière le Danube. Et, une fois de plus, ce fut Napoléon qui exécuta le plan de l'adversaire. Il s'empara de Vienne, le 12 mai, pour séparer l'armée du Danube de celles du Tyrol et de l'Italie. Le 22 mai, les Français franchirent le Danube sur des ponts improvisés et attaquèrent les Autrichiens à Aspern et à Essling. Combat meurtrier et que sanctionna un demi-succès, car, la crue du Danube ayant emporté les ponts de bateaux, Napoléon ne reçut pas à temps les renforts qui lui eussent permis de changer en désastre la défaite autrichienne. À vrai dire, jamais les troupes autrichiennes n'avaient montré un tel mordant. De plus, par suite de la crue, l'armée se trouvait coupée en deux. Situation angoissante, dont les Autrichiens ne surent pas profiter. Ils ne purent empêcher Napoléon de rassembler son armée et de se retrancher dans Lobau, une île assez vaste située dans une boucle du Danube.

Napoléon avait placé son artillerie face à la rive gauche où les Autrichiens avaient eux-mêmes concentré leurs batteries. Il fit construire des épaulements épais afin de protéger les hommes et les canons du tir ennemi. L'archiduc Charles croyait l'avoir cerné. En attendant les 20 000 hommes que l'archiduc Jean devait lui amener, il établit sa ligne entre Aspern et Essling, s'imaginant barrer la route aux Français. Au cours de la journée du 4 juillet, ses guetteurs observèrent des mouvements insolites dans l'île de Lobeau. Il fit donc bombarder l'île par 400 pièces. Mais les fortifications construites par Napoléon étaient si bien agencées que le tir, cependant nourri, causa peu de dommages. En tout cas, il n'empêcha pas les corps de Davout, Oudinot et Masséna de se réunir à l'endroit prévu pour la traversée du Danube, ni les pontonniers de préparer leur matériel. Car l'Empereur avait choisi la nuit du 4 au 5 juillet pour opérer cet énorme transbordement de toute une armée avec son artillerie.

À l'heure dite, 110 pièces de canon bombardent les positions autrichiennes au nord du fleuve. C'est la diversion prévue pour tromper l'archiduc Charles. Peu après un orage se déchaîne, les éclairs se mêlant au feu des canons, le tonnerre à leurs grondements. Des torrents de grêle et de pluie s'abattent sur les soldats, transperçant les uniformes, résonnant sur les shakos, ruisselant sur les visages, noyant les souliers. C'est un déluge qui submerge les hommes cherchant vainement un abri. Mais les pontonniers achèvent leur besogne et l'Empereur est là, au milieu de ses soldats, la redingote transformée en éponge et le bicorne rabattu sur les yeux, donnant l'exemple de la fermeté, indifférent au fracas de l'orage, aux rafales du vent qui balaie la plaine de Wagram et se précipite vers le fleuve dont il creuse la surface. L'essentiel pour lui est que les hommes tiennent bon et que les canons tirent sans répit. Ces abois du bronze, ces roulements de tonnerre, cette nuit traversée d'éclairs, c'est l'univers qui lui est familier ; c'est le décor secrètement accordé à son âme tumultueuse, c'est aussi sa dernière grande symphonie, digne de Beethoven par ses tourbillons, ces heurts sonores et ces chevauchements de ténèbres !

Dès que le premier des ponts est achevé, il se poste à l'entrée pour surveiller le passage, inciter les jeunes conscrits à s'aventurer tête baissée sur l'étroite plate-forme de planches sommairement assemblées et qui, dans les remous du fleuve, semblent prêtes à se disjoindre. Les trois corps formant le noyau de l'armée s'engagent d'abord. À minuit, ils sont passés sur la rive gauche et prennent position. Maintenant, ce sont les contingents italiens, saxons et bavarois qu'il a bien fallu mobiliser, malgré le risque de désertion. À neuf heures du matin, l'armée entière s'aligne sur la rive gauche, 150 000 hommes que Napoléon passe en revue et qui l'acclament, lui et le soleil déjà haut ! Il suffit encore que l'Empereur paraisse sur son cheval gris pour soulever l'enthousiasme, rendre l'espoir, stimuler le courage ! Les uniformes fument dans la chaleur du matin. Les tourments de la nuit sont oubliés. Chacun se prépare à l'action. Avec un sang-froid remarquable, l'Empereur a évité l'erreur d'Essling ; il a attendu d'avoir toute son armée pour attaquer. Il sait que va se jouer le sort de l'Empire. Une grande victoire lui est nécessaire pour rétablir son prestige.

L'archiduc Charles est pris de court. Sa ligne de défense entre Aspern et Essling, en face de Lobau, ne sert plus à rien. Elle risque d'un moment à l'autre d'être tournée. Il ne comprend pas comment l'armée de Napoléon peut se trouver tout entière devant lui ! Faute de mieux, il rétrograde vers le plateau de Wagram, mais en bon ordre, en opposant une résistance des plus vives. Décidément, les Autrichiens de 1809 ne sont pas ceux de 1805 ; on ne leur fait pas si facilement lâcher pied. Toutefois Napoléon discerne les premiers signes de faiblesse. Il lance, en une seule masse, les Saxons et les Italiens vers le centre, afin de couper l'armée autrichienne en deux, et de la disloquer : méthode connue, infaillible jusqu'ici ! Il se produit alors un accident imprévisible. Lorsque les Italiens rattrapent les Saxons, ils se trompent d'uniforme, s'imaginent que ce sont les Autrichiens et tirent sur eux. Soudain pris entre deux feux, les Saxons prennent la fuite, entraînant les Italiens dans leur débâcle : ce dont les Autrichiens profitent pour contre-attaquer. Sur ce, le combat s'arrête, car la journée est trop avancée pour poursuivre. La victoire, un instant à portée de main, vient d'échapper à Napoléon. Le lendemain 6 juillet, à quatre heures du matin, la canonnade éclate.

L'archiduc Charles tente de surprendre l'aile droite française. La véritable bataille de Wagram commence. Napoléon se multiplie, semble doué d'ubiquité. On le voit partout où se dessine le moindre fléchissement. Il galope au milieu des boulets et des ovations, indifférent au danger, imperturbable, rassurant les hésitants par sa seule présence. Un obus éclate près de son cheval qui se cabre et manque de le désarçonner.

« Sire, attention ! On tire sur l'état-major ! » L'Empereur n'a pas bronché. Il dit : « Monsieur, à la guerre, tous les accidents sont possibles. »

Il craint l'arrivée de l'archiduc Jean et de ses renforts. Il ordonne à Davout et à Oudinot de s'emparer des hauteurs de Wagram, position clef qui contrôle la plaine. On notera au passage que l'adversaire a dégarni cette position, comme à Austerlitz, pour les mêmes raisons, dans les mêmes circonstances, avec les mêmes effets ! Peu après, Napoléon va soutenir l'aile gauche où commande

Masséna qui, blessé par une chute de cheval à Lobau, se fait transporter dans une calèche en première ligne ! Ensuite, il revient au centre qu'il veut enfoncer, reprenant son projet de la veille. Mais, comme il se défie, et pour cause, des contingents étrangers, il ordonne de mettre une centaine de pièces en batterie à demi-portée de l'ennemi. Elles fraient un terrible passage aux troupes d'assaut que rien, désormais, n'arrêtera plus…

On dit qu'épuisé par trois nuits d'insomnie, l'Empereur regagna sa tente, s'allongea sur une peau d'ours et dormit vingt minutes, alors que la bataille faisait encore rage. Quand il s'éveilla, un aide de camp l'informa des difficultés de Masséna submergé par le nombre. Il remonta à cheval, ordonna à Bessières de charger avec toute la cavalerie disponible. À trois heures et demie, les Autrichiens abandonnèrent la partie, laissant derrière eux des milliers de morts et de blessés. Mais ils se retirèrent en bon ordre, en faisant le coup de feu. Le brave Lasalle tenta vainement d'entamer les carrés qui couvraient la retraite. Il y fut tué, d'une balle en plein front.

La nuit tomba sur le champ de bataille où 20 000 blessés, épars dans les blés mûrs, appelaient en vain au secours. Au matin, beaucoup d'entre eux étaient morts faute de soins et l'inspection que fit l'Empereur, comme il en avait l'habitude[1], ne fut qu'une constatation d'impuissance. La victoire de Wagram, chef-d'œuvre de stratégie, n'avait pas abouti à la destruction de l'adversaire, mais elle se soldait par 20 000 morts et blessés du côté français, 35 000 du côté autrichien. Lannes, amputé des deux jambes à Essling, était mort. Lasalle venait de périr. Deux compagnons de jeunesse, deux généraux de premier ordre, disparaissaient. L'état-major pressait l'Empereur de se remettre en campagne, d'exterminer l'armée autrichienne et d'abolir les Habsbourg. Il préféra signer l'armistice demandé par l'archiduc Charles, puis, le 14 octobre, la paix de Vienne. L'Autriche faisait les frais de la coalition : elle s'engageait à verser une indemnité de

1. Afin de faire relever les blessés, français et étrangers indistinctement.

85 millions, perdait la Carinthie, la Carniole, une partie de la Croatie, et la Galicie intégrée au grand-duché de Varsovie, au total 4 millions de sujets.

Mais, au Tyrol, l'aubergiste Andreas Hofer organisait une guérilla assez semblable à celle des Espagnols, la cruauté en moins. Le lieutenant prussien Ferdinand von Schill envahissait le Wurtemberg avec un escadron de hussards. Le duc Frédéric-Guillaume de Brunswick levait une « légion noire », s'emparait de Dresde et de Leipzig. Et, le 12 octobre, à Schoenbrunn, Frédéric Staps tentait d'assassiner Napoléon avec un couteau de cuisine. Un peu partout, sous l'impulsion des militaires et des intellectuels, l'Allemagne s'apprêtait à secouer le joug. La Prusse, théoriquement alliée de la France, réarmait presque ouvertement. L'édifice impérial commençait à se lézarder. Wagram n'avait rien résolu ; elle retardait simplement l'échéance de quelques années.

V

LE MARIAGE AUTRICHIEN

L'Autriche fait au Minotaure
le sacrifice d'une belle génisse.

Prince de LIGNE

Par application du sénatus-consulte de l'an XII, l'Empire était héréditaire. Mais Joséphine n'avait pas donné d'enfant à Napoléon. Elle avait cru, par la célébration d'un mariage religieux bâclé la veille du Sacre, affermir sa position, car elle pressentait que, tôt ou tard, se poserait la question de succession. Certes, Napoléon pouvait adopter un enfant dont il eût fait, légalement, son héritier. Mais Joséphine était trop fine psychologue, ou trop intuitive, pour ne pas sentir que cette solution ne satisfaisait pas l'Empereur. À mesure que le concept dynastique s'ancrait en lui et qu'il se persuadait d'être le continuateur de Charlemagne, il souffrait de n'avoir pas un fils de son sang qu'il eût instruit et préparé à remplir le rôle qui serait le sien. Sa plus grande crainte était qu'un de ses frères fût désigné pour occuper le trône, car il connaissait leur incapacité à soutenir un empire aussi vaste et, malgré les mesures d'unification, aussi hétérogène.

Dès 1805, il disait à Bourrienne :

« Si du moins j'avais un enfant d'elle ! C'est le tourment de ma vie de n'avoir pas d'enfant ; je comprends bien que ma position ne sera assurée que quand j'en aurai un. Si je venais à manquer, aucun de mes frères n'est capable de me remplacer ; tout est commencé, rien n'est achevé. Dieu sait ce qui arrivera. »

Et Fouché qui, fidèle à son génie de l'ambiguïté, payait secrètement les dettes de l'Impératrice sur les fonds de police, opinait cyniquement :

« Il serait à souhaiter que l'Impératrice vînt à mourir. Cela lèverait bien des difficultés. Tôt ou tard, il faudra bien qu'il prenne une femme qui lui fasse des enfants ; car, tant qu'il n'aura d'héritier direct, il y aura à craindre que sa mort ne soit le signal de la dissolution. Ses frères sont d'une incapacité révoltante, et l'on verrait surgir un nouveau parti en faveur des Bourbons, et c'est ce qu'avant tout il faut prévenir. »

Sans doute l'Empereur avait-il adopté son beau-fils, Eugène de Beauharnais (qui l'avait déçu), songeait-il à adopter le fils de Louis Bonaparte et d'Hortense de Beauharnais. Ce n'étaient là que des palliatifs et, d'ailleurs, personne n'y croyait vraiment dans l'entourage impérial. On rapporte qu'au cours d'entretiens intimes, Napoléon avait demandé à l'Impératrice de l'aider, c'est-à-dire de prendre l'initiative d'une rupture si la raison d'État l'exigeait. Elle eût répondu : « Sire, vous êtes le maître et vous déciderez de mon sort. Quand vous m'ordonnerez de quitter les Tuileries, j'obéirai à l'instant ; mais c'est bien le moins que vous l'ordonniez d'une manière positive. Je suis votre femme, j'ai été couronnée par vous en présence du pape ; de tels honneurs valent bien qu'on ne les quitte pas volontairement. »

Pourtant cet ordre, Napoléon ne se décidait pas à le donner, Joséphine ne l'avait pas aimé quand il était fou de passion pour elle. Elle l'avait ouvertement, ignominieusement trompé, quand, entre deux batailles, il lui écrivait des lettres brûlantes. Elle était menteuse, coquette, frivole et dépensière. Il n'avait que très peu de confiance en elle. Cependant elle l'avait loyalement servi comme épouse du Premier Consul et comme Impératrice. À mesure qu'elle prenait de l'âge, elle s'était attachée à lui, tandis qu'il commençait à se détacher d'elle. Toutefois ils avaient tant de souvenirs communs et Joséphine gardait encore tant de charme, qu'il ne consentait pas à la sacrifier et, nonobstant la raison d'État, le divorce heurtait son sens de la justice. Pourtant, avec les années, l'orgueil avait crû en lui, ainsi que la certitude d'être un homme unique, un fondateur d'empire. Les flagorneurs de Cour, les dignitaires, le pressaient de se donner un fils, afin de préserver leurs intérêts. Fouché écrivait à l'Impératrice ces lignes insidieuses : « Il ne faut pas se le dissimuler, madame : l'avenir politique de la France est compromis par la privation d'un héritier de l'Empereur. Comme ministre de la Police, je suis à portée de connaître l'opinion publique et je sais qu'on s'inquiète sur la succession d'un tel Empire. Représentez-vous quel degré de force aurait aujourd'hui le trône de Sa Majesté s'il était appuyé par l'existence d'un fils. » Inutile de préciser que Fouché n'avait pas pris l'initiative d'écrire une pareille lettre...

Mais, indépendamment de ces pressions et de ces manœuvres, il y avait eu un fait nouveau, d'importance capitale. Joséphine avait longtemps laissé croire à Napoléon que, si elle ne lui avait pas donné d'enfant, c'était qu'il ne pouvait en faire ! Or l'Empereur avait eu un fils d'Éléonore Deruelle, fils prénommé Léon dont il douta, certainement à tort, d'être le père. Puis Marie Walewska, « l'épouse polonaise », donna elle aussi le jour à un fils, dont il ne récusa pas la paternité. Cette certitude de pouvoir procréer accrut son impatience de se séparer de Joséphine et d'épouser une femme capable de lui donner un héritier. Lorsqu'il fut rentré de Vienne, en novembre 1809, il décida d'en finir. Au cours d'une scène orageuse, il mit Joséphine en demeure de demander l'annulation de leur mariage, afin de lui laisser probablement le beau rôle aux yeux de l'histoire. Joséphine éclata en sanglots.

« Ne cherchez pas à m'émouvoir, dit-il. Je vous aime toujours, mais la politique n'a pas de cœur, elle n'a que de la tête. Je vous donnerai 5 millions par an et la souveraineté de Rome. »

Elle gémit : « Non, je n'y survivrai pas... »

Et s'évanouit. L'Empereur appela Beausset, préfet du palais, qui attendait dans la pièce voisine. « Êtes-vous assez fort pour enlever Joséphine (*sic*) et la porter chez elle par l'escalier intérieur, afin de lui faire donner des soins ? »

Beausset souleva l'Impératrice, l'emporta dans ses bras, cependant que Napoléon l'éclairait avec un flambeau.

« Vous me serrez trop fort », murmurait Joséphine.

Car, bien entendu, elle n'avait pas un instant perdu connaissance, mais sachant d'expérience combien l'Empereur était impressionnable, elle jouait cette dernière comédie. Elle l'avait tant de fois fait revenir sur ses décisions ! Il lui avait si souvent pardonné ! ses dettes, ses adultères et ses passades ! Mais, lorsque Beausset l'eut étendue sur le lit et qu'elle fut entourée par les dames de service, Napoléon passa dans le boudoir. Marchant de long en large, s'épongeant le front, il disait :

« Le divorce est devenu un devoir rigoureux pour moi. Je suis d'autant plus affligé de la scène que vient de faire Joséphine que depuis trois jours elle a dû savoir par Hortense la malheureuse obligation qui me condamne à me séparer d'elle ! Je la plains de toute mon âme, je lui croyais plus de caractère. »

Les jours suivants, Paris fêta la paix de Vienne. Napoléon et Joséphine parurent ensemble dans les réceptions, au *Te Deum* chanté à Notre-Dame. Elle tint son rôle à la perfection et nul ne se doutait, dans le public, qu'on ne la reverrait plus.

Le 15 décembre 1809, à neuf heures du soir, en présence des Bonaparte et des Beauharnais, de Cambacérès et de Regnault de Saint-Jean d'Angély, Joséphine lut cette déclaration : « Avec la permission de notre auguste et cher époux, je dois déclarer que, ne conservant aucun espoir d'avoir des enfants qui puissent satisfaire les besoins de sa politique et l'intérêt de la France, je me plais à lui donner la plus grande preuve d'attachement et de dévouement qui ait jamais été donnée sur terre. Je tiens tout de ses bontés ; c'est sa main qui m'a couronnée et, du haut de ce trône, je n'ai reçu que des témoignages d'affection et d'amour du peuple français. La dissolution de mon mariage ne changera rien aux dispositions de mon cœur; l'Empereur aura toujours en moi sa meilleure amie. L'un et l'autre, nous sommes glorieux du sacrifice que nous faisons au bien de la patrie. »

Quant à Napoléon, en terminant son discours, il avait dit: « Je n'ai qu'à me louer de l'attachement et de la tendresse de ma bien-aimée épouse. Je veux qu'elle conserve les rang et titre d'Impératrice. »

Tous les présents signèrent le procès-verbal de divorce, y compris Madame Mère dont l'émotion fut remarquée. C'était pour sa tribu le dénouement d'une âpre rivalité. Ils ignoraient que, par un caprice du sort, le départ de Joséphine coïnciderait, bizarrement, avec le début des revers.

La dissolution du mariage civil ne présentait aucune difficulté; elle fut simplement enregistrée par le Sénat. Il n'en était pas de même de la dissolution religieuse. Normalement elle aurait dû être demandée au pape. Mais, par suite des empiétements successifs du pouvoir politique, les relations s'étaient tendues avec le Saint-Siège. Napoléon fit donc prononcer la dissolution par une commission de prélats français dûment choisis et chapitrés par le cardinal Fesch, en sa qualité de primat des Gaules. C'est dire que sa validité était pour le moins douteuse. Fesch qui avait béni le mariage semi-clandestin de Napoléon et de Joséphine en démontra lui-même les irrégularités, ce qui était un comble! Mais l'Empereur était pressé. Il avait déjà entamé les démarches pour obtenir la main de Catherine de Russie, sœur de son grand ami le tsar Alexandre. L'Impératrice douairière ayant manifesté son hostilité, on se rabattit sur la sœur cadette, Anna, âgée de 15 ans. Redoutant un refus, l'Empereur fit pressentir les Habsbourg par l'intermédiaire de l'ambassadeur Schwarzenberg. À Paris, l'opinion, l'armée s'émurent. On aimait Joséphine. Elle était associée à de si beaux souvenirs! Tous vantaient sa bonté: en ce domaine le peuple ne se trompe guère! On se demandait avec inquiétude qui allait lui succéder. La puissance de l'Empire, la solidité du trône paraissaient telles que ce mariage revêtait une très grande importance : il engageait l'avenir !

Le lieutenant Chevalier, ci-devant jacobin, toujours persuadé que son Empereur était celui de la Révolution, partageait l'inquiétude générale. Il écrit :

« Ce fut le 15 ou le 16 que le divorce fut décidé. C'est alors que l'on fit des cancans ! Chacun cherchait quelle serait l'auguste princesse qui viendrait partager *notre* couche impériale ; toutes celles de l'Europe furent mises sur le tapis. On sut enfin que le prince de Wagram[1] partait pour Vienne et allait demander une fille de l'Empereur, Marie-Louise, archiduchesse d'Autriche. Et tout le monde reportait ses souvenirs sur Marie-Antoinette, qui nous causa tant de maux, encore une archiduchesse d'Autriche ! Quelle fatalité pousse l'Empereur, si cette seconde Autrichienne doit nous rapporter les malheurs que la première nous a causés... Hélas ! comme le peuple avait bien raison, comme il redoutait une seconde catastrophe... Cette deuxième alliance devait nous être fatale comme la première. Pauvre France ! »

L'archiduchesse Marie-Louise avait été élevée comme une vraie Habsbourg, on veut dire qu'elle acceptait par avance d'être mariée par raison d'État, de ne pas choisir son époux. Cependant les Habsbourg avaient des principes familiaux : en aucun cas on ne forçait la volonté des enfants, du moins en apparence. Lorsque l'empereur François fit demander, pour la forme, l'assentiment à sa chère fille, elle répondit *noblement* :

« Je désire faire seulement ce que mon devoir me commande ; quand les intérêts de l'empire et de mon père sont en jeu, ce sont eux que je dois consulter et non pas mes sentiments. Dites à mon père de ne considérer que son devoir de souverain et de ne pas le subordonner à mes désirs personnels. »

Car la pauvrette était vaguement amoureuse d'un sien cousin ; elle avait même avoué ses sentiments à son père.

---

1. Berthier.

Ajoutez à cela que l'empereur Napoléon n'avait pas très bonne presse chez les Habsbourg. Ne les avait-il pas chassés de Vienne en 1805 et 1809 ? Mais, précisément, ce mariage si redouté pouvait être un facteur de paix. L'Autriche avait besoin de quelques années de répit pour se remettre de la dernière campagne. Le peuple aspirait à la tranquillité. Le sacrifice de Marie-Louise servait donc la patrie. Aussi, quand le prince de Wagram (avouons que ce choix était regrettable) se présenta à la Hofburg, il fut bien accueilli. Très protocolairement il demanda, au nom de son maître, la main de Marie-Louise, qui donna son consentement « avec la permission » de son père. Le 9 mars 1810, il signa le contrat de mariage. Le 11, le mariage religieux fut célébré. Le 13, Marie-Louise prenait congé de sa famille. Parvenue à Braunau, elle abandonna le cortège autrichien pour être « remise » officiellement à la France, comme sa tante, la reine Marie-Antoinette l'avait été naguère aux envoyés du roi de France. Par surcroît ce fut Caroline Murat, reine de Naples, qui lui souhaita la bienvenue : Naples avait été le royaume de la propre grand-mère de Marie-Louise ! On aperçoit le manque de tact, trop prononcé pour n'être pas intentionnel !

Napoléon ne connaissait sa fiancée que par les rapports des ambassadeurs et par les miniatures qu'on lui avait remises. Berthier lui avait écrit laconiquement : « Quoiqu'on ne puisse la considérer comme une jolie femme, elle a tout ce qu'il faut pour faire le bonheur de Votre Majesté. » À mesure qu'elle s'approchait de Paris, Napoléon sentait croître en lui la curiosité. Bien entendu, tout un cérémonial avait été prévu pour faire de leur rencontre un événement historique. À Compiègne, on était déjà en place pour recevoir solennellement la nouvelle Impératrice. Mais Napoléon, comme un jeune homme impatient de rejoindre sa promise, bouscula le protocole. Il sauta dans sa berline de voyage et, en compagnie de Murat, fonça vers la Champagne. À Courcelles, on fit brusquement halte, car le courrier précédant le cortège venait d'être aperçu. Napoléon descendit de voiture et courut jusqu'au porche de l'église pour s'abriter de la pluie.

Quand arriva le carrosse de Marie-Louise, l'Empereur dans sa petite redingote grise un peu fripée fit signe au cocher d'arrêter. On abaissa le marchepied. Les nouveaux époux étaient face à face. On vit l'Empereur embrasser tout bonnement Marie-Louise. Le carrosse roula toute la nuit. Quand il parut à Compiègne, la Cour fut stupéfaite et dépitée d'être privée du spectacle de « la première entrevue ». Mais elle n'était pas au bout de sa surprise. En effet Marie-Louise, ayant reçu du cardinal Fesch l'assurance qu'elle était valablement mariée, consentit, de la meilleure grâce, à partager son lit avec Napoléon. Le lendemain, l'Empereur avait son sourire des jours fastes ; il dit à un aide de camp :

« Mon cher, épousez une Allemande, ce sont les meilleures femmes du monde, douces, bonnes, naïves et fraîches comme des roses. »

De deux jours, les nouveaux mariés ne se quittèrent pas ; puis il fallut reprendre le carcan officiel, se produire en public, main dans la main. Les mauvaises langues allèrent leur train. On estima généralement que Marie-Louise avait les jambes et les bras trop longs, la poitrine trop avantageuse, le regard (d'un bleu de faïence !) un peu niais, le menton trop fort et l'air un peu trop gauche. Mais on admira sans réserve l'éclat de sa chevelure blonde et sa carnation, ainsi que la petitesse de ses pieds et la finesse de ses attaches. Cette bouche épaisse, et ce gros menton, c'étaient pour l'Empereur une vraie conquête : la signature des Habsbourg, tous plus ou moins prognathes, le sang prestigieux de Charles Quint ! Quel démiurge en folie eût jamais imaginé qu'un Bonaparte épousât la descendante du vieil empereur ! Cela comptait pour lui, extrêmement. Les beaux esprits, toujours en éveil, firent des jeux de mots d'un goût douteux : « Elle est laide à présent, mais elle sera beaucoup mieux quand elle aura un nouveau nez ! » Ils assuraient aussi qu'elle entrerait « en sainte » à Paris.

Précisément, lorsque les envoyés de l'empereur d'Autriche (Schwarzenberg et Metternich) arrivèrent dans la capitale pour assister aux cérémonies civiles et religieuses, ils apprirent que le mariage était consommé, et reçurent cette nouvelle comme une humiliation infligée à leur maître. Ils avaient tort. Si l'Empereur avait un peu brusqué les choses, c'est que sa jeune femme lui plaisait et qu'il voulait épargner à sa candeur le poids d'un insupportable cérémonial. Et peut-être aussi, en galant militaire, voulut-il faire réellement sa conquête.

D'ailleurs les Autrichiens purent se convaincre que l'on traitait la nouvelle souveraine avec tous les honneurs dus à son rang. Tout fut splendide, les cérémonies comme les banquets et les fêtes. Jamais Napoléon n'avait déployé un tel faste. Paris était en liesse. On était venu de toutes les provinces pour contempler sa gloire. La foule des grands jours se pressait aux alentours des Tuileries et de Notre-Dame. Qui pouvait alors prévoir – sauf Talleyrand et Fouché – que le gigantesque Empire s'effacerait aussi vite que le feu d'artifice que l'on tira pour célébrer le mariage ? « Que Bonaparte, écrit Mme de Rémusat, après son second mariage, eût maintenu la paix et employé la partie de l'armée qu'il n'avait pas licenciée à border nos frontières, qu'est-ce qui alors eût osé douter de la durée de sa puissance et de la force de ses droits ? Ils paraissaient à cette époque avoir conquis leur légitimité. » Voici la phrase juste : ce que Napoléon célébrait avec tant de pompe, c'était son entrée dans la famille des rois légitimes, sa qualité nouvelle de gendre d'un Habsbourg et de neveu par alliance du défunt Louis XVI. Pauvre soldat d'aventure, oubliant son mérite, pour ne regarder plus que ces têtes couronnées, fussent-elles sans cervelle ! Il ne manquait plus à son bonheur que d'avoir un héritier : moitié Bonaparte et moitié Habsbourg ; indiscutable parce que de souche royale ! Marie-Louise était une bonne épouse, très consciente de ses devoirs. Elle ne fit pas languir son impérial époux. Le 20 mars 1811, elle donna le jour à un fils qui reçut les prénoms de Napoléon, François, Charles Joseph (ceux de son père et de ses deux grands-pères). Napoléon, ne se tenant plus de joie, lui donna le titre de Roi de Rome.

Notre petit docteur Poumiès fut témoin de la ferveur populaire. Il vit la foule parisienne emplir les rues et, quand tonna le vingt-deuxième coup de canon annonçant la naissance d'un enfant mâle, crier « Vive l'Empereur ! ». Il écrit : « C'était une joie désordonnée, c'était de l'ivresse... » On croyait la venue de cet enfant gage de prospérité et de paix. Un poète officiel[1] commit une ode en l'honneur du Roi de Rome :

Du plus grand des héros la sagesse profonde
Se repose sur toi de l'avenir du Monde.
À sa famille immense il promet ton appui ;
Son immortalité sur ta tête rayonne
Et déjà la gloire s'étonne
De tresser des lauriers pour un autre que lui.

Cette flatterie versifiée eut un grand succès dans les salons officiels. Cependant que l'Empereur, assuré désormais de se survivre en Napoléon II, convaincu d'avoir fondé la quatrième dynastie, reforgeait une nouvelle fois son empire, au mépris du droit des peuples, pour léguer à ce nouveau-né un État d'un seul tenant. Bientôt il rêvera de lui léguer l'Europe entière. Le jour du baptême, Paris chantait :

Javotte, entends-tu l' canon ?
C'est aujourd'hui l' jour du baptême
Du Roi d' Rome, premier du nom :
Z'y s'ra orné d' son diadème,
Et l' papa Napoléon,
Y' crois qu'y s'ra mis su' l' bon ton,
Et Marie-Louise de grand nom,
L'épous' d'un si grand homme,
Vive la maman du Roi d' Rome !

Toutefois dans certains milieux, on préférait cette chanson pleine de sous-entendus et qui, sans doute, traduisait assez fidèlement une opinion de plus en plus inquiète :

1. Soumet.

Bel enfant qui ne fait que naître,
Et pour qui nous formons des vœux,
En croissant, tu deviendras maître
Et régneras sur nos neveux.
Dame, dame, réfléchis bien,
Dame, dame, souviens-toi bien
Qu'alors il ne faudra pas faire
Tout comme a fait, tout comme a fait ton père.

Dans sa gloire, et dans sa pensée,
Napoléon va t'élever
Et plusieurs personnes sensées
Viendront pour t'endoctriner.
Dame, dame, réfléchis bien,
Dame, dame, souviens-toi bien
De ne pas aimer la guerre
Tout comme a fait, tout comme a fait ton père.

Répare les maux de la France,
En gouvernant mieux tes États,
Et vis en bonne intelligence
Avec les autres potentats.
Dame, dame, réfléchis bien
Dame, dame, souviens-toi bien
De ne pas dépeupler la Terre,
Tout comme a fait, tout comme a fait ton père...

VI

LA CAMPAGNE DE RUSSIE

Il neigeait. On était vaincu par
[sa conquête,
Pour la première fois, l'aigle
[baissait la tête.

Victor HUGO, *Les Châtiments*

L'Empire formait alors un bloc de 130 départements. Aux circonscriptions administratives de « l'Hexagone » s'ajoutaient les départements rhénans (Sarre, Mont-Tonnerre, Rhin-et-Moselle, Roër), les départements belges (Forêts, Sambre-et-Meuse, Ourthe, Dyle, Jemmapes, Lys, Escaut, Meuse-Inférieure, Deux-Nèthes), hollandais[1] (Bouches-du-Rhin, Bouches-de-la-Meuse, Yssel-Supérieur, Bouches-de-l'Yssel, Zuyderzee, Frise), hanséatiques (Ems occidental, Ems supérieur, Ems oriental, Bouches-du-Weser, Bouches-de-l'Elbe). Le royaume d'Italie, distinct de la France (mais l'Empereur en était le maître), comprenait en outre 24 départements; il avait pour capitale non point Rome, mais Milan. Autour de cet empire régi par les lois françaises et administré par des préfets, gravitaient les États satellites: la Westphalie ayant pour roi Jérôme Bonaparte, l'Espagne théoriquement gouvernée par Joseph, le royaume de Naples confié à Murat,

1. Louis Bonaparte avait abdiqué en 1810.

les principautés de Lucques et de Piombino gouvernées par Élisa, la principauté de Guastalla donnée à Pauline, le grand-duché de Berg attribué au fils mineur de Louis et d'Hortense de Beauharnais, la principauté de Bénévent accordée à Talleyrand, celle de Neuchâtel à Berthier, la Confédération helvétique dont Napoléon était le protecteur, ainsi que le grand-duché de Varsovie. Les rois de Saxe et de Bavière étaient nos alliés. La Prusse avait été réduite à l'impuissance et l'Autriche, depuis le mariage de Marie-Louise, à une neutralité bienveillante. En fait, sur le continent européen, ne restaient face à face que les deux colosses : l'empire français et l'empire russe.

Napoléon et Alexandre étaient « amis » depuis Tilsit. Toutefois le tsar, sans opposer un refus formel, n'avait point voulu donner l'une de ses sœurs comme épouse à Napoléon. De plus il n'ignorait rien de la situation en Espagne, ni des difficultés rencontrées par l'Empereur pour faire appliquer le blocus ou pour imposer ses diktats au souverain pontife. Cependant il ne se sentait pas encore assez fort pour affronter seul la Grande Armée, en dépit des promesses de l'Angleterre et des vantardises de son état-major. D'ailleurs son âme changeante le portait à louvoyer et, bien qu'il partageât dans une certaine mesure l'hostilité de l'opinion russe à l'égard de Napoléon, il gardait pour l'homme une espèce de sympathie admirative. Ce n'était pas seulement un fourbe, mais bien plutôt un caractère plein de nuances, bourré de contradictions, par surcroît tiraillé entre ses convictions et les vantardises de ses généraux, bref extrêmement influençable. Il pouvait aussi se souvenir de la triste fin de son père Paul Ier, « coupable » de francophilie. Mais, pourtant, il n'eût certes pas pris l'initiative d'une provocation. Les Anglais s'en chargèrent. Ils parvinrent, par un coup d'audace, à débarquer la cargaison de 600 navires sur les côtes baltes. C'était une fameuse brèche dans le blocus ! Fureur de Napoléon qui envoya Davout occuper la région. Par malheur, celle-ci englobait le duché d'Oldenburg, fief du beau-frère d'Alexandre. D'où incident diplomatique grave, ordre d'évacuer immédiatement le territoire sous peine de sanctions, dégradation rapide de la situation. Alexandre était trop heureux que la provocation vînt de son rival ; il aimait être contraint. Toutefois avait-il vraiment envie d'entreprendre cette guerre, et tellement confiance en son armée ? Probablement pas, car il ne manquait ni de clairvoyance ni de réalisme. Mais les dimensions mêmes de son empire le rassuraient ; il avait parfaitement saisi qu'elles rendaient tout à fait inapplicable la stratégie napoléonienne et que, par avance, elles en annulaient les effets, quelles que fussent les victoires remportées, les villes prises, les armées anéanties ! Loin de ses bases, l'ennemi ne pourrait se refaire. Par contre il serait aisé de reconstituer les forces russes : Alexandre disposait « d'un capital humain » intact, ce qui n'était plus le cas de Napoléon.

À Fouché qui lui avait remis un mémoire défavorable à une guerre contre la Russie, l'Empereur avait rétorqué :

« C'est ici une guerre toute politique. Vous ne pouvez pas juger de ma position ni de l'ensemble de l'Europe. Depuis mon mariage on a cru que le lion sommeillait. On verra s'il sommeille ! L'Espagne tombera dès que j'aurai anéanti l'influence anglaise à Saint-Pétersbourg. Il me fallait 800000 hommes et je les ai. Je traîne toute l'Europe avec moi et l'Europe n'est plus qu'une vieille putain pourrie et dont je ferai tout ce qui me plaira avec 800000 hommes. Ne m'avez-vous pas dit autrefois que vous faisiez consister le génie à ne rien trouver d'impossible ! Eh bien ! dans six ou huit mois vous verrez ce que peuvent les plus vastes combinaisons réunies à la force de qui sait les mettre en œuvre. Je me règle d'après l'opinion de l'armée et du peuple plus que par la vôtre, messieurs, qui êtes trop riches et qui tremblez pour moi parce que vous craignez la débâcle… D'ailleurs qu'y puis-je si un excès de puissance m'entraîne à la dictature du monde ? N'y avez-vous pas contribué, vous et tant d'autres qui me blâmez aujourd'hui et qui voudriez faire de moi un roi débonnaire ? Ma destinée n'est pas accomplie. Je veux achever ce qui n'est qu'ébauché. Il nous faut un code européen, une cour de cassation européenne, une même monnaie, les mêmes poids et mesures, les mêmes lois. Il faut que je fasse de tous les peuples de l'Europe le même peuple, et de Paris la capitale du monde. Voilà, monsieur le duc, le seul dénouement qui me convienne[1]... »

Telle était sa chimère, à ce moment crucial de son histoire. Lorsque, le 12 avril 1812, le tsar Alexandre le somma, par ultimatum, d'évacuer non seulement l'Oldenburg, mais l'Allemagne (dans l'unique but de se gagner des alliés et de soulever la Prusse), Napoléon pouvait, sans perdre la face, adopter une attitude défensive. Il lui était possible, en étoffant le grand-duché de Varsovie et en le mettant sur pied de guerre, d'établir une ligne solide sur laquelle l'armée russe serait venue se briser. Tous ceux qui avaient quelque bon sens parmi les militaires et les politiques le lui conseillaient. On se souvenait de l'hiver polonais qui avait précédé Friedland, de la misère des soldats, de l'insuffisance tragique des approvisionnements, des épidémies. On pressentait qu'un hiver en Russie aboutirait à un désastre. On s'inquiétait à juste raison de la longueur des lignes de communication, de la distance entre Paris et Moscou. Nul ne connaissait les ressources exactes de la terre russe : l'armée devant vivre sur le pays, encore fallait-il que ce pays ne fût pas un désert comme certaines contrées de l'Espagne. Il paraissait plus sûr de laisser venir l'armée russe et, après l'avoir épuisée, d'envelopper ses débris en quelque nasse savamment tendue, comme on avait pratiqué tant de fois ! Mais Napoléon n'écoutait personne, ne consultait personne hormis pour entendre approuver ses folies ! Ses ministres et ses maréchaux n'étaient plus que des sous-ordres. Il ne suivait plus que son inspiration, se laissait emporter par son imagination brûlante. Il voyait dans l'ultimatum d'Alexandre, non pas un piège, mais l'occasion inespérée d'en finir avec l'empire russe, d'abattre cette puissance rivale. Le grand écuyer

1. *Mémoires* de Fouché.

Caulaincourt a très bien démonté le mécanisme psychique du Napoléon de 1812 :

« Une idée qu'il croyait utile une fois casée dans sa tête, l'Empereur se faisait illusion à lui-même. Il l'adoptait, la caressait, s'en imprégnait ; il la distillait, on peut dire, par tous les pores. Le moyen donc de lui en vouloir de chercher à faire illusion aux autres ? S'il cherchait à vous séduire, il l'était avant vous. Jamais la raison d'un homme et son jugement n'ont été plus trompés, plus induits en erreur, plus victimes de son imagination, de sa passion, que ne l'ont été la raison et le jugement de l'Empereur sur certaines questions. Il n'épargnait ni peines, ni soins, ni fatigues pour en venir à son but, et cela s'appliquait aux petites choses comme aux grandes. Il était, on peut dire, tout entier à son objet. Il réunissait toujours tous ses moyens, toutes ses facultés, toute son attention sur la chose qu'il faisait ou la question qu'il traitait dans le moment. Il faisait tout avec passion. De là l'immense avantage qu'il avait sur ses adversaires, car peu d'êtres sont entièrement absorbés par la pensée ou l'action unique du moment. »

Selon l'interlocuteur, Napoléon variait en effet son argumentation. Il déclarait à Caulaincourt que la guerre contre la Russie n'avait d'autre but que de provoquer la chute du gouvernement anglais et, par là, d'assurer la paix et la liberté des mers : « C'est un combat entre deux géants, disait-il. Les négociants des ports de mer se sont trouvés entre deux champions. Y a-t-il un moyen d'empêcher que personne ne fût heurté ? Mais ce combat à outrance est dans l'intérêt de ceux qui se plaignent... C'est l'Angleterre qui m'a poussé, forcé à tout ce que j'ai fait. Si elle n'avait pas rompu le traité d'Amiens, si elle avait fait la paix après Austerlitz, après Tilsit, je serais resté tranquille chez moi... Je ne me serais occupé que de la prospérité intérieure... Je ne suis pas un don Quichotte qui a besoin de quêter les aventures. Je suis un être de raison qui ne fait que ce qu'il croit utile... On dit, et vous le premier, Caulaincourt, que j'abuse de la puissance. J'admets ce reproche, mais c'est dans l'intérêt général du continent, tandis que l'Angleterre abuse réellement de sa force, de sa puissance isolée au milieu des tempêtes, et cela pour son seul intérêt, car celui de cette Europe, qui semble l'entourer de sa bienveillance, n'est compté pour rien par les marchands anglais. »

Mettre le tsar à genoux, c'était donc, selon Napoléon, consommer la ruine de l'Angleterre perdant avec lui son dernier allié. Mais, au comte de Narbonne, féru d'histoire, il tenait un autre langage : « J'ai succédé aux souvenirs du terrorisme, comme Trajan à Domitien ; et, comme lui, j'ai étendu et illustré l'État. J'ai repris ses traces au-delà du Danube et de la Vistule. Mais il faut que j'aille plus loin, dans le Nord. Car c'est là qu'est le péril et l'avenir. On ne fonde que derrière des remparts inexpugnables : et nous n'en avons pas du côté du Nord. Danzig n'est qu'une tête de pont ; et vous savez comme elle m'est enviée. J'ai voulu amicalement refouler Alexandre vers l'Asie. Je lui ai offert Constantinople, cela est vrai. Il a voulu moins d'abord : la Finlande, à sa porte, dans ses faubourgs. J'ai consenti ; c'est peut-être une grande faute ; mais elle n'a que deux ans de date et est réparable par la guerre. »

Ce fut donc « dans l'intérêt général du continent » que l'Empereur se rendit à Dresde pour y réunir tout ce qui portait couronne, y compris son beau-père, François d'Autriche. Le roi de Prusse fut un peu en retard, mais n'osa s'abstenir malgré les sirènes russes et anglaises. Les fêtes furent splendides, cela va de soi, et la jeune Impératrice, parée comme une châsse, éclipsa toutes les reines. Quant à son bon homme de mari, toujours un peu cavalier, mais de plus en plus enflé d'orgueil, il circulait bicorne sur la tête au milieu des têtes nues. L'empereur François lui-même s'était résolu à retirer son chapeau. Ce point marqué contre la bienséance, on parla de choses sérieuses, ou, plutôt, Napoléon dicta ses volontés : contre le tsar Alexandre, leur ami d'hier, l'Autriche et la Prusse fourniraient un contingent respectif de 30 000 et de 20 000 hommes. Les Italiens, les Bavarois, les Saxons, la Confédération du Rhin, les Polonais apporteraient aussi leur soutien. Les 320 000 hommes recrutés de la sorte dans tous les pays se joignirent aux 356 000 Français. C'étaient donc plus de 700 000 hommes qui composeraient la Grande Armée ! Comme on avait laissé 200 000 hommes en Espagne, c'était presque 1 million de mobilisés que comptait alors l'Europe, chiffre jamais atteint !

Selon son habitude, Napoléon se mit frénétiquement au travail pour organiser cette masse, la répartir en corps d'armée, amalgamer Français et étrangers, minuter les itinéraires, monter la cavalerie, prévoir les approvisionnements, faire mettre les canons en état, rassembler les munitions, réquisitionner les immenses convois, tracer les itinéraires, étudier les cartes centimètre par centimètre, etc.

« Il eût fait sortir des hommes, des chevaux, des canons du sein de la terre, écrivait Caulaincourt. Les numéros de ses cadres, de ses régiments, celui de ses compagnies de transport des vivres, de ses bataillons du train, se classaient dans sa tête d'une manière merveilleuse. Sa mémoire suffisait à tout. Il savait où chacun était, quand il partirait, quand il arriverait. Sa mémoire mettait, on peut dire, en défaut les états du chef de chaque partie, mais cet esprit d'ordre pour tout faire coopérer à son but, pour tout créer et organiser, enfin pour tout faire arriver à point nommé, n'allait pas au-delà. Il eût fallu, pour lui, que la solution de toutes les affaires de la campagne fût dans le gain de quelques batailles. Il était si maître de son échiquier qu'il les eût certainement gagnées. Mais ce génie créateur ne savait pas conserver. Improvisant toujours, il consommait, usait, désorganisait en peu de jours, par la rapidité de ses marches, tout ce que son génie venait de créer. Si une campagne de cinquante jours ne lui produisait pas les résultats d'une année, la plus grande partie de ses calculs se trouvait en défaut par les pertes qu'il avait faites, car tout était si rapide, si imprévu, les chefs sous ses ordres avaient si peu d'expérience et de soin et avaient, surtout, été si gâtés par les succès précédents, que tout se trouvait désorganisé, gaspillé, disséminé. Le génie de l'Empereur avait toujours opéré de si grands prodiges que chacun se reposait sur lui du soin des succès. Arriver pour le jour de la bataille paraissait tout. Bien sûr de se reposer après et d'avoir le temps de réorganiser son service, on s'inquiétait peu de ce que l'on perdait, de ce qu'on laissait derrière, car l'Empereur en demandait rarement compte. Les prompts résultats des campagnes d'Italie et d'Allemagne, les ressources qu'offraient ces pays avaient gâté tout le monde, même les chefs inférieurs. Cette habitude du succès nous a coûté bien cher en Russie et, plus tard, dans nos revers. La glorieuse habitude d'aller toujours en avant avait fait de nous de vrais écoliers en fait de retraite. L'habitude d'avoir ses troupes sous la main et le désir qu'avait toujours l'Empereur de reprendre l'offensive lui faisaient encombrer les routes ; il y entassait les colonnes. On exténuait de cette manière hommes et chevaux... »

Cette analyse est en tous points digne d'attention ; elle fait ressortir, avec une extraordinaire netteté, les raisons de l'échec de Napoléon en Russie, ainsi que des revers qui suivront. Le génie de l'Empereur s'exerçait en effet à l'échelle d'une campagne de quelques mois menée dans une contrée prospère, faute d'intendance appropriée. Passé ce délai, l'admirable mécanisme se disloquait. Il importait donc qu'une bataille décisive vînt clore à propos les opérations. Dans ce cadre relativement étroit, certes le génie de Napoléon était hors de pair. Il n'était pas fait pour un type de guerre différent : en cela il appartenait au XVIIIe siècle dont il avait seulement porté les méthodes et les théories stratégiques à leur point de perfection. La résistance espagnole l'avait pris en défaut. De même perdra-t-il son efficacité devant la tactique russe de décrochage et de terre brûlée, pour lui inconcevable, illogique, déconcertante ! Un autre tort très grave de Napoléon avait été d'enlever systématiquement toute initiative à ses lieutenants, de les brimer, tout en les couvrant d'honneurs et de biens, de rabaisser leur action quand elle lui portait ombrage. En ce sens, il était exact que nombre d'entre eux se reposaient sur lui de la victoire, puisqu'il voulait être seul à la gagner, et n'économisaient ni les armes, ni les munitions, ni les hommes, puisqu'il se faisait fort de tout remplacer. Or, les années passant, les effectifs mis en ligne devenaient de plus en plus nombreux. Il était donc de plus en plus difficile de concevoir une manœuvre d'ensemble et de la faire exécuter au moment propice. Le coup d'œil n'y suffisait plus. La transmission des ordres aux corps d'armée, pendant une bataille, était toujours hasardeuse et péchait souvent par la lenteur. Un simple retard pouvait occasionner la perte d'une bataille, ou en minimiser le gain. La situation se compliquait du fait que la Grande Armée se composait désormais d'éléments très divers, et non plus des seuls soldats français. Bref, le génie napoléonien n'était plus adapté aux circonstances ; il appartenait déjà au passé, si étrange que cela paraisse !

Cependant, malgré l'énormité de l'entreprise, on avait confiance dans le succès français. Roger de Damas écrivait : « Si la Russie succombe, la cause de Napoléon est gagnée sans appel. » Talleyrand lui-même pensait que les Russes se battraient pour l'honneur, car ils ne pouvaient résister, et qu'après une première bataille, ils négocieraient. Tel était bien entendu l'avis de Napoléon, bien qu'au moment d'engager l'action il affichât un optimiste mesuré : mais c'était chez lui une malice connue, un moyen de valoriser par avance la réussite attendue.

Le tsar, assez inquiet, avait traité avec Bernadotte auquel il avait promis la Norvège. Il avait signé un accord avec les Turcs. Ses arrières étaient assurés. Napoléon avait commis la faute de ne point chercher à circonvenir le roi de Suède, fût-ce par la menace. Il avait de même négligé d'intervenir en Turquie. La Sixième Coalition s'était donc formée, groupant l'Angleterre et la Russie, la Suède et, pour mémoire, l'Espagne. Bizarrement le tsar Alexandre prévint son rival, par l'intermédiaire du comte de Narbonne, de ce qu'il laisserait « au temps, au désert et au climat le soin de la défense ». L'avertissement était assez clair ; Napoléon le dédaigna. D'ailleurs il avait ses renseignements sur les mouvements de l'armée russe.

Elles s'avançaient en deux groupes principaux sur un front d'environ 400 km, en direction de Varsovie. L'Empereur exultait. Son plan, très simple, très classique, facilité par la disposition de ses corps d'armée, consistait à séparer les deux groupes russes et à les anéantir séparément. Mais le tsar avait décrété la levée en masse. Les 150 000 Russes commandés par Barclay de Tolly et Bagration s'augmenteraient rapidement. Il convenait donc d'aller vite. Le Niémen qui formait la frontière russo-polonaise fut franchi en quelques jours (24 au 26 juin) avec une précision remarquable. Le corps de bataille (200 000 hommes) commandé personnellement par Napoléon, avec Davout, Oudinot et Ney, se dirigea vers Vilna. À gauche de Napoléon, le vice-roi Eugène et l'armée d'Italie. À gauche d'Eugène, le corps de Macdonald. À droite de Napoléon, le roi Jérôme se dirigeant vers Minsk avec le gros de l'armée. Or, pour que le plan de l'Empereur fût exécutable, pour que le corps de bataille pût jouer son rôle de fer de lance, il eût fallu maintenir la cohésion de cette immense armée. Dès les premiers jours, le corps du roi Jérôme et celui d'Eugène prirent du retard. Ni l'un ni l'autre de ces généraux ne furent capables d'accrocher sérieusement les Russes, afin de les retenir. Tout au contraire, Barclay de Tolly put rétrograder à son aise. De même Bagration évita-t-il l'enveloppement. Parvenu à Vilna, Napoléon dut admettre son échec : il voulait une campagne éclair, les Russes lui offraient une guerre d'usure. Il n'y avait eu que de rares escarmouches, et la route de Kovno à Vilna était encombrée de cadavres. Faute de fourrage, les chevaux broutaient l'herbe et mouraient en masse. Les hommes n'avaient emporté que quatre jours de pain. Les convois ne transportaient que vingt jours de farine. Le jour, on marchait sous un soleil accablant, mais les nuits étaient glacées. Les civils fuyaient en emportant leurs provisions, en brûlant leurs récoltes. Avant d'aller plus loin, il était donc de toute nécessité de se reprendre, de reformer, de réorganiser cette masse d'hommes écrasés de fatigue. Une halte était indispensable. Napoléon la prolongea trop. À la vérité, il espérait attirer l'armée russe dans la région de Vilna et la détruire de façon ou d'autre. Cependant l'horizon restait vide. Napoléon cherchait à s'illusionner ; il déclarait à Caulaincourt :

« Mon frère Alexandre, qui faisait tant le fier avec Narbonne, voudrait déjà s'arranger. Il a peur. Mes manœuvres ont dérouté les Russes. Avant un mois ils seront à mes genoux... Alexandre se fout de moi. Croit-il que je suis à Vilna pour négocier des traités de commerce ? Je suis venu pour en finir une bonne fois avec le colosse des barbares du Nord. L'épée est tirée. Il faut les refouler dans les glaces afin que, de vingt-cinq ans, ils ne viennent pas se mêler des affaires de l'Europe civilisée. »

Il ne comprenait pas, ou ne voulait pas comprendre, que le tsar appliquait très exactement la tactique annoncée à Narbonne : le temps, l'espace et bientôt le climat ! On se remit en marche. Napoléon avait appris que Bagration s'était enfermé dans Smolensk. On l'y assiégea, par besoin de faire quelque chose. La ville tomba le 17 août, après de sanglants combats. Elle était en cendres, mais Bagration avait pu fuir. « Eh bien ! gronda Napoléon de plus en plus désappointé, la Russie est trop grande pour céder sans combattre. J'irai chercher s'il le faut cette bataille jusqu'à la ville sainte de Moscou, et je gagnerai. »

Il la gagna en effet, le 7 septembre, à Borodino, mais à quel prix et pour quels résultats ! Le tsar, cédant à l'opinion, avait confié le commandement de son armée à Koutouzov, le vaincu d'Austerlitz, cependant populaire. Koutouzov s'était retranché à Borodino (près de la Moskova), avec 140 000 hommes et 600 pièces d'artillerie. Napoléon l'attaqua avec des forces égales, en hommes et en artillerie. La bataille débuta par le duel des 1 200 canons tirant ensemble, dans un effroyable fracas. Les Français avaient retrouvé leur allant. Le sergent Bourgogne raconte qu'un vieil officier de son bataillon avait entonné, cinq minutes avant l'assaut à la baïonnette, la *Chanson de Roland* :

Combien sont-ils ? Combien sont-ils ?
Quel homme ennemi de la gloire
Peut demander : combien sont-ils ?
Eh ! demande où sont les périls,
C'est là qu'est aussi la victoire !

Comme le vieux Taillefer chantant la vraie *Chanson de Roland* au matin d'Hastings...

Les positions russes furent prises et perdues, reprises, reperdues, dans une confusion et un acharnement inexprimables. Lorsque la grande redoute tomba, Koutouzov fit sonner la retraite. Il suffisait de lancer la Garde pour lui assener le dernier coup, l'anéantir ou le capturer : Napoléon ne put s'y résoudre.

« Si j'ai à livrer une seconde bataille demain, que me restera-t-il ? »

À vrai dire, il n'était pas dans son état normal. Les jambes enflées, grelottant de fièvre, il pouvait à peine se tenir à cheval. Il semblait avoir perdu son coup d'œil légendaire, être devenu presque pusillanime. Le lendemain, on dénombra 70 000 morts, Russes et Français mêlés. La Grande Armée avait perdu 47 généraux ! Naturellement Koutouzov se proclama vainqueur et, feignant de le croire, Alexandre lui conféra le maréchalat. Cependant la route de Moscou était ouverte.

Le 13 septembre, les Français y faisaient leur entrée. Le 14 septembre, le gouverneur Rostopchine l'évacua, après avoir libéré forçats et prisonniers. Le 15, Napoléon y entra, pour s'installer au Kremlin et attendre les plénipotentiaires d'Alexandre. Le 16, la ville était en flammes. Le gigantesque incendie allumé sur ordre du gouverneur – pour exacerber le patriotisme russe – contraignit les Français à fuir. Napoléon perdit encore un mois à attendre. Il croyait toujours que, Moscou conquise, Alexandre ne pouvait faire autre chose que d'implorer la paix. Ne recevant aucun signe de vie de son bon « frère », il fit le premier pas, lui proposa l'ouverture de négociations. Alexandre dédaigna de répondre. Il attendait paisiblement les effets du climat russe. Brusquement

Napoléon donna l'ordre d'abandonner Moscou, avec quinze jours de vivres. On était le 19 octobre. Compte tenu des tués de Smolensk et de Borodino, des morts de maladie et d'épuisement, des désertions, Napoléon disposait encore de 140 000 hommes dont 50 000 cavaliers. On se dirigea d'abord vers Vitebsk, dans la perspective d'attaquer ensuite Saint-Pétersbourg. Mais la disette se fit sentir. On dévia donc vers Kalouga, région fertile, mais pour se heurter aux avant-gardes de Koutouzov. On obliqua vers Smolensk. Lorsque les colonnes commencèrent à s'étirer, comme en Espagne, les partisans sortirent de terre pour fusiller les traînards et les chapardeurs. Les Cosaques s'en mêlèrent dont les bandes tourbillonnaient en hurlant autour des fantassins tirant la patte. La neige se mit à tomber. Le thermomètre baissa. On avait des habits d'été. On se disputa les fourrures, les manteaux que l'on avait volés à Moscou, pour s'en couvrir. Ce fut, jusqu'à la Bérézina, un long, un incroyable martyre. Plus encore que du froid et des Cosaques, ce fut de faim que l'on souffrit, que l'on mourut, par milliers ! On mangea les chevaux morts, puis les vivants puis... il y eut un commerce de viande plus horrible encore où certains maraudeurs s'enrichirent. Des malheureux s'encombraient du produit de leurs pillages et tombaient, pour ne plus se relever, parmi les lingots d'or et d'argent, les orfèvreries précieuses et les bijoux.

Napoléon marchait au milieu de sa Garde, appuyé sur le bras de Murat ou tapant du bâton. Selon Chevalier, « il n'était nullement abattu et conservait toute sa fermeté, il disait souvent qu'il n'y avait que les âmes de fer, bien trempées, qui résistaient à tout ». Il s'était fait faire « un bonnet de velours vert à toque, avec une ganse et une petite houppe en or, le tour et les cache-oreilles en poil de martre noir, une gospodine, ou robe de chambre, en velours vert pré comme le bonnet, le collet en loutre noir, et le tout fourré, bordé avec des brandebourgs en or, un ceinturon blanc, en ceinture par-dessus, pour porter son épée, des bottes fourrées, de gros gants ».

Mais la Garde et son Empereur défilaient au milieu d'une armée de spectres couverts de givre, titubant de faim, grades, régiments, nationalités confondus par une misère sans nom. On se demande pourquoi les Russes n'osèrent pas les attaquer en corps de bataille et les détruire. Ils tentèrent pourtant de leur barrer la route à la Bérézina, mais l'héroïsme du général Éblé et de ses pontonniers, de Ney et de Victor sauva la horde des survivants. Combien étaient-ils en réalité ? À peine 50 000 qui se retrouvèrent, humiliés et malades, en territoire prussien. L'Empereur en avait laissé le commandement à Murat. Il était parti pour Paris où de graves événements l'appelaient.

Que restait-il de l'immense entreprise ? Des jonchées de squelettes le long des routes et dans les forêts russes, et un bulletin de la Grande Armée, le vingt-neuvième, sonnant le glas de l'Empire :

« ... Cette armée, si belle le 6, était bien différente le 14, presque sans cavalerie, sans artillerie, sans transports. Sans cavalerie, nous ne pouvions pas nous éclairer à un quart de lieue ; cependant, sans artillerie, nous ne pouvions pas risquer une bataille et attendre de pied ferme ; il fallait marcher pour ne pas être contraint à une bataille que le défaut de munitions nous empêchait de désirer... Cette difficulté, jointe à un froid excessif subitement venu, rendit notre situation fâcheuse. Les hommes que la nature n'a pas trempés assez fortement pour être au-dessus de toutes les chances du sort et de la fortune parurent ébranlés, perdirent leur gaieté, leur bonne humeur, et ne rêvèrent que malheurs et catastrophes... »

Suivait un compte rendu fallacieux des combats de la Bérézina présentés comme une ultime victoire. Puis cet aveu tout de même éloquent :

« ... Notre cavalerie était tellement démontée que l'on a dû réunir les officiers auxquels il restait un cheval, pour en former quatre compagnies de 150 hommes chacune. Les généraux y faisaient les fonctions de capitaines et les colonels celles de sous-officiers. Cet escadron sacré, commandé par le général Grouchy, et sous les ordres du roi de Naples, ne perdait pas de vue l'Empereur dans tous les mouvements… »

Et cette incroyable conclusion :

« La santé de S.M. n'a jamais été meilleure. »

Sixième Partie

LA CHUTE

(1812-1815)

Il était un p'tit homme
Qu'on appelait le grand,
En partant,
Or vous allez voir comme
Il revint un petit,
À Paris

Refrain

Gai gai mes amis, chantons le renom
Du grand Napoléon,
C'est le héros (bis) *des petites maisons*

Courant à perdre haleine,
Croyant prendre Moscou,
Ce grand coup,
Mais ce grand Capitaine
N'y a vu sarpejeu
Que du feu

Refrain

Que faire dans cette ville
Qui n'a plus de maisons
Qu'en charbon ?
Il serait difficile
D'y passer son hiver
En plein air

Refrain

Sans demander son reste,
Fier comme un César
De hasard,
Dans son état funeste,
Napoléon le grand
Fout le camp…

Chanson intitulée
La Campagne de Russie

I

APRÈS LA RETRAITE

Nos désastres feront une grande sensation en France. Mais mon arrivée en balancera les fâcheux effets.

NAPOLÉON

Ce fut le 5 décembre 1812, à Smorgoni, que Napoléon quitta l'armée de Russie, ou ce qu'il en restait. Il arriva à Paris le 18 décembre. Pendant ce voyage, effectué en traîneau jusqu'à Auerstaedt, puis en voiture, il parla d'abondance à son unique compagnon, le grand écuyer Caulaincourt. Ces confidences sont instructives ! Exactement notées par Caulaincourt, on peut considérer qu'elles traduisent fidèlement la pensée napoléonienne, avec ses erreurs, ses chimères, ses idées fixes, son indéfectible optimisme. Le plus surprenant est qu'elles furent faites après la retraite de Russie, par un homme dont l'obstination incompréhensible avait perdu toutes les occasions de redresser la situation, de sauver une superbe armée et de préserver l'Empire. Car enfin l'armée n'existait plus ; il ne restait rien à Napoléon que les garnisons disséminées dans les places fortes et les troupes bataillant en Espagne. Il avait perdu toute son artillerie, toute sa cavalerie, un matériel immense réuni à grands frais. On pouvait, à la rigueur, réquisitionner ou acheter des chevaux, fabriquer en hâte de nouveaux canons et des munitions, mais où trouverait-on les hommes ? De combien de mois disposerait-on pour les former, car on ne pouvait songer à les aguerrir ? Cependant la confiance de l'Empereur en son étoile restait intacte ; ses confidences à Caulaincourt en attestent. Loin de renoncer à quoi que ce fût, il était encore plein de projets moins grandioses qu'extravagants, ou plutôt de rêveries épiques. Le traîneau filait sur les plaines gelées, mais cet homme enveloppé dans ses fourrures ne voyait ni le ciel chargé de neige, ni ces blancheurs bordées d'arbres dénudés et pareils aux spectres de la Grande Armée, mais des bataillons intacts, des colonnes de troupes fraîches, des batteries flambant neuf, et le soleil d'Austerlitz fidèle au rendez-vous. Écoutant ces propos, cette voix, peut-être Caulaincourt se permit-il de penser que les dieux aveuglent ceux qu'ils veulent perdre.

Et d'abord, malgré le désastre, Napoléon ne se reprochait rien, sauf d'être resté trop longtemps à Moscou. L'armée avait été détruite par le froid, non par les armes. Koutouzov était bien incapable de la battre ; ce n'était qu'une « vieille douairière » à la réputation usurpée. Rien n'était perdu : « Si le roi de Naples ne me fait pas de sottises, s'il surveille les généraux, s'il reste les premiers jours à l'avant-garde pour encourager nos jeunes gens qui auront un peu froid, tout se réorganisera bien vite. Les Russes s'arrêteront et les Cosaques se tiendront au large, dès qu'ils verront qu'on leur montre les dents. Si les Polonais me secondent et que la Russie ne fasse pas la paix cet hiver, vous verrez où elle en sera au mois de juillet. »

Cette paix, il ne doutait pas de l'obtenir. Il était même résolu à quelques concessions :

« Je créerai des institutions qui donneront de la force à mon système, à la machine que j'ai organisée. On ne peut prévoir les sacrifices que je ferais, même avec plaisir, à un ordre de choses européen qui assurerait une longue tranquillité à tous les peuples et à la France, ainsi qu'à l'Allemagne, une prospérité intérieure égale à celle de l'Angleterre. C'est un bon peuple que les Allemands. Il faut qu'ils soient dédommagés de leurs sacrifices. Je ne tiens ni à Hambourg, ni à tel ou tel point ; je ne suis pas de ces esprits courts qui, ne voyant les choses que sous une seule face, s'entêtent sur telle ou telle question. Il y a bien des manières d'arranger les choses, le jour où l'Angleterre sera décidée à la paix et consentira à reconnaître aux autres les droits et les avantages que le Ciel n'a pas créés pour elle seule. La paix n'est faisable avec l'Angleterre qu'autant que j'aurai des compensations à lui offrir. »

Toutefois que le Cabinet britannique ne tardât pas trop, car, dans très peu d'années, la France disposera enfin d'une marine capable d'affronter la flotte anglaise ! Non que l'Empereur voulût la guerre, au contraire il n'a pas arrêté de vouloir la paix !

« On se trompe ; je ne suis pas ambitieux. Les veilles, la fatigue, la guerre, ne sont plus de mon âge. J'aime plus que personne mon lit et le repos, mais je veux finir mon ouvrage. Dans ce monde, il n'y a que deux alternatives (*sic !*) : commander ou obéir. La conduite tenue par tous les cabinets envers la France m'a prouvé qu'elle ne pouvait compter que sur sa puissance, par conséquent sur sa force... »

Ce n'est pas Napoléon qui a forcé l'Autriche à livrer la bataille d'Austerlitz pour sauver l'Angleterre. Il n'a pas davantage contraint la Prusse à se battre. Il a bien fallu qu'il prît la défense de l'Europe, puisque l'Angleterre avait fermé les mers aux navires du continent :

« L'Europe ne voit pas ses dangers réels. Elle n'est attentive qu'à la gêne que lui impose la guerre maritime ; on dirait que toute la politique de cette pauvre Europe, que tous ses intérêts, sont dans le prix d'une barrique de sucre. Cela fait pitié. »

On reprochait à la France d'occuper Danzig, mais on oubliait que l'Angleterre détenait Héligoland, Gibraltar et Malte. Seul Napoléon s'opposait, dans l'intérêt de tous, à ce qu'elle établît sa suprématie sur le commerce international, qui eût promptement ruiné l'industrie du continent.

Sans doute y avait-il la malencontreuse affaire espagnole, à laquelle (tout de même l'Empereur le reconnaissait !) il eût mieux valu mettre fin avant de se lancer en Russie. Cependant il eût été ridicule de s'alarmer outre mesure :

« ... Elle n'existe plus que dans les guérillas. Le jour où les Anglais seront chassés de la péninsule, ce ne sera plus que de la chouannerie, et on ne peut avoir la prétention d'en purger un pays dans quelques mois. Au fait, la guerre d'Espagne ne me coûte pas plus que toute autre guerre ou toute autre défense obligée contre l'Angleterre... Avec la grande étendue de côtes qu'a l'Espagne, dans la situation où l'on se trouve, il faut se borner à observer les Anglais, à moins qu'ils ne marchent dans l'intérieur et qu'on ne trouve une occasion très favorable de les combattre. Car, les forçât-on à s'embarquer sur un petit point, sûrs de trouver partout des auxiliaires, ils débarqueront sur un autre. »

Il voulait bien admettre qu'en Espagne Wellington se révélât supérieur à quelques généraux français, mais ceux-ci avaient fait « des fautes d'écolier » et d'ailleurs « à la guerre, on perd en un jour ce qu'on a gagné pendant des années », ou l'inverse. Et, comme son interlocuteur s'étonnait qu'il eût, malgré tout, suscité la guerre d'Espagne en détrônant Charles IV et en privant le prince des Asturies de ses droits :

« Les affaires d'Espagne n'ont tenu qu'à un enchaînement de circonstances que l'on n'a pas pu prévoir. Nul calcul humain n'a pu être fait sur l'excès de bêtise et de faiblesse que j'ai trouvé dans Charles IV, ni sur la coupable ambition, et la duplicité de Ferdinand, qui est aussi méchant que méprisable... »

Au surplus, il a été mal conseillé par ses ministres et par Murat, lesquels n'avaient pas su apprécier la situation exacte :

« Si j'eusse suivi mes inspirations, j'aurais renvoyé ces princes chez eux. L'Espagne serait aujourd'hui à mes pieds... Les Espagnols regretteront, un jour, la constitution que je leur avais donnée. » Talleyrand lui-même avait conseillé la guerre d'Espagne ; il s'en est défendu quand les choses tournèrent mal : « Avec lui, comme avec beaucoup de gens, il faudrait toujours être heureux. »

Évoquant la mainmise sur les États pontificaux, la résistance du pape et son enlèvement, il accusait encore les Anglais d'avoir répandu l'argent pour susciter le trouble. « Au fond, disait-il, le pape m'aime. Il sait que je veux le bien, que les changements que je désire sont dans l'intérêt à venir de la religion, mais il est esclave de ses devoirs et il souffrirait plutôt le martyre que de consentir à un arrangement contraire à l'avis de sa Chambre apostolique. »

Il avait laissé le conflit en suspens, parce que la préparation de la campagne de Russie absorbait tout son temps : mais il comptait bien reprendre l'affaire, à savoir la translation définitive du Saint-Siège à Paris : « Il est indispensable de fixer le pape en France et d'y attirer les cardinaux, afin d'avoir le Sacré Collège sous son influence. Cette préférence appartient à la France, puisque sa population papiste représente la plus nombreuse clientèle du pape. Il se trouverait au centre du troupeau. » Il ne se rendait pas davantage compte que le traitement infligé à Pie VII aliénait au régime une bonne partie des catholiques pratiquants, et cela pour rien, par esprit de système et abus de puissance.

Cependant il revenait toujours à ses intentions prétendument pacifiques. Il fixait même son emploi du temps de souverain « paisible » :

« Il me tarde bien, Caulaincourt, que la paix soit générale pour me reposer et pour pouvoir faire le bon homme... Nous voyagerons tous les ans pendant quatre mois à l'intérieur. J'irai à petites journées avec mes chevaux. Je verrai l'intérieur des chaumières de cette belle France. Je veux visiter les départements auxquels il manque des communications, faire des canaux, des routes, donner des secours au commerce, des encouragements à l'industrie. Il y a immensément à faire en France, des départements où tout est à créer... On me bénira autant dans dix ans qu'on me hait peut-être aujourd'hui...

Encore quelques années de persévérance et quelques bivouacs, et Marseille, Bordeaux rattraperont bientôt les millions qu'ils ont manqué de gagner... Allez, Caulaincourt, je suis homme. J'ai aussi, quoi qu'en disent certaines personnes, des entrailles, un cœur, mais c'est un cœur de souverain. Je ne m'apitoie pas sur les larmes d'une duchesse, mais je suis touché des maux des peuples. L'aisance sera partout si je vis dix ans. Croyez-vous que je n'aime pas à faire plaisir ? Un visage content me fait du bien à voir, mais je suis obligé de me défendre de cette disposition naturelle, car on en abuserait. Je l'ai éprouvé plus d'une fois avec Joséphine, qui me demandait toujours et me faisait même tomber dans des embuscades de larmes. »

Il protestait avec la même vigueur, avec la même insistance, afin d'en persuader Caulaincourt, que ce dernier le notât dans ses tablettes et le dît autour de lui, contre l'accusation de despotisme. Selon lui, les calomniateurs confondaient (toujours la même thèse !) l'ordre et la tyrannie :

« J'aime le pouvoir, dit-on. Eh bien ! quelqu'un dans les départements est-il fondé à s'en plaindre ? Jamais les prisons n'ont réuni moins de prisonniers. Se plaint-on d'un préfet sans obtenir justice ? Sur cinquante réclamations, quarante-cinq sont jugées contre eux. Le gouvernement est fort, ma main est ferme, et les fonctionnaires sentent que je ne laisse pas flotter les rênes. Tant mieux pour le peuple, car en même temps que cette marche trace à chacun une route sûre, ma surveillance rend l'autorité vigilante... Premier Consul, Empereur, j'ai été le roi du peuple. J'ai gouverné pour lui, dans son intérêt, sans me laisser détourner par les clameurs ou les intérêts de certaines gens. On le sait en France. Aussi le peuple français m'aime-t-il. Je dis le peuple, c'est-à-dire la nation. »

Et, toujours, le leitmotiv :

« Moi seul, je connais les Français, les besoins des peuples et de la société européenne... »

Sans doute la conscription était « une loi dure pour les familles », cependant il n'y avait ni privilégiés, ni exceptions ; le principe d'égalité présidait à son application. Il était même probable qu'elle deviendrait « populaire » en temps de paix...

En somme l'opinion du plus grand nombre était satisfaite, parce qu'il avait remis de l'ordre dans la maison, que les impôts rentraient correctement, étaient employés selon leur destination et non plus distribués à une poignée de courtisans :

« La masse de la nation est juste. Elle voit que je travaille pour sa gloire, pour son bonheur, pour son avenir. »

Quant à lui, personnellement, il n'avait besoin de rien, sinon de repos ; il se sacrifiait pour le bien commun :

« J'ai donné la loi à l'Europe. J'ai distribué des couronnes. J'ai donné des millions pour faire la fortune de ceux qui ont bien servi la France, sans toucher aux revenus de l'État. J'ai, dans mon domaine privé, dans mon domaine extraordinaire, tout l'argent, tous les trésors qu'un homme puisse désirer. Mais je n'ai pas besoin d'argent pour moi... Que la France prospère sous mon gouvernement, voilà l'objet de mes vœux, de mon ambition, de toute mon attention. C'est moi qui ai rétabli l'ordre, les finances, qui ai payé les dettes. Je deviens lourd et trop gros parce que je n'ai pas aimé le repos, pour n'en avoir pas besoin, pour ne pas regarder comme une grande fatigue le déplacement, l'activité qu'exige la guerre. Mon physique a nécessairement, comme chez les autres hommes, de l'influence sur mon moral. »

Caulaincourt le connaissait assez, il l'avait suffisamment percé au jour, pour savoir que, parlant de la sorte, Napoléon cherchait à se persuader lui-même de ses bonnes intentions. Mais se rendait-il compte de la situation ? Du caractère déjà anachronique de ses propos ? Le 6 novembre, il avait été à même d'apprendre combien ce gouvernement qu'il dépeignait si fort, si ferme, était en réalité fragile. Un courrier de Paris lui avait apporté la nouvelle, décevante, de la conspiration de Malet. Il avait suffi que ce général obscur, un maniaque de la conspiration, annonçât la mort de l'Empereur en Russie et la proclamation d'un gouvernement provisoire, pour que les autorités responsables (le ministre de la Police, le préfet de police) perdissent la tête, se laissassent arrêter, emprisonner. Il s'en était fallu d'un cheveu que Malet réussît à prendre le pouvoir ! Personne n'avait songé un instant au Roi de Rome, à l'Impératrice. La quatrième dynastie n'était qu'une clause de style, un leurre. Sinistre présage pour l'avenir ! Sans doute avait-on arrêté Malet et ses complices, s'était-on empressé de les juger et de les fusiller. Mais cette précipitation même était suspecte. Malet avait-il réellement agi de sa propre initiative, ou l'avait-on aidé en haut lieu ? Les morts ne parlent pas.

II

LA BATAILLE DES NATIONS

Les heures volent, et dans ma position, tout en perdant un moment, je pouvais tout perdre...

NAPOLÉON

Il dira aussi, à Sainte-Hélène : « Dès 1813, je voyais clairement arriver l'heure décisive. L'étoile pâlissait ; je sentais les rênes m'échapper et je n'y pouvais rien. Un coup de tonnerre pouvait seul nous sauver. Les trahisons commençaient à se glisser parmi nous. Mes lieutenants devenaient mous, gauches, maladroits. Le feu sacré s'éteignait. »

Cette analyse si clairvoyante de la situation, la fit-il réellement ? Il est permis d'en douter et de croire, si l'on en juge par le dialogue avec Caulaincourt, qu'il espérait au contraire rétablir son prestige en frappant l'ennemi d'un coup de tonnerre comme il l'avait fait tant de fois. Mais était-ce possible en 1813 ? Comment même pouvait-il se flatter d'en imposer encore à l'Europe ? Il avait humilié trop de rois, fait peser son autorité sur trop de peuples, infligé, par suite du blocus continental, trop de sacrifices et de privations ! En France même, l'opinion se détachait de lui, et non seulement dans les salons comme il voulait le croire, mais dans le peuple et, principalement, dans la paysannerie : son réservoir à conscrits ! Les maréchaux étaient las de guerroyer, trop vieux désormais et trop riches pour exposer leur vie comme en 1800. Cette noblesse d'Empire qu'il avait créée en 1808, dans le but d'asseoir sa dynastie et d'annuler l'influence des nobles de vieille souche, le lâchait également. Ce fut en vain qu'il s'en prit au Corps législatif et au Sénat, fustigea « les idéologues » en plein Conseil d'État, destitua quelques fonctionnaires, dont le préfet de police. En vain aussi qu'il institua une régence pour gouverner en son absence, dans le but d'éviter une nouvelle affaire Malet. En vain qu'il redoubla d'énergie pour remettre une armée sur pied, en même temps qu'il essayait de jouer sa partie sur l'échiquier politique. La chance l'avait abandonné. Pour quelques mois, le grand Empire restait debout, mais n'était plus qu'une façade, de même que le gros homme de 1813, le César déjà ventripotent, n'était plus que la caricature de Bonaparte. Ne subsistaient de lui que l'orgueil incommensurable et l'audace : désormais celle-ci n'était qu'irréalisme, absence de mesure, de sagesse.

Les événements déferlèrent. Le 27 février 1813, Frédéric-Guillaume de Prusse signait un traité d'alliance avec le tsar, réoccupait aussitôt la Prusse orientale, cependant que ses meilleurs généraux, les Blücher, les Clausewitz, les Scharnhorst, émergeaient de l'ombre. La sixième coalition était née, toujours avec l'Angleterre comme banquier, et l'Espagne nouvellement libérée comme appoint. Il y manquait l'Autriche dont, malgré Metternich, le souverain préférait temporiser, faute d'être prêt militairement. Napoléon inclinait à croire qu'il hésitait à renverser sa fille. Ç'avait été pour lui une raison supplémentaire de la désigner comme régente. Pour faire bonne mesure, c'était elle qui avait signé le décret appelant les jeunes conscrits connus sous le nom de « Marie-Louise ». Mais l'empereur François n'avait pas l'esprit de famille aussi développé que Napoléon.

En cinq mois, ce dernier était parvenu à rassembler une armée de 240 000 hommes : avec les troupes rapatriées d'Espagne, les meilleurs éléments de la garde nationale et les Marie-Louise. Les Russes de Wittgenstein et les Prussiens de Blücher l'attendaient de pied ferme derrière l'Elster. Napoléon occupa Leipzig, puis tenta, par une manœuvre hardie, de déborder l'adversaire. Vainqueur à Lützen (1er au 2 mai), il ne put, faute d'avoir reçu des renforts, couper la retraite à l'ennemi. Russes et Prussiens opérèrent leur jonction à Bautzen et s'y retranchèrent. En deux jours, Napoléon les délogea et les contraignit à la fuite. Constamment victorieux, il ne put cependant les anéantir, faute d'être appuyé au moment opportun par ses chefs de corps. Ney lui-même semblait usé, interprétait mal la pensée de l'Empereur. Le prince Eugène accumulait les maladresses. Mais les Marie-Louise rivalisaient d'audace avec les grognards et faisaient l'admiration de Napoléon. Blücher et Wittgenstein s'étaient retirés en Silésie, assez mal en point et surtout démoralisés. La logique eût été de les poursuivre, de les contraindre à un ultime combat qui pouvait être décisif et qui eût instantanément calmé les ardeurs belliqueuses de l'Autriche. Au lieu de cela, Napoléon suspendit les opérations, proposa un armistice, qui fut signé le 21 juin à Pleswitz. Craignait-il que les Marie-Louise ne pussent continuer ? Il est certain que les marches sans fin, la mauvaise nourriture et les maladies qui en étaient la conséquence commençaient à les décimer. Mais lui-même était-il en bonne santé ? Tous les témoignages concordent pour attester le changement physique et intellectuel qui s'était opéré dans sa personne après la campagne de Russie. Il crut que la leçon suffisait ; que Prussiens et Russes ne reviendraient pas de sitôt à la charge. L'Autriche proposa sa médiation. Que réclamait-elle, en échange de la paix et d'accord avec les coalisés ? La suppression du grand-duché de Varsovie, la restitution de l'Illyrie à l'Autriche, la renonciation de la France aux départements du Rhin. Ce fut Metternich qui fut chargé de négocier avec Napoléon.

« On n'obtient rien par des coups de bâton d'un Français, dit l'Empereur. Je ne céderai rien, pas un village de tout ce qui est constitutionnellement réuni à la France. Un homme qui, de simple particulier, est parvenu au trône, qui a passé vingt ans sous la mitraille, ne craint pas les balles, ne craint point les menaces. Je ne fais pas de cas de ma vie. Je ne l'estime pas plus que celle de 100 000 hommes. J'en sacrifierai 1 million s'il le faut. Vous ne me forcerez que par des victoires multipliées. Je périrai peut-être et ma dynastie avec moi. Tout cela m'est égal. Vous voulez m'arracher l'Italie et l'Allemagne, vous voulez me déshonorer, monsieur ! L'honneur avant tout ! Puis la femme, puis l'enfant, puis la dynastie... »

Ce refus ne pouvait surprendre Metternich. Il était attendu comme un prétexte. Mais Metternich avait la patience et la subtilité des diplomates ; il n'eut donc aucun mal à prolonger les pourparlers. Le temps travaillait contre les Français : de cela Napoléon ne se rendait pas compte. Il y eut un ultime entretien entre les deux hommes.

« Ainsi vous voulez la guerre, dit Napoléon : c'est bien, vous l'aurez. J'ai anéanti l'armée prussienne à Lützen ; j'ai battu les Russes à Bautzen ; vous voulez avoir votre tour. Je vous donne rendez-vous à Vienne... »

Metternich répondit :

« La paix et la guerre sont entre les mains de Votre Majesté.

— Eh bien ! qu'est-ce qu'on veut de moi ? Que je me déshonore ? Jamais ! Je saurai mourir, mais je ne céderai pas un pouce de territoire... »

Et voici l'argument essentiel, l'obsession de Napoléon :

« ... Vos souverains, nés sur le trône, peuvent se laisser battre vingt fois et rentrer toujours dans leurs capitales. Moi, je ne le puis pas, parce que je suis un soldat parvenu. Ma domination ne survivra pas au jour où j'aurai cessé d'être fort et, par conséquent, d'être craint... »

Comme il vantait la force de son armée après les batailles qu'elle venait de livrer, Metternich insinua :

« C'est précisément l'armée qui désire la paix.

— Non, ce n'est pas l'armée, ce sont mes généraux qui veulent la paix. Le froid de Moscou les a démoralisés. J'ai vu les plus braves pleurer comme des enfants. Ils étaient brisés physiquement et moralement... Il y a quinze jours, je pouvais encore faire la paix. Aujourd'hui, je ne le puis plus. J'ai gagné deux batailles ; je ne ferai pas la paix !... Pensez-vous par hasard me renverser par une coalition ? Combien d'alliés êtes-vous donc ? Quatre, cinq, six, vingt ? Plus vous serez nombreux, plus je serai tranquille. J'accepte le défi. Mais je puis vous assurer qu'au mois d'octobre prochain nous serons à Vienne... »

À la rigueur, Napoléon eût accepté la neutralité de l'Autriche, et même une neutralité armée à condition que l'empereur François s'engageât sur l'honneur à ne pas entamer les hostilités avant la fin des négociations. Metternich laissait dire, sans du tout s'émouvoir. Il risqua :

« La fortune peut vous trahir comme elle l'a fait en 1812. Et quand cette armée d'adolescents que vous appelez sous les armes aura disparu, que ferez-vous ?

— Vous n'êtes pas soldat. Vous ne savez pas ce qui se passe dans l'âme d'un soldat. J'ai grandi sur les champs de bataille, et un homme comme moi se fout de la vie d'1 million d'hommes !

— Ouvrons les portes et puissent vos paroles retentir d'un bout de la France à l'autre !

— Les Français ne peuvent pas se plaindre de moi. Pour les ménager j'ai sacrifié les Allemands et les Polonais. J'ai perdu 300 000 hommes en Russie, mais dans le nombre il n'y avait pas plus de 30 000 Français [1].

— Vous oubliez, Sire, que vous parlez à un Allemand.

— Oui, j'ai fait une bien grande sottise en épousant une archiduchesse d'Autriche.

— Je dirai très franchement que Napoléon le Conquérant a commis une faute.

— Ainsi l'empereur François veut détrôner sa fille ?

— L'empereur est avant tout souverain. L'intérêt de ses peuples tiendra toujours la première place dans ses calculs... »

Il était huit heures et demie du soir, lorsqu'ils se séparèrent, sans résultats. Napoléon frappa sur l'épaule de Metternich :

1. Ces chiffres sont faux.

« Eh bien ! savez-vous ce qui arrivera ? Vous ne me ferez pas la guerre.

— Vous êtes perdu, Sire. J'en avais le pressentiment en venant ici. Maintenant que je m'en vais, j'en ai la certitude. »

L'essentiel de ce dialogue est certainement exact. Mais du fait que le narrateur de la scène est Metternich lui-même, passionné contre Napoléon, on peut supposer que certaines de ces répliques sont « arrangées » et qu'il a, peut-être malgré lui, cédé à la tentation de rendre l'Empereur antipathique. Bien que la réflexion sur le million de morts ait pu, dans un accès de colère, être réellement prononcée...

Les hostilités reprirent. Ayant mis la suspension d'armes à profit, les coalisés disposaient d'un demi-million d'hommes. Le général Moreau, revenu d'exil, s'était mis au service du tsar. Le vieil ennemi Pozzo di Borgo, refaisant surface, attisait les haines. Dans le camp français, on fêta pour la dernière fois l'anniversaire de l'Empereur (15 août), mais le cœur n'y était plus. « Les officiers les moins clairvoyants, écrit Marbot, comprenaient que nous étions à la veille de grandes catastrophes. » Napoléon divisa son armée en trois corps, leur assignant à chacun un objectif distinct : Berlin pour l'aile gauche, la destruction de Blücher pour le centre, la Bohême pour l'aile droite. Ses lieutenants désapprouvèrent un plan dont l'audace était désormais sans rapport avec nos moyens. Marmont déclara : « Par la création de trois armées distinctes, Votre Majesté renonce aux avantages que sa présence sur le champ de bataille lui assure et je crains bien que le jour où elle aura remporté une victoire, elle en aura perdu deux. » Triste pronostic, mais qui se révéla exact !

Ney ayant été attaqué à l'improviste par Blücher, l'Empereur accourut avec sa Garde et redressa la situation. Il allait enfin infliger aux Prussiens une leçon définitive, quand il apprit que Schwarzenberg se dirigeait vers Dresde où Gouvion-Saint-Cyr s'était retranché. L'Empereur se porta à son secours, avec la Garde, les corps de

Murat et de Marmont, la cavalerie de Latour-Maubourg. Dresde était la clef de la situation. Schwarzenberg essaya vainement de se dégager. Le 27 août, sous une pluie battante, les Français déclenchèrent l'attaque générale. À dix-sept heures, débordé de toutes parts, Schwarzenberg ordonnait la retraite. Moreau avait été tué par un boulet, achevant ainsi son amer destin. On aurait pu changer la retraite de Schwarzenberg en débandade. Or la poursuite fut conduite mollement, puis abandonnée trop tôt. L'Empereur avait-il été mal compris ? Était-il mal obéi ? Ou bien, après l'extrême tension nerveuse de la bataille, son énergie se relâchait-elle ?

Dès le lendemain, il apprit qu'Oudinot venait de se faire battre à Gross-Beeren et Macdonald à Koetzbach. Il remplaça le premier par Ney, se porta au secours du second, laissant ses lieutenants dans la région de Dresde. Apprenant l'arrivée de Napoléon, Blücher se replia. Pendant ce temps, les Autrichiens de Schwarzenberg reprenaient l'offensive et capturaient le corps de Vandamme, non soutenu par Gouvion-Saint-Cyr. Dresde se trouvait à nouveau menacé. Napoléon y accourut à nouveau : pour apprendre qu'au nord Ney venait d'être battu par Bernadotte et se rabattait sur l'Elbe. On notera que les coalisés évitaient encore une bataille générale et qu'agissant séparément, d'un commun accord, ils pratiquaient une guerre d'usure : et c'était très précisément ce qui pouvait être le plus nuisible à Napoléon ! À part la Garde, ses soldats étaient trop jeunes pour supporter un effort aussi soutenu. Les effectifs fondaient. Le théâtre des opérations était trop vaste, le front trop mouvant, pour que l'Empereur pût frapper le grand coup qui eût mis l'adversaire à genoux. Cependant les armées autrichienne et russe se renforçaient, avec l'or de l'Angleterre. Le mois de septembre s'écoula, sans résultats. Les marches incessantes, inutiles, épuisaient les jeunes conscrits. Des combats d'importance secondaire accrurent les pertes. La désunion se mettait entre les généraux, s'accusant les uns les autres d'incapacité, sinon pis. Napoléon cherchait encore à détruire séparément les alliés, mais, habilement, ces derniers se dérobaient, ou bien les corps d'armée français manquaient de coordination, n'articulaient plus leurs mouvements comme aux beaux jours de l'Empire ! Les civils, s'ils n'osaient pas encore prendre le fusil du partisan et imiter les Espagnols, ne cachaient plus leur hostilité et, s'ils consentaient à donner des renseignements, ils étaient faux.

Cependant Napoléon ne renonçait à rien. Il avait élaboré un nouveau plan, donné l'ordre de concentrer les troupes à Leipzig. De là, il voulait foncer vers le nord. Berlin, directement menacée, trembla. Schwarzenberg, Bernadotte, désemparés par cette hardiesse – en laquelle ils reconnaissaient le génie fulgurant de Napoléon –, n'osaient plus attaquer. Mais le vieux Blücher, défendant son pays, avança bravement vers le sud-ouest. Entraînés par cet exemple et soudain résolus à livrer « la grande bataille », Autrichiens et Suédois reprirent leurs mouvements. Ainsi, pendant que les colonnes françaises convergeaient vers Leipzig, les coalisés amorçaient leur encerclement. L'Empereur arriva sur les lieux le 14 octobre. L'armée adverse formait un arc dont les deux extrémités pouvaient se rabattre en vue d'une destruction totale. La bataille, connue sous le nom de « Bataille des Nations », commença le lendemain, 15 octobre. Le 16, les Français, au prix d'énormes pertes, continrent les assauts, bien que l'ennemi eût reçu de nouveaux renforts. Le 17, Bernadotte arriva avec les Suédois ; cependant les Français se maintinrent. Le 18, les coalisés changèrent de tactique ; renonçant aux actions partielles, ils passèrent à l'attaque générale. Aussitôt nos derniers alliés, les Saxons et les Wurtembourgeois, passèrent à l'ennemi. Les Saxons retournèrent même leurs canons contre les Français. Mais ceux-ci tinrent bon. Lorsque la nuit tomba sur l'horrible carnage, ils n'avaient pas cédé un pouce de terrain ; ils occupaient encore toutes les positions clefs. Toutefois ils n'étaient plus que 60000, se battant depuis trois jours, le ventre creux, et les munitions manquaient ! L'adversaire, malgré son écrasante supériorité numérique, ne valait pas mieux et n'osait plus attaquer. L'Empereur ordonna la retraite, pour sauver les débris de sa belle armée, se frayer un passage jusqu'au Rhin, ne pas rentrer seul en France. Il ne restait qu'un pont de libre. Mais, le 19, la plus grande partie des Français l'avaient franchi avec ce qu'il restait de canons, tandis que l'arrière-garde se sacrifiait pour contenir l'ennemi. Le pont sauta un peu trop tôt ; ce fut en cette circonstance que le maréchal Poniatowski se noya.

Dans ses *Mémoires*, c'est à tort que Caulaincourt estime Napoléon incapable d'organiser une retraite : « S'agissait-il de mouvements rétrogrades, l'Empereur ne se décidait qu'au dernier moment, toujours trop tard. Sa raison ne pouvait vaincre sa répugnance. » Il est vrai que Caulaincourt jugeait sur la retraite de Russie. Au contraire, la retraite de Leipzig peut être considérée comme un modèle du genre, en dépit de la démoralisation des officiers. Lorsque les Bavarois, virant casaque, prétendirent lui barrer la route à Hanau, ils se heurtèrent à une troupe résolue et furent complètement défaits. Les Français atteignirent le Rhin sans encombre. Le 9 novembre, l'Empereur arrivait à Saint-Cloud.

III

LA PREMIÈRE ABDICATION

Le 10 novembre, il donna ses instructions au ministre de la Guerre, lui prescrivant de lever immédiatement 300 000 hommes sur les non-appelés et les vétérans appartenant aux classes 1803 à 1814, et prévoyant leur encadrement. Le 14, il écrivait au Sénat : « Toute l'Europe marchait avec nous il y a un an. Toute l'Europe marche aujourd'hui contre nous. C'est que l'opinion du monde est faite par la France ou par l'Angleterre. Nous aurions donc tout à redouter sans l'énergie et la puissance de la nation... »

Fortes paroles, dernières illusions ! La France était exténuée. L'opposition remuait sourdement : le Corps législatif avait pris l'initiative de réformer la constitution et Napoléon, pour lui éviter de méfaire, avait dû « l'ajourner ». Les agents royalistes travaillaient l'opinion. On disait que les alliés, réunis à Francfort, avaient offert la paix, à condition que la France revînt à ses frontières naturelles, renonçât à ses autres conquêtes, d'ailleurs perdues, mais que l'Empereur avait refusé. Ne valait-il pas mieux accepter cette offre, plutôt que de s'exposer à une invasion ? Ce n'était pas le bonheur de son peuple que voulait « Nicolas » (c'était chez les royalistes le sobriquet de l'Empereur), mais la guerre à outrance ; il ne pensait qu'à sa gloire et à la postérité.

Il tombait sous le sens que l'offre des coalisés était un piège, un moyen de gagner du temps et de diviser l'opinion française. De fait, ils préparaient l'hallali : malgré Leipzig, Napoléon et ses grenadiers leur paraissaient encore si redoutables qu'ils voulaient prendre toutes leurs précautions ; ils craignaient aussi un sursaut populaire analogue à celui de 93. Et il était vrai qu'en dépit d'une propagande pernicieuse, une partie de la nation se ressaisissait devant le péril. Sauf dans le Midi, les réfractaires étaient moins nombreux qu'on ne l'avait supposé. Le peuple s'indignait des propos défaitistes, de la trahison de Bernadotte et des Saxons. La jeunesse, qui n'avait ni souvenirs ni expérience, s'enthousiasmait naïvement. Un court laps de temps, Napoléon retrouva son ardeur. Les coalisés avaient franchi le Rhin, ils envahissaient le territoire. Metternich renouvela hypocritement ses offres de médiation, il proposa de tenir un congrès à Châtillon-sur-Seine. Désormais les alliés exigeaient que la France revînt, non plus à ses limites naturelles, mais à ses frontières de 1792. Caulaincourt, chargé de représenter Napoléon à ce congrès, opposa un refus.

« Une victoire chassera l'ennemi de la France, lui dit l'Empereur. Il y sera massacré et voilà le moyen de négocier la paix. À Châtillon, on voulait nous imposer une paix qui n'eût été qu'une trêve. Car on ne signe jamais de bonne foi sa honte : aussi ne l'ai-je pas voulu. Il est au-dessous de moi de tromper. Vous auriez tout cédé que Razoumovski et Stadion eussent demandé autre chose. Ils eussent fait, pour les propositions de Châtillon, ce qu'ils ont fait pour celles de Francfort... Que veut l'ennemi ? C'est de piller et de bouleverser la France. Alexandre veut se venger à Paris de la bêtise qu'il a faite en brûlant Moscou. Sa haine lui fait oublier que je pouvais bouleverser son pays en rendant ses serfs libres... Ce que veulent les ennemis, c'est de nous humilier. Plutôt mourir. Je suis trop vieux soldat pour tenir à la vie ; jamais je ne signerai la honte de la France. Vous avez bien fait de ne pas souscrire aux conditions ; je vous aurais désavoué à Paris. Tous les grands fonctionnaires, même les ministres, ont peur... Les paysans de la Bourgogne et de la Champagne ont plus de caractère que tous les hommes de mon conseil : vous êtes des trembleurs... »

Lui, n'en était pas un, quoiqu'il dût se battre à un contre cinq, avec ses Marie-Louise et des généraux qui, sans déjà trahir, ne croyaient plus qu'au désastre final ! Deux armées principales marchaient vers Paris : celle de Blücher et celle de Schwarzenberg. Le 29 janvier 1814, Napoléon battit le Prussien à Brienne, faillit même le capturer, mais, par suite de l'inexpérience de ses jeunes troupes, ne put le détruire. Le 1er février, il se porta sur La Rothière, où Blücher et Schwarzenberg s'étaient rejoints. Devant la disproportion écrasante des forces, il dut se replier. La situation devenait sans espoir. Il écrivit à son frère Joseph, promu lieutenant-général de l'Empire pour seconder la régente Marie-Louise :

« Je préférerais qu'on égorgeât mon fils plutôt que de le voir jamais élevé à Vienne comme prince autrichien... Je n'ai jamais vu représenter *Andromaque* que je n'aie plaint le sort d'Astyanax survivant à sa maison et que je n'aie regardé comme un bonheur pour lui de ne pas survivre à son père... »

Mais Joseph n'avait rien d'un héros antique et le sort d'Astyanax ne serait pas épargné au Roi de Rome ! Tout ce que Joseph trouvait à faire, c'était d'ordonner des prières publiques pour le salut de la patrie. « Pourquoi perdre ainsi la tête ? grondait Napoléon. Qu'est-ce que ces *Miserere* et ces prières de quarante heures à la chapelle ? Est-ce qu'on devient fou à Paris ? » Cependant tout s'effondrait autour de lui. Le beau Murat venait de passer à l'Autriche, au mépris de la parenté, des bienfaits reçus ! Talleyrand négociait avec les Alliés. Fouché manœuvrait pour tirer son épingle du jeu.

Ce fut alors que l'adversaire commit une faute grave. Au lieu de marcher ensemble, Blücher et Schwarzenberg se séparèrent à nouveau. Le premier suivit la Marne en direction de Paris. Le second prit par l'Aube et la Seine. En un instant, Napoléon conçut un nouveau plan, prit aussitôt ses dispositions. Fonçant sur Blücher, il le stoppa net à Champaubert (le 10 février), et, par une suite de combats remarquablement conçus, il dispersa son armée en cinq jours. Il se retourna ensuite vers Schwarzenberg, et le battit à Montereau, le 18 février. En une semaine, la situation se trouvait, comme par miracle, rétablie. L'Empereur écrivait à Augereau (pour lui donner l'ordre d'attaquer par la Suisse et de couper les arrières de l'armée autrichienne) : « Si vous êtes toujours l'Augereau de Castiglione, gardez le commandement ; si vos 60 ans pèsent sur vous, quittez-le... La patrie menacée est en danger ; elle ne peut être sauvée que par l'audace et la bonne volonté... *Il faut reprendre ses bottes et sa résolution de 93.* » Déconcertés par cette série d'échecs, éloignés de leurs bases, les Alliés hésitaient à reprendre les négociations. Mais, entraînés par le tsar Alexandre, ils se décidèrent quand même à signer l'engagement formel de ne pas conclure de paix séparée et de poursuivre ensemble le combat jusqu'à la victoire. Blücher reprit sa marche vers Paris, mais, à nouveau battu, dut se replier sur l'Aisne et se retrancher sur le plateau de Laon. De son côté, Schwarzenberg progressait sur l'Aube. Il rencontra les Français à Arcis-sur-Aube et les battit, à quatre contre un, le 20 mars. Ce coup de semonce ne désarçonna pas Napoléon. Il adopta un nouveau plan, d'une hardiesse inouïe. Au lieu de rétrograder vers Paris, il se dirigea vers la Lorraine, afin de prendre les coalisés à revers. Il s'en fallut de très peu que ce plan ne réussît, car l'ennemi n'avait plus de munitions. Mais les nouvelles concernant Paris étaient si alarmantes qu'il dut renoncer. Meaux était occupée. Marmont, Mortier s'étaient réfugiés dans la capitale désormais directement menacée. « La présence de l'Empereur est nécessaire, écrivait Lavalette, s'il veut empêcher que sa capitale soit livrée à l'ennemi. Il n'y a pas un moment à perdre. » Le 30 mars, les gardes nationaux et les élèves de l'école polytechnique se battaient aux portes. Le 31 mars, Marmont capitula, sans que Joseph eût tenté d'organiser sérieusement la résistance. L'Impératrice Marie-Louise et le Roi de Rome étaient partis dès le 29. En même temps, Lyon, mal défendue par Augereau, tombait aux mains des Autrichiens et, malgré les efforts de Soult, Toulouse en celles de Wellington. Napoléon était à Juvisy quand il apprit la reddition de Paris. Sa fureur éclata :

« Quelle lâcheté... Capituler ! Joseph a tout perdu... Si je fusse arrivé quatre heures plus tôt, tout était sauvé... »

Un moment, il songea à se diriger vers la Loire, pour y concentrer ses dernières troupes, prescrire une levée en masse, résister encore et, peut-être, chasser les coalisés de France. Mais, soudain à bout de nerfs, il céda à l'accablement, renonça. Le 31 mars, il était à Fontainebleau. Il avait envoyé Caulaincourt à Paris ; il attendait le résultat des démarches dont il l'avait chargé. Caulaincourt revint le 2 avril au soir ; il apportait la réponse des Alliés à Napoléon : c'était son abdication qu'ils réclamaient préalablement à toute négociation. L'Empereur répondit :

« Je ne tiens pas au trône. Né soldat, je puis, sans me plaindre, redevenir citoyen. Mon bonheur n'est pas dans les grandeurs. J'ai voulu la France grande, puissante ; je la veux avant tout heureuse. J'aime mieux quitter le trône que de signer une paix honteuse. Les Bourbons seuls peuvent s'arranger d'une paix dictée par les cosaques. Talleyrand a raison : eux seuls peuvent accepter l'humiliation qu'on impose aujourd'hui à la France, car ils n'ont point de sacrifices à faire. Ils la retrouveront telle qu'ils l'ont laissée. »

Mais le lendemain, dans un regain de vigueur, il passa la Garde en revue, dans la cour du Cheval-Blanc. Il annonça à ses vieux soldats son intention de libérer Paris sous peu de jours. Les cris de « Vive l'Empereur ! À Paris ! » lui répondirent. La musique joua *La Marseillaise* et *Le Chant du départ*. Mais les généraux semblaient réticents. Cependant aucun d'entre eux ne se résignait au retour des Bourbons. L'Empereur renvoya

Caulaincourt à Paris; il offrait de négocier au nom de la Régence. Mais les coalisés maintinrent leurs exigences: Napoléon devait abdiquer; on ne traiterait ni avec lui ni avec sa famille. On s'engageait toutefois à lui faire un sort honorable. D'ailleurs ces démarches étaient devenues sans objet: Marmont évacuait Paris, laissant le champ libre aux occupants.

Pressé par ses maréchaux (dont le prince de la Moskova), plein d'amertume et de dégoût, Napoléon prit une feuille de vélin et, sur le petit guéridon que l'on peut voir encore à Fontainebleau, griffonna ces mots:

« Les puissances alliées ayant déclaré que l'Empereur Napoléon était le seul obstacle au rétablissement de la paix en Europe, l'Empereur, fidèle à ses serments, déclare renoncer pour lui et ses enfants au trône de France et d'Italie, et qu'il n'est aucun sacrifice, même celui de la vie, qu'il ne soit prêt à faire aux intérêts de la France. »

Cet acte portait la date du 6 avril 1814. Aussitôt Caulaincourt repartit pour Paris comme négociateur, muni d'instructions précises, en particulier celle de ne pas exciper tout de suite de l'abdication: « Je vous demande votre parole d'honneur, lui avait dit Napoléon, de ne la remettre qu'après la signature du traité et après avoir obtenu la garantie que le gouvernement français en remplira toutes les clauses. »

Le 12 avril, Caulaincourt revint à Fontainebleau, avec Orloff venu signifier à l'ex-empereur le traité par lequel les Alliés lui accordaient la souveraineté de l'île d'Elbe et une pension annuelle de 2 millions payables par le gouvernement français. Ce n'était pas sa déchéance qui attristait le plus Napoléon, mais l'empressement que montraient ses maréchaux, Ney, Berthier, les autres, à adhérer au nouvel ordre des choses pour garder leurs places et leurs biens. Dans la nuit du 12 au 13 avril, il décida d'en finir avec une existence désormais sans but. Pendant la retraite de Russie, le chirurgien Yvan lui avait donné un sachet de taffetas noir contenant du poison. Napoléon avala son contenu. Mais soit que la substance en fût éventée, soit qu'elle fût en trop petite quantité, la tentative avorta. Vers trois heures du matin, Napoléon fit appeler Caulaincourt :

« Donnez-moi votre main... Embrassez-moi... Dans peu je n'existerai plus... Dites à l'Impératrice que je meurs avec le sentiment qu'elle m'a donné tout le bonheur qui dépendait d'elle, qu'elle ne m'a jamais causé le moindre sujet de mécontentement et que je ne regrette le trône que pour elle et pour mon fils, dont j'aurais fait un homme digne de gouverner la France. »

Soudain, il fut pris de hoquets et de vomissements violents, qui le soulagèrent, bien qu'il éprouvât une souffrance aiguë. Yvan s'efforça de le calmer.

« Qu'il est donc difficile de mourir dans son lit, dit Napoléon, quand si peu de chose tranche la vie à la guerre ! »

À onze heures du matin, il était hors de danger ; sa robuste constitution avait pris le dessus. Il dit :

« Je vivrai, puisque la mort ne veut pas plus de moi dans mon lit que sur le champ de bataille. Il y aura aussi du courage à supporter la vie après de tels événements. J'écrirai l'histoire des braves ! »

Le 20 avril à midi, dans la cour du Cheval-Blanc, il passa la revue de sa Garde, alignée, briquée comme aux temps heureux des départs vers la gloire. D'une voix assez forte pour être entendue de tous, il dit :

« Soldats de ma vieille Garde, je vous fais mes adieux. Depuis vingt ans, je vous ai trouvés constamment sur le chemin de l'honneur et de la gloire. Dans ces derniers temps, comme dans ceux de notre prospérité, vous n'avez cessé d'être des modèles de bravoure et de fidélité. Avec des hommes tels que vous notre cause n'était pas perdue. Mais la guerre était interminable. C'eût été la guerre civile, et la France n'en serait devenue que plus malheureuse. J'ai donc sacrifié tous nos intérêts à ceux de la patrie. Je pars. Vous, mes amis, continuez de servir la France. Son bonheur était mon unique pensée ; il sera toujours l'objet de mes vœux ! Ne plaignez pas mon sort ; si j'ai consenti à me survivre, c'est pour servir encore à votre gloire ; je veux écrire les grandes choses que nous avons faites ensemble !

Adieu, mes enfants ! Je voudrais vous presser tous sur mon cœur. Que j'embrasse au moins votre drapeau !... Adieu, encore une fois, mes vieux compagnons ! Que ce dernier baiser passe dans vos cœurs ! »

Puis, montant en voiture avec le général Bertrand, ex-grand-maréchal du palais, il s'en alla vers l'exil.

IV

L'ÎLE DE SANCHO PANÇA

Napoléon était toutes les misères et toutes les grandeurs de l'homme.

CHATEAUBRIAND

On prit la route de Nemours. La voiture jaune ouvrait le cortège, avec Napoléon et Bertrand. Suivaient le général Drouot, volontaire pour commander la garde de l'île d'Elbe, et le trésorier Peyrusse. Venaient ensuite les commissaires désignés par les coalisés: Campbell pour l'Angleterre, Schouwalof pour la Russie, Koller pour l'Autriche et Waldbourg pour la Prusse. Par Montargis, Briare et Nevers, on parvint à Moulins où l'on vit les premières cocardes blanches et où l'on entendit les cris de « Vivent les Alliés ! ». Mais, à Roanne, le maire et les habitants manifestèrent au contraire leur attachement. À Tarare, on cria: « Conservez-vous pour nous ! L'année ne se passera pas que vous ne reveniez en France ! Les peuples sont résolus à tout faire pour cela ! »

Napoléon suggéra de traverser Lyon nuitamment, pour éviter les manifestations. Une foule de Lyonnais se rendirent au faubourg de La Guillotière, pour le saluer. Près de Valence, on fit la rencontre du maréchal Augereau. « Où vas-tu comme ça ? lui dit Napoléon. Tu vas à la cour ? » Il lui reprocha ensuite d'avoir si mollement défendu Lyon, malgré les ordres. Augereau répondit qu'il avait espéré la régence; qu'il était « impossible pour tout soldat qui avait de l'honneur et tout Français qui aimait son pays de se voir sous ce sceptre de plomb ». Mais à l'issue de cet entretien, le général Koller dévoila le pot aux roses; il tendit à l'ex-empereur la proclamation faite par Augereau aux habitants de Lyon: « Soldats, le Sénat, interprète de la volonté nationale, lassé du joug tyrannique de Napoléon Bonaparte, a prononcé le 11 avril sa déchéance et celle de sa famille. Un descendant de nos anciens rois remplace Bonaparte et son despotisme... Soldats! Vous êtes déliés de vos serments: vous l'êtes par la nation, en qui réside la souveraineté; vous l'êtes encore, s'il était nécessaire, par l'abdication d'un homme qui, après avoir immolé des millions de victimes à sa cruelle ambition, n'a pas su mourir en soldat... » Napoléon fut indigné de cette duplicité. Mais, peu après, de vieux soldats conduits par leur capitaine vinrent dire qu'ils voulaient fusiller le traître, qu'ils le cherchaient. À Valence, grenadiers et voltigeurs l'acclamèrent, le supplièrent de les passer en revue. Ils criaient: « Vous serez toujours notre empereur! » Mais à Montélimar, le sous-préfet l'avertit que les habitants d'Avignon, travaillés par des agents provocateurs, risquaient de lui faire un mauvais parti. Il craignait même une embuscade et suggérait de modifier l'itinéraire. À Orange, la voiture jaune fut accueillie par les cris de « Vive le roi! Vive Louis XVIII! » Au relais de poste d'Avignon, 300 ou 400 hommes attendaient. Ils crièrent: « Vive le roi! Vivent les Alliés! À bas le tyran, le coquin, le mauvais gueux! » On se demande bien en quoi les Avignonnais étaient plus intéressés que les autres Français au sort de l'exilé, quels sacrifices extraordinaires ils avaient consenti pour lui vouer tant de haine, quel sens de l'opportunité bien plutôt les animait ou quelle somme les agents royalistes avaient pu distribuer à ce ramas de hurleurs! À Orgon, ce fut pire. Un mannequin se balançait à une potence, avec cet écriteau: « Tel sera tôt ou tard le sort du tyran. » Des forcenés assaillirent la voiture jaune avec des intentions de meurtre. Ils eussent été moins ardents devant les Russes ou les Autrichiens de Leipzig ! Le commissaire Schouwalof s'interposa : « N'avez-vous pas honte d'insulter à un malheureux sans défense ? Il est assez humilié par la triste situation où il se trouve, lui qui s'imaginait donner des lois à l'Univers et qui se trouve aujourd'hui à la merci de votre générosité ! Abandonnez-le à lui-même ; regardez-le : vous voyez que le mépris est la seule arme que vous devez employer contre cet homme, qui a cessé d'être dangereux. Il serait au-dessous de la nation française d'en prendre une autre vengeance ! » Pâle et défait, Napoléon remercia le Russe. Sorti d'Orgon, il changea de costume, endossa une redingote bleue, coiffa un chapeau rond avec une cocarde blanche et, dans cet accoutrement, galopa en avant de sa propre voiture comme un courrier. Chateaubriand a beau jeu d'écrire : « Il fallait cruellement aimer la vie : ces immortels ne peuvent consentir à mourir. » Mais Napoléon ne redoutait au monde qu'une chose : le déchaînement de la populace ; le spectacle de la prise des Tuileries et du massacre des Suisses l'avait jadis traumatisé. Ses nerfs craquèrent devant ces faces d'hommes et de femmes entourant la voiture, convulsées par la colère : car les Provençales étaient les plus acharnées à demander sa vie ! S'arrêtant dans une auberge, dans la région d'Aix, il fut apostrophé en ces termes par la femme du patron qui, sous ce déguisement, ne l'avait pas reconnu :

« Je sais bien que vous êtes de la suite de cet homme ; je vois par le dîner que vous commandez qu'il va venir descendre ici ; cela n'empêchera pas que nous ne le traitions bien. Je suis bien de l'opinion de ces messieurs qui dînaient ici hier ; ils ne concevaient pas comment on envoyait dans une île si près de la France un homme qui a tant de moyens. On dit qu'à lui seul il a plus d'esprit que toute l'Europe. Je vous conseille de ne pas vous embarquer avec lui, votre mine me convient, car, sûrement, au milieu de la mer, on lui fera boire un coup, sans cela, avant trois mois, il serait de retour. »

Dès lors, Napoléon fut certain que le gouvernement français avait résolu de le faire assassiner. Et il n'eut de cesse de troquer sa redingote bleue contre l'uniforme du général Koller décoré de l'ordre de Sainte-Thérèse. Déjeunant à Sainte-Maxime, il apprit que le sous-préfet d'Aix s'y trouvait et le convoqua: «Vous devez rougir, lui dit-il fort rudement, de me voir en uniforme autrichien; j'ai dû le prendre pour me mettre à l'abri des insultes des Provençaux. J'arrivais avec pleine confiance au milieu de vous, tandis que j'aurais pu emmener 6000 hommes de ma Garde. Je ne trouve ici que des tas d'enragés qui menacent ma vie. C'est une méchante race que les Provençaux; ils ont commis toutes sortes d'horreurs et de crimes dans la Révolution et sont tout prêts à recommencer: mais quand il s'agit de se battre avec courage, alors ce sont des lâches. Jamais la Provence ne m'a fourni un seul régiment dont j'aurais pu être content. Mais ils seront peut-être demain aussi acharnés contre Louis XVIII qu'ils le paraissent aujourd'hui contre moi...»

Dans le Var, la population n'était pas aussi montée et la traversée de ce département ne donna lieu à aucun incident. On s'arrêta au château de Boullidou où résidait la princesse Pauline qui, voyant son frère en général autrichien, lui prit les mains et les baisa en pleurant. Il fut convenu qu'elle le rejoindrait à l'île d'Elbe. On atteignit enfin le port de Fréjus, où naguère le général Bonaparte, venant d'Égypte, avait débarqué. Là, Napoléon écrivit une lettre à l'Impératrice: «... Je pars dans deux heures pour l'île d'Elbe, d'où je t'écrirai à mon arrivée. Ma santé est bonne, mon courage au-dessus de tout; il ne serait affaibli que par l'idée que mon amie ne m'aime plus. Donne un baiser à mon fils...»

Il s'embarqua ensuite sur la frégate anglaise *Undaunted*, capitaine Ussher, et l'on cingla vers le nouveau royaume: c'était la préfiguration souriante de l'appareillage du *Bellerophon* pour une autre île! Le vent n'était pas favorable, et Napoléon eut tout le temps de voir s'estomper les côtes françaises. Il ne débarqua à Portoferraio que le 4 mai.

Qu'était-ce donc que l'île d'Elbe? Une ancienne possession du royaume de Naples, saisie par l'Angleterre et cédée à la France par le traité d'Amiens. Un bras de mer d'une dizaine de kilomètres de largeur la séparait de la Toscane. Elle avait une surface de 231 km² pour 80 km de tour. Douze mille habitants la peuplaient, avec, comme ressources, des salines, des pêcheries, des vignes et une mine de fer. La seule ville était Portoferraio, dominée par une citadelle vétuste. C'était cela, « l'État souverain » que les Alliés, dans leur munificence et leur grandeur d'âme, avaient octroyé au ci-devant maître du monde ! Mais Napoléon joua le jeu, avec cet art consommé de la comédie qui était le sien. Il remplit à la perfection l'emploi d'empereur mis à la retraite par anticipation, de roitelet débonnaire, de Sancho Pança prenant très au sérieux son gouvernement. Il eut son drapeau qui était blanc, traversé d'une bande orange ornée de trois abeilles. Il eut sa cour, avec Madame Mère, Pauline, Bertrand, Cambronne et Drouot, et bientôt Mme Walewska, « l'épouse polonaise », et son fils. Bien entendu l'ex-Impératrice ne fut pas autorisée à rejoindre son mari : mais le voulut-elle ? Napoléon avait aussi « son armée », composée de 1200 grenadiers, tous volontaires, venus à pied de Fontainebleau, musique en tête et drapeaux éployés. L'ex-Empereur joua à tracer des routes, à réglementer l'exploitation minière, les salines et les pêcheries, ne pouvant exercer ses talents sur un autre objet puisqu'il n'y avait que cela. On donnait aussi des bals où l'on recevait les notables elbois tous décorés de titres pompeux. On se distrayait aussi à faire aménager les résidences, ou plutôt « les palais impériaux » : les Mulini, San Martino, etc. Le salon de San Martino fut décoré de fresques égyptiennes et Napoléon y traça de sa main l'inscription : « *Ubicumque felix Napoleo* » (Napoléon est heureux partout). Tout cela coûtait fort cher ; le trésor apporté de Fontainebleau s'épuisait et le roi Louis XVIII ne se hâtait pas de verser la pension annuelle de 2 millions.

Le colonel Campbell résidait à Elbe, avec pour mission d'espionner Napoléon. Mais les occupations puériles de l'illustre exilé le rassurèrent vite. Il notait : « Napoléon semble avoir perdu toute habitude de travail et d'étude sédentaire. Il a quatre résidences dans diverses localités de l'île, et son unique occupation consiste à y faire des changements et des améliorations. Mais les agitations et les indécisions de son esprit ne lui permettent pas d'y porter le même intérêt quand la nouveauté a perdu de son charme ; il tombe alors dans un état d'inactivité qu'il n'avait jamais connu, et depuis quelque temps il se retire dans sa chambre pour s'y livrer au repos pendant plusieurs heures de la journée… »

Était-ce bien pour dormir que Napoléon s'isolait de la sorte ? Des émissaires débarquaient clandestinement dans l'île. D'autres partaient pour la France. Napoléon suivait avec une attention extrême l'évolution de l'opinion française, pressentait les embarras de Louis XVIII, tiraillé entre les royalistes et les bonapartistes, relevait les maladresses commises par les hommes au pouvoir, supputait l'avenir. Il constatait que le peuple était déjà las des Bourbons et qu'il regrettait l'Empire. Par ailleurs, il se savait espionné par le consul de France à Livourne, Mariotti, et par le chevalier de Brûlart, chouan célèbre, qui gouvernait la Corse. Il se savait aussi menacé d'assassinat. Enfin, il n'ignorait pas davantage que les Alliés regrettaient déjà d'avoir cédé aux pressions du tsar Alexandre en lui accordant l'île d'Elbe. Ils estimaient désormais que cette île était trop proche de l'Europe, de la France, et Louis XVIII faisait chorus. On parlait d'enlever Napoléon et de le déporter aux Açores, peut-être dans une île lointaine… Heureusement il disposait d'une petite flotte : le brick *L'Inconstant* et quelques navires de moindre tonnage.

C'est ici que nous entrons dans le mystère. Car Napoléon donna brusquement l'ordre de faire repeindre le brick aux couleurs anglaises. Ce détail ne put tout de même pas passer inaperçu ! Par la suite on y embarqua des provisions pour trois mois et pour 120 hommes. Ce n'est pas tout ! On affréta plusieurs grands chébecs. Or, le 23 février 1815, Campbell partit pour Livourne : il restera en Italie le temps nécessaire à l'achèvement des préparatifs, à l'embarquement de l'ex-Empereur et de sa suite. Le 26 février, Napoléon passa sur *L'Inconstant*. On mit à la voile. Le 1er mars, la flottille abordait au Golfe-Juan, après une traversée sans histoires. Aucun des bâtiments anglais croisant dans les parages ne s'était inquiété de ce petit groupe de navires battant pavillon tricolore. Il y a plus étrange encore ! Mme de Chastenay signale, dans ses *Mémoires*, que la revue parisienne *Le Nain jaune* avait annoncé le débarquement de Napoléon, à mots couverts, et même en avait précisé la date du 1er mars. Elle estime que l'Angleterre facilita l'évasion, si même ses agents ne la suggérèrent pas. Elle écrit : « J'ai parlé des singuliers voyages faits à l'île d'Elbe par un grand nombre d'Anglais ; j'ai dit combien cette nation voyait avec regret la France encore forte et prospère... » Certes, l'opinion de Mme de Chastenay était celle d'une coterie. Toutefois l'accumulation de certaines coïncidences ne laisse pas d'être troublante. Une gravure satirique fut même publiée qui montrait Napoléon ouvrant furtivement une porte et foulant aux pieds son acte d'abdication, cependant que des officiers anglais, la tête sur les bras, feignaient de dormir. Elle portait cette mention : « Pendant que les gardes sommeillaient, voilà que Lucifer éclairait son préféré, et il s'échappa dans la nuit : ainsi fut accompli ce qui était écrit. » Il est évident que l'évasion de l'Empereur offrait aux coalisés, et spécialement à l'Angleterre, l'occasion inespérée à la fois de le perdre et d'abaisser encore un peu plus la France, tout en invoquant le droit des peuples à la paix, c'est-à-dire en se donnant bonne conscience.

V

LE CHAMP-DE-MAI

La victoire marchera au pas de charge ; l'aigle avec les couleurs nationales volera de clocher en clocher jusqu'aux tours de Notre-Dame.

NAPOLÉON

Évitant la Provence hostile et la basse vallée du Rhône, Napoléon prit la route des Alpes, par Grasse, Digne et Gap. Le 7 mars, il était à Grenoble. On connaît l'épisode fameux du 5e de ligne. Au village de Laffrey, un détachement de ce régiment, commandé par le chef de bataillon Delessert, aperçut les grenadiers de Napoléon. Obéissant aux ordres, un capitaine cria : « Le voilà ! Feu ! » Mais, sans faire un geste, Napoléon s'avança, seul, ouvrit sa redingote et dit : « Soldats du 5e, je suis votre Empereur, reconnaissez-moi ! » Il fit encore un pas : « S'il est parmi vous un soldat qui veuille tuer son Empereur, me voilà ! » Le bataillon entier cria « Vive l'Empereur ! », se précipita pour l'entourer, le toucher, lui parler, lui baiser les mains. Ils retrouvaient, pour le meilleur et pour le pire, leur idole ! Le général Marchand, qui commandait à Grenoble et qui avait juré de capturer le fugitif, perdait pied. Il envoya sur place le 7e de ligne commandé par Labédoyère. Ce dernier s'empressa de rallier Napoléon avec tous ses hommes. Le lendemain, 8 mars, l'ex-empereur faisait une entrée triomphale à Grenoble, recevait les compliments des autorités et passait en revue les six régiments de la ville.

Le 7 mars, le roi Louis XVIII avait lancé une proclamation qualifiant Bonaparte de « brigand », le mettant hors la loi et prescrivant à tout Français de lui « courir sus », selon la vieille formule ! Le comte d'Artois fut envoyé à Lyon où l'on concentra 30 000 hommes pour barrer la route au « bandit corse ». Lorsque le frère du roi harangua les troupes, avec le maréchal Macdonald qui les commandait, il ne rencontra que visages fermés, silences lourds de menaces. Macdonald lui conseilla de fuir. Lui-même, promptement désarmé, put à peine échapper. Le 10 mars, Napoléon entrait à Lyon au milieu d'une foule en délire. Toutefois on criait moins « Vive Napoléon ! » que « À bas les prêtres ! Mort aux royalistes ! À la lanterne les aristocrates ! À l'échafaud les Bourbons ». C'étaient les jacobins qui se réveillaient. Tous les massacreurs de 1793 n'étaient pas morts. Serait-il l'empereur de ces gens-là ?

L'entourage de Louis XVIII était consterné. Mais restait le maréchal Ney. Il avait promis de ramener « la bête fauve » ; il se faisait fort de disperser sa misérable troupe. Il partit donc, plein d'allant, pour Besançon où il commença par rassembler 6 000 hommes. Mais, ayant reçu deux émissaires venus tout exprès de Lyon, il n'y put tenir et changea de camp. Le roi avait tout d'abord résolu, et déclaré solennellement, qu'il était prêt à mourir pour la défense de son peuple et qu'il attendrait Napoléon sur son trône au milieu de sa famille et de ses dignitaires. Noble discours qui émut l'opinion, surtout royaliste. Mais lorsque la « trahison » de Ney fut connue, les mêmes « soutiens du trône », civils et militaires, ne surent que hannetonner autour du vieux roi et réaffirmer leur fidélité. Dans la nuit du 19 au 20 mars, Louis XVIII quitta les Tuileries avec les siens, en direction de Lille. De là, il passa la frontière et s'arrêta à Gand.

Les journaux, qui avaient titré « L'Ogre de Corse est débarqué », puis « Bonaparte, l'Usurpateur, marche sur

Grenoble », puis « Napoléon Bonaparte est entré à Lyon », puis « L'Empereur est parti de Lyon », annonçaient glorieusement « L'Empereur Napoléon a fait son entrée dans la capitale ». La foule se pressait devant les Tuileries, lorsque la berline de l'Empereur fut signalée. Une immense ovation l'accueillit. En un tournemain, il fut tiré de sa berline de voyage, hissé sur des épaules amies, porté vers le palais. Ce fut son dernier jour de bonheur, son dernier triomphe. Aussitôt il fallut se remettre au travail. Les difficultés étaient de tous ordres. Sans doute l'armée adhérait-elle d'enthousiasme à l'Empire restauré ; Paris, le territoire français s'étaient-ils empressés d'amener le drapeau blanc et de hisser le tricolore. Sans doute aussi les tentatives de soulèvement royaliste dans le Midi et dans l'Ouest avaient-elles avorté dans l'œuf. Cependant il était à prévoir que les royalistes, démoralisés par la fuite de Louis XVIII, reprendraient leurs complots ; l'or d'Angleterre les y aiderait comme à l'habitude. D'un autre côté, la bourgeoisie – ce monde des notables que Napoléon avait tant contribué à promouvoir, sur lequel il s'était appuyé politiquement depuis le Consulat – se tenait sur la réserve. Affairistes, commerçants, propriétaires, tous s'étaient plus ou moins accommodés de la monarchie constitutionnelle ; ils la préféraient en tout cas à l'aventure d'une dictature militaire. Par contre le peuple, qui n'avait rien à perdre, hormis la vie, adhérait d'enthousiasme au retour de Napoléon : non point en tant qu'Empereur par la grâce de Dieu, mais comme empereur de la Révolution, roi du peuple, c'est-à-dire Jacobin couronné et représentant de la nation souveraine. Napoléon restait trop lucide, le moment d'euphorie passé, pour ne pas comprendre que son retour était aux yeux des petites gens quelque chose comme 1789 ou 1793. Or, il refusait d'être un roi de jacquerie, quelque Robespierre à la merci d'un groupe d'extrémistes ou d'une réaction thermidorienne. Les cris qu'il avait entendus à Lyon, ceux que vociféraient les cortèges d'ouvriers ne laissaient aucun doute. Ce que voulaient les Jacobins, trop longtemps comprimés ou, plutôt, emportés par le grand souffle épique des années glorieuses, c'était de lanterner les aristocrates et les prêtres, sous le prétexte de sauver la patrie et de délivrer l'Empereur de ses ennemis. Mais ensuite, qu'exigeraient-ils de lui ? Il était donc indispensable, dans un premier temps, de lâcher du lest, fût-ce en apparence, et de donner à l'Empire une couleur libérale, qui satisferait la gauche sans trop alarmer les notables. On lui suggéra de réunir quelque assemblée constituante. Il flaira le danger et fit appel à Benjamin Constant, ancien membre du Tribunat, champion du libéralisme, révéré par l'intelligentsia. Le trait ne manquait pas de piquant, car le cher Benjamin venait de publier un article incendiaire contre l'aventurier du Golfe-Juan : « Auteur de la constitution la plus tyrannique qui ait régi la France, il parle aujourd'hui de liberté ? Mais c'est lui qui durant quatorze ans a miné et détruit la liberté. Il n'avait pas l'excuse des souverains, l'habitude du pouvoir, il n'était pas né sous la pourpre. Ce sont ses concitoyens qu'il a asservis, ses égaux qu'il a enchaînés. Il n'avait pas hérité de la puissance, il a voulu et médité la tyrannie : quelle liberté peut-il promettre ? Ne sommes-nous pas mille fois plus libres que sous son empire ?... Je n'irai pas, misérable transfuge, me traîner d'un pouvoir à l'autre, couvrir l'infamie par le sophisme et balbutier des mots profanés pour racheter une vie honteuse... »

Napoléon ne lui en demandait pas tant. Il connaissait assez bien cette espèce d'homme pour savoir qu'un peu de flatterie suffirait à le retourner. Mais d'abord, fidèle à son habitude, il voulut plaider sa cause, se définir et, tout en se racontant, gagner Constant à ses idées, non sans faire quelques concessions :

« La fibre populaire répond à la mienne, disait-il. Je suis sorti des rangs du peuple : ma voix agit sur lui. Voici mes conscrits, ces fils de paysans. Je ne les flattais pas ; je les traitais rudement. Ils ne m'entouraient pas moins, ils n'en criaient pas moins : Vive l'Empereur ! C'est qu'entre eux et moi il y a même nature. Ils me regardent comme leur soutien, leur sauveur contre les nobles... Je n'ai qu'à faire un signe, ou plutôt à détourner les yeux, les nobles seront massacrés dans toutes les provinces. Ils ont si bien manœuvré depuis dix mois... J'ai voulu l'empire du monde, et pour me l'assurer, un pouvoir sans bornes m'était nécessaire. Pour gouverner la France seule, il se peut qu'une constitution vaille mieux... Voyez donc ce qui vous semble possible; apportez-moi vos idées. Des discussions publiques, des élections libres, des ministres responsables, la liberté de la presse, je veux tout cela... La liberté de la presse surtout; l'étouffer est absurde. Je suis convaincu sur cet article... Je suis l'homme du peuple. Si le peuple veut réellement la liberté, je la lui dois. J'ai reconnu sa souveraineté. Il faut que je prête l'oreille à ses volontés, même à ses caprices. Je n'ai jamais voulu l'opprimer pour mon plaisir. J'avais de grands desseins; le sort en a décidé autrement. Je ne suis plus un conquérant; je ne puis plus l'être. Je sais ce qui est possible et ce qui ne l'est pas. Je n'ai plus qu'une mission, relever la France et lui donner un gouvernement qui lui convienne... Je ne hais point la liberté. Je l'ai écartée lorsqu'elle obstruait ma route, mais je la comprends, j'ai été dans sa pensée... D'ailleurs, je désire la paix, et je ne l'obtiendrai qu'à force de victoires. Je ne veux pas vous donner de fausses espérances. Je laisse dire qu'il y a des négociations: il n'y en a point. Je prévois une lutte difficile, une guerre longue. Pour la soutenir, il faut que la nation m'appuie... »

Mais, quelques jours après, il exigea que la nouvelle constitution se rattachât à l'ancienne, autrement dit qu'elle ne fût qu'un Acte additionnel à la constitution de l'Empire. Au cours de la dernière réunion sur l'Acte, il fut encore plus catégorique: « On me pousse dans une route qui n'est pas la mienne. On m'affaiblit, on m'enchaîne. La France me cherche et ne me trouve plus. L'opinion était excellente, elle est exécrable. La France se demande ce qu'est devenu le vieux bras de l'Empereur, ce bras dont elle a besoin pour dompter l'Europe... Quand la paix sera faite, nous verrons... »

Le fond de sa pensée, il l'avoua à Gourgaud, en décembre 1815 à Sainte-Hélène:

« J'ai eu tort de perdre un temps fort précieux en m'occupant de constitution, d'autant plus que mon intention était d'envoyer promener les Chambres une fois que je me serais vu vainqueur et hors d'affaire. Mais c'est en vain que j'ai espéré trouver des ressources dans ces Chambres. Je me suis trompé. Elles m'ont nui avant Waterloo et m'ont abandonné après. »

Et il est vrai que l'Acte additionnel, baptisé *La Benjamine* par les railleurs, déçut tout le monde : les bonapartistes qui regrettaient qu'il amputât les pouvoirs de l'Empereur, la droite parce qu'il concédait trop aux libéraux, ceux-ci parce qu'ils jugeaient les concessions insuffisantes au cas où Napoléon reviendrait victorieux de la guerre qui menaçait, et la gauche parce qu'il laissait subsister la pairie. Bien entendu *La Benjamine* fut soumise à un référendum. Sur 5 millions d'électeurs, il n'y eut que 1 532 000 oui, contre 4 800 non. Mais le chiffre des abstentions était impressionnant, significatif ! De même ce ne fut qu'une minorité d'électeurs, par suite de l'abstention massive des royalistes, qui désigna la Chambre des représentants. Celle-ci compta 500 libéraux, contre une quarantaine de jacobins et le double de bonapartistes. C'est dire que l'Empereur n'y avait plus la majorité. Pis encore, le président de la Chambre fut Lanjuinais, qui, l'année précédente, avait proposé la déchéance !

On organisa la pompeuse cérémonie du Champ-de-Mai pour célébrer la naissance de l'Empire « libéral ». Elle eut lieu au Champ-de-Mars, où l'on avait construit un splendide décor, le 1er juin 1815. Dans l'esprit de Napoléon, cette fête devait refaire l'unanimité : ressouder la nation, permettre un nouveau départ. Elle était à la fois religieuse, civile et militaire, avec la participation de délégués de tous les départements et de toutes les armes. Il espérait qu'elle soulèverait l'enthousiasme, laisserait un souvenir inoubliable. Quelle naïveté ! Il y parut en tenue d'empereur : chapeau de velours noir, un peu trop emplumé, tunique nacarat et culotte de satin blanc. Mais l'heure était passée de ces glorieuses mascarades. On chanta :

Je vois Napoléon blanc,
Lucien blanc,
Joseph blanc et Jérôme blanc,
Est-ce qu'ils auraient envie
De jouer une comédie
Ou une tragédie ?
Non, moi qui connais leur plan,
En plein plan,
Tire lire en plan,
Je dis, en contemplant,
Que c'est une parodie !

Les Bonaparte paradaient sur l'estrade autour de leur frère. Marie-Louise et le Roi de Rome manquaient à l'appel, et les royalistes chantonnaient méchamment :

Pèr' la Violette, dis-nous donc
Où c' qu'est ta Mari' Louise,
Tu l' sais ben, tu n' dirais pas qu' non,
Tu nous l'avais promise,
Mais je n' la voyons pas,
Nicolas,
Sais-tu qu' ça nous défrise !

Au Champ-de-Mai, il y eut des harangues ponctuées de salves d'artillerie, de roulements de tambours, des chœurs entonnant les hymnes nationaux, la distribution des aigles aux porte-drapeaux. Le docteur Poumiès y assistait en curieux. Il relate que, si les militaires acclamaient l'Empereur, du côté des civils on criait surtout « Vive la France ! Vive la Nation ! », ou l'on échangeait des propos ironiques. On fit une chanson sur la cérémonie, incurables Français ! Elle eut un grand succès au faubourg Saint-Germain :

Bonaparte s'avance,
Je suis de son parti ;
Mais s'il reçoit la danse,
Je ne suis plus pour lui.

De crainte d'anicroche
Je n'ai jamais d'avis,
Je porte dans ma poche
L'aigle et la fleur de lis.

On disait aussi que Napoléon avait perdu le goût des aventures, qu'il « était devenu spectateur des choses générales et de sa propre destinée ». Dans son entourage même, on s'étonnait du changement intervenu dans son attitude. Il semblait avoir perdu son esprit de décision, ses dons de commandement. Il questionnait à la façon de naguère, mais il ne tranchait plus dans le vif, n'avait plus de ces réponses à l'emporte-pièce qui laissaient pantois son contradicteur. Il consultait beaucoup, recueillait les avis, ne réagissait plus avec sa promptitude coutumière. On eût dit en effet qu'il cédait à une sorte d'indifférence, ou de résignation. Mais n'était-ce pas un masque : celui de l'Empereur constitutionnel ? L'enthousiasme des premiers jours avait fait place à la défiance. La Chambre des représentants dissimulait à peine ses intentions. La Chambre des pairs, bien que Napoléon eût nommé ses membres, marquait déjà son indépendance à l'endroit du pouvoir. Lorsque, le 7 juin, l'Empereur ouvrit la session parlementaire, Lafayette nota : « Dans toute sa figure, on lisait sa souffrance intérieure et la contrainte violente que sa nouvelle situation lui faisait éprouver. » Les ministres eux-mêmes n'étaient pas sûrs : ceux qu'il lui aurait plu de désigner s'étaient prudemment récusés. Caulaincourt était aux Relations extérieures, faute de mieux, Carnot à l'Intérieur. Fouché, dont il ne savait s'il devait le conserver ou le faire pendre, était à la police. Le reste ne valait pas plus cher. Il ne fallait pas attendre merveille de cette équipe sans unité, sans capacité véritable. Mais le temps pressait, et ce n'était qu'une situation provisoire. Toujours pour amadouer « les idéologues » et les rassurer tout à fait sur ses projets, Napoléon quitta les Tuileries, s'installa à l'Élysée, palais qui convenait mieux à un monarque constitutionnel. Toutefois, il rongeait son frein et sa colère rentrée tournait en bile. Pour lui, le seul fait de revoir cette belle tête creuse de La Fayette dans une assemblée suffisait à l'irriter.

Mais le dénouement approchait !

La nouvelle du débarquement de Napoléon à Golfe-Juan, sa marche triomphale vers « les tours de Notre-Dame », la fuite de Louis XVIII à Gand avec une poignée de fidèles avaient, dans l'instant, apaisé les dissensions du congrès de Vienne manœuvré par Talleyrand. Les membres du congrès avaient unanimement décrété que Napoléon, en s'évadant de l'île d'Elbe au mépris de ses engagements et de son abdication de 1814, s'était placé hors des relations civiles et sociales et que, comme ennemi et perturbateur du repos du monde, il s'était livré à la vindicte publique. En foi de quoi, ces apôtres de la paix prirent leurs dispositions. L'Angleterre, l'Autriche, la Russie et la Prusse s'engageaient à tenir en armes chacune un contingent de 50000 hommes jusqu'à la victoire finale. Ce fut en vain que Napoléon publia sa volonté de paix, offrit même de négocier. En vain expédia-t-il des émissaires au père de Marie-Louise et au tsar Alexandre. En vain même un agent de Fouché, Fleury de Chaboulon, vint-il proposer secrètement à Metternich de mettre Napoléon II sur le trône, avec sa mère pour régente, l'Empereur consentant à s'effacer. Mais Napoléon était-il au courant de cette étrange démarche, avait-il réellement mandaté Fouché pour formuler cette offre à Metternich ? Cela semble douteux. D'ailleurs, les coalisés ne voulaient rien entendre. Ils déclaraient hautement qu'ils n'en voulaient pas à la France, mais à la seule personne de l'Usurpateur. Que les Français le missent eux-mêmes hors d'état de nuire, et il n'y aurait pas de guerre ! Ce n'était évidemment qu'une astucieuse propagande pour démoraliser l'opinion et saper le pouvoir de Napoléon. Elle resta d'ailleurs sans effet, du moins jusqu'à Waterloo... Quel homme de sens pouvait admettre que les coalisés renonceraient à abaisser la France, à l'humilier encore plus, voire à mutiler son territoire ?

Wellington rassemblait une armée en Belgique, composée de régiments anglais, belges et hollandais. La Prusse mobilisait. L'Autriche préparait l'affrontement final. En deux mois, aidé par Davout, ministre de la Guerre, Napoléon avait reconstitué une armée. Afin de prévenir l'invasion, il résolut de prendre les devants. Le 11 juin, il déclara aux représentants : « Je partirai cette nuit pour me rendre à la tête de mes armées. Les mouvements des différents corps ennemis y rendent ma présence indispensable… Aidez-moi à sauver la patrie ! »

VI

WATERLOO

Oui, l'aigle, un soir, planait aux voûtes éternelles,
Lorsqu'un grand coup de vent lui cassa les deux ailes;
Sa chute fit dans l'air un foudroyant sillon;
Tous alors sur son nid fondirent pleins de joie;
Chacun selon ses dents se partagea la proie;
L'Angleterre prit l'aigle, et l'Autriche l'aiglon.

Victor HUGO,
Les Chants du crépuscule

Car, par un véritable tour de force, on a pu réunir une armée de 300 000 hommes! Un grand nombre de sous-officiers ont été rappelés dont beaucoup, promus sous-lieutenants, forment d'excellents cadres subalternes. 170 000 hommes ont été prélevés sur la Garde nationale, sans rencontrer de résistance. On a pu renouveler le stock de fusils et de munitions, ainsi que le parc d'artillerie. La cavalerie a été convenablement remontée. C'est le haut commandement qui fait défaut. Lannes, Lasalle, Duroc sont morts. À l'exception de Ney, aucun des maréchaux ne suivra l'Empereur. Ils ont prêté serment à Louis XVIII pour être maintenus dans leurs grades. Ils se tiennent sur l'expectative et de même une cohorte de généraux qui ne veulent plus croire à la fameuse Étoile! Mais le maréchal Ney n'est plus ce qu'il a été; il a vieilli; il n'a lâché Louis XVIII qu'à contrecœur ; il est plein d'incertitude, sinon de crainte. Le plus alarmant, c'est l'absence de Berthier, qui a suivi le roi à Gand. L'Empereur l'a remplacé par Soult, qui n'est pas capable de remplir les fonctions de chef d'état-major général. Il a refusé un commandement à Murat, à cause de sa trahison de 1814 ; à l'heure décisive, l'absence de ce cavalier incomparable se fera cruellement sentir. Par surcroît, au sein même de l'état-major, il y a des éléments douteux, des traîtres en puissance. Mais Napoléon doit faire avec ce qu'il a ; il compte une fois de plus sur son prestige, sur son génie.

Il ne peut davantage emmener vers la frontière belge la totalité des hommes disponibles. Il a dû en distraire une partie pour occuper les places fortes et pour juguler l'insurrection qui vient d'éclater en Vendée. Il n'a donc avec lui, en tout et pour tout, que 170 000 hommes et 370 canons, avec pour chefs de corps Drouet d'Erlon, Reille, Vandamme, Gérard, Lobau, Drouot et Grouchy. Son plan repose, encore une fois, sur l'exactitude et la célérité de son exécution. Il consiste à séparer Blücher et Wellington en s'intercalant entre leurs deux armées, puis à battre celles-ci l'une après l'autre. Wellington, commandant l'armée dite « des Pays-Bas », a son quartier général à Bruxelles ; il dispose de 70 000 fantassins, de 15 000 cavaliers et de 270 canons. Blücher, commandant l'armée dite « du Bas-Rhin », a son quartier à Liège ; il dispose de 105 000 fantassins, de 12 000 cavaliers et de 219 canons, mais aussi d'un très remarquable chef d'état-major, Gneisenau, car le vieux maréchal mérite un peu trop son surnom de « *Vorwärts !* » (En avant !). L'armée de Wellington s'étire, imprudemment, sur 80 km à partir de la mer, le long de la frontière et, à sa suite, l'armée prussienne sur une longueur de 60 km. C'est un dispositif d'attente. Ni Wellington ni Blücher ne pensent sérieusement à une offensive de Napoléon. Au surplus l'armée russe se concentre sur le Rhin moyen, forte de 250 000 hommes, sous les ordres de Barclay de Tolly, vieille connaissance ! Sur le Haut-Rhin, c'est l'armée austro-bavaroise de Schwarzenberg, avec 250 000 hommes. En Piémont se rassemble l'armée d'Italie, sous les ordres de Frémont, dans la perspective d'une invasion de la France par le sud des Alpes. Certaines informations donnent à croire que l'Europe mobilise également ses réserves, quelque 800 000 hommes. La seule chance de Napoléon est donc d'anéantir soudainement Blücher et Wellington, puis d'affronter les Russes et les Autrichiens, s'ils persistent toutefois dans leurs intentions. Naguère, il n'eût pas douté de la victoire, tablant sur la soudaineté de son attaque. En juin 1815, il sent tout le poids de la solitude et il a perdu foi en lui-même. À Sainte-Hélène, il avouera : « Je sentais la Fortune m'abandonner. Je n'avais plus en moi le sentiment du succès définitif ; et ne pas oser, c'est ne rien faire au bon moment, et l'on n'ose jamais sans être convaincu de la bonne fortune ! »

Dès son arrivée en campagne, sur la route de Belgique, il a pu constater l'insuffisance de son nouveau chef d'état-major. Soult a simplement oublié de prévoir la marche de la cavalerie de Grouchy. Les cavaliers doivent brûler les étapes, crever leurs chevaux pour rattraper le départ. Jusqu'au soir de Waterloo, le manque de coordination, la médiocrité des transmissions, les omissions de Soult susciteront le désordre. L'ineptie de certains généraux, la mauvaise volonté de quelques autres, les rivalités même viendront aggraver une situation déjà difficile, feront perdre des occasions propices. Tout cela, Napoléon le sait, mais il n'y peut rien, et ce fatalisme a chez lui quelque chose de poignant.

Le 15 juin, l'armée franchit la Sambre. Le corps de bataille commandé par Napoléon s'avance vers Charleroi ; à sa gauche Reille et Drouet d'Erlon se dirigent vers Marchienne et, à droite, Gérard vers le Châtelet. L'affaire a été menée si rondement que le général prussien Ziethen, complètement surpris, ne peut que se replier en toute hâte et évacuer Charleroi. Mais, à l'aile droite (corps d'armée Gérard), un incident très grave vient de se produire, frappant les soldats et les officiers de stupeur : le général Bourmont est passé aux Prussiens, avec son état-major. Conduit à Blücher, Bourmont reçoit un accueil glacial. Et comme on fait remarquer au vieux maréchal que le Français arbore la cocarde blanche, il grogne : « Qu'importe la cocarde, Jean-Foutre sera toujours Jean-Foutre ! »

Deux routes partent de Charleroi ; l'une, à gauche, menant à Bruxelles ; la seconde, à droite, menant à Namur où sont les Prussiens. La route de Bruxelles est coupée par la route de Nivelles à Sombreffe, au carrefour des Quatre-Bras. Pour être certain d'isoler Wellington, il convient de contrôler ce carrefour. L'Empereur y envoie le maréchal Ney, cependant qu'il s'engage sur la route de Fleurus à la rencontre des Prussiens. Mais Ney prend une simple brigade (celle du prince d'Orange) pour l'avant-garde anglaise. Il se met sur la défensive, au lieu d'attaquer, et laisse Wellington s'installer aux Quatre-Bras, c'est-à-dire se rapprocher des Prussiens, erreur dont les conséquences seront incalculables. Cependant, à cette phase des opérations, l'initiative reste aux Français. Les avant-gardes de Blücher font, seules, face au principal corps de bataille de l'Empereur, et décrochent. Toutefois le vieux maréchal concentre ses troupes entre Fleurus et Sombreffe ; il espère tenir sur cette ligne, en attendant soit des renforts, soit le secours de Wellington dont l'armée – cela mérite d'être souligné ! – n'est qu'à faible distance. Mais le flegmatique Wellington ne songe point à secourir son compère ; il s'obstine à ne pas croire à un engagement sérieux. Ayant disposé ses troupes aux Quatre-Bras, il regagne Bruxelles dans la soirée, afin d'assister au bal donné par la duchesse de Richmond. Le « duc de fer » est d'abord un gentleman ; il ne fait la guerre que les mondanités accomplies. Napoléon est revenu dormir à Charleroi. « L'Empereur, écrit le baron Fain, qui est à cheval depuis trois heures du matin, rentre accablé de fatigue. Il se jette sur son lit pour y reposer quelques heures. Il doit remonter à cheval à minuit. »

À six heures du matin, il a un entretien avec le maréchal Ney. Il lui donne l'ordre de s'emparer des Quatre-Bras, cependant que Grouchy attaquera l'avant-garde de Blücher à Sombreffe. Son intention est de prendre ensuite la route de Bruxelles où, selon lui, « son entrée aura un effet moral considérable » sur les coalisés. De leur côté, Wellington et Blücher se sont rencontrés. Aucun des deux ne consent à être sous les ordres de l'autre. On se sépare donc sans avoir rien décidé, sinon que, si Wellington est attaqué, Blücher viendra à la rescousse. Quant à ce dernier, il a si piètre opinion de la combativité des Anglais et des aptitudes de leur général qu'il préfère ne compter que sur lui-même.

Arrivé à Fleurus dans la matinée, Napoléon constate que Grouchy n'aura pas seulement affaire à l'avant-garde prussienne : Blücher, ayant achevé sa concentration, offre le combat sans se soucier des Anglais. Cette journée du 16 juin, l'Empereur n'entrera pas à Bruxelles ; il doit modifier ses plans, profiter de la faute du vieux maréchal ! Cependant il tarde à donner ses ordres ; il hésite. Une attaque subite des Français eût jeté le désarroi parmi les Prussiens qui n'ont pas encore pris position. L'Empereur attend. Mais quoi ? Est-il souffrant, comme on l'a supposé ? En tout cas, ces heures d'hésitation, d'inaction, sont difficilement explicables. L'assaut général ne se déclenche qu'à trois heures de l'après-midi. Comme Napoléon l'a prévu, la lutte est tout de suite extrêmement âpre, les Prussiens s'accrochant au terrain, mais les divisions françaises ont retrouvé leur allant, et Ney doit intervenir. Cependant celui-ci, ne pouvant s'emparer des Quatre-Bras, est incapable d'exécuter l'ordre de l'Empereur qui était, le carrefour étant pris, de se rabattre vers Blücher. Nouveau changement du dispositif : puisque Ney fait défaut, la Garde donnera ! Les 20 000 bonnets à poil déferlent vers Ligny, en beuglant *Le Chant du départ*. Les cuirassiers achèvent la déroute. C'est en vain que le vieux Blücher se précipite pour arrêter la débâcle. Il est bousculé par les cuirassiers français. Il roule à terre et la charge passe. Des fidèles le relèvent, l'emportent : il n'a qu'une cuisse contusionnée. Mais quelle prise c'eût été, et qui pouvait changer le sort de Waterloo !

Napoléon est incontestablement victorieux. Pourquoi ne donne-t-il pas l'ordre d'accentuer la poursuite ? Parce qu'il estime avoir « écrasé » l'armée Blücher et qu'il a besoin de ses troupes pour marcher vers Bruxelles après avoir battu Wellington ! Nouvelle erreur, car les Prussiens n'ont perdu que 20 000 hommes et l'on peut faire confiance à Blücher et Gneisenau pour reformer promptement les 60 000 hommes qui leur restent !

La situation aux Quatre-Bras préoccupe l'Empereur. Faute d'avoir l'appui du corps de Drouet d'Erlon, Ney n'a pu s'emparer de la position. Cependant il a immobilisé l'armée de Wellington.

Le 17 juin, avant de se diriger vers Bruxelles, Napoléon ordonne à Grouchy de reprendre la poursuite de Blücher, en tout cas de garder le contact avec les Prussiens et de les occuper. Troisième erreur, celle-là fatale, car, en détachant Grouchy, il se prive d'un corps d'armée alors que la bataille décisive va s'engager. En même temps, il expédie des renforts au maréchal Ney, avec l'ordre de prendre coûte que coûte les Quatre-Bras. Mais Ney a laissé filer Wellington. Aussitôt l'Empereur décide de rejoindre l'Anglais, de le forcer à se défendre : après quoi la route de Bruxelles sera libre ! L'armée entière se met en mouvement, précédée par les régiments de cavalerie légère. Sous une pluie battante qui transforme les chemins en fondrières et met l'artillerie en difficulté, on marche aussi vite qu'on le peut, sac au dos, cartouchière pleine, bonnets à poils et shakos ruisselants. Les Anglais fuient de toutes leurs jambes en direction de Bruxelles. Mais ce n'est pas une débandade, c'est une retraite organisée. Wellington est trop médiocre stratège, malgré sa réputation, pour ne pas choisir son terrain. Et ce terrain doit permettre de se retrancher solidement, car la science militaire de Wellington s'arrête là ; c'est ainsi qu'il a fini par vaincre au Portugal et en Espagne ! À dix-huit heures trente, l'Empereur fait halte au cabaret de la Belle-Alliance. L'œil à la lunette, il scrute l'horizon. Il distingue vers le Mont-Saint-Jean un grand rassemblement d'hommes et ne doute plus qu'il s'agisse de Wellington. Ce l'est. L'armée anglaise vient de s'arrêter. Le « duc de fer » a décidé qu'il attendrait le choc à cet endroit. Napoléon ne craint qu'une chose : c'est que l'Anglais lui échappe pendant la nuit. D'ailleurs, le temps est si mauvais que ses propres troupes n'avancent qu'avec peine. Trempé jusqu'aux os, les cornes de son chapeau tombant sur ses épaules, il encourage les misérables qui se traînent dans la boue, leur désigne les emplacements prévus pour leurs bivouacs. Ils grelottent sous la pluie, n'ont rien mangé depuis la veille, hormis les provisions de sac; ils grommellent; certains chuchotent le mot de trahison: la conduite de Bourmont a produit un effet désastreux, on jette un œil de suspicion sur certains officiers réputés royalistes, sur certains généraux trop peu connus, en lesquels on n'a aucune confiance. Cependant on a le courage de saluer la redingote grise, de crier: « Vive l'Empereur! », mais assez mollement. À neuf heures du soir, l'Empereur quitte la Belle-Alliance et se porte à la ferme du Caillou. Il y passera la nuit. Ses chasseurs lui ont fait un feu d'enfer. Il dicte son ordre de bataille pour le lendemain. Tout à son idée de ne pas perdre le contact, il néglige une information cependant capitale: on lui rend compte que Blücher a fait mouvement vers la Dyle, ce qui signifie qu'il se rapproche de Wellington. Mais Napoléon le croit hors d'état de combattre. Il estime qu'en cas de besoin Grouchy suffira à le contenir. Nouvelle erreur, et sur les intentions des Prussiens et sur ses moyens!

Entre quatre et cinq heures du matin, il dicte une nouvelle instruction: l'attaque prévue pour l'aube est reportée à neuf heures, car les artilleurs ont fait savoir que les canons s'embourberaient, qu'il convenait d'attendre que le soleil ait un peu durci la terre. Et c'est là la dernière erreur, car ce retard donnera à Blücher le temps d'arriver avant la destruction de l'armée anglaise. Jamais l'Empereur ne l'eût commise autrefois! Rien, alors, ne pouvait modifier sa décision. Non seulement l'attaque n'a pas lieu à neuf heures, mais, toujours à cause de l'artillerie, on la reporte encore. Il sera finalement onze heures trente quand le premier coup de canon sera tiré. Mais d'abord l'Empereur est revenu à la Belle-Alliance. Le chef d'état-major écrit à Grouchy pour l'avertir de l'attaque imminente des positions anglaises de Waterloo. Il lui ordonne en conséquence de se diriger sur Wavre et de repousser les Prussiens qui peuvent s'y trouver, tout en restant en liaison avec l'Empereur.

Ayant résolu de faire porter l'attaque principale sur le Mont-Saint-Jean, position centrale des Anglais, Napoléon donne l'ordre d'occuper Hougoumont, afin de tromper Wellington. Mais les Anglais défendent farouchement ce château, pris et repris à l'aide de renforts expédiés par Wellington qui donne dans le piège. Napoléon a fait mettre en batterie 80 pièces, roue à roue, face au Mont-Saint-Jean. Les canons vont ouvrir une trouée aux troupes d'assaut. C'est Drouet d'Erlon qui le conduira, avec quatre divisions d'infanterie et une brigade de cuirassiers. Mais Drouet d'Erlon, on ne sait pourquoi, a adopté la formation macédonienne, de sorte que ses bataillons ne pourront ni se déployer ni se former en carrés. L'approche de Blücher est alors signalée. On espère que Grouchy va arriver d'un instant à l'autre. Désormais il faut à tout prix et tout de suite enfoncer le centre de Wellington. L'attaque de Drouet d'Erlon a échoué, par sa faute, ou par suite d'un ordre mal donné. Napoléon confie alors ses brigades cuirassées à Ney. Ce dernier les lance en avant, sans se préoccuper de les faire suivre par l'infanterie. Entre quatre et six heures, les cuirassiers chargent sans arrêt. Arrivant aux canons de Wellington, ils virent cul sur pointe, faute de fantassins pour exploiter l'avantage, occuper les lieux, à tout le moins enclouer les pièces, qui sont aussitôt remises en batterie. Toute la cavalerie anglaise charge à son tour et la bataille se change en une série de duels quasi individuels ! À cinq heures trente, l'armée Blücher passe elle-même à l'attaque sur le flanc droit des Français. Lobau est contraint de se replier et, pour le soutenir, Napoléon envoie la jeune Garde vers Plancenoit. Il faut tenir ce village, le sort de la bataille en dépend.

À six heures, l'Empereur envoie à Ney l'ordre de prendre la Haie-Sainte, une ferme située à 300 mètres de Mont-Saint-Jean. Ney, échevelé, hurlant, se battant comme un fou, enlève la ferme où l'on installe une batterie qui tire presque à bout portant sur les lignes anglaises. Que Grouchy arrive ou que Plancenoit tienne encore un moment ! Mais, en dépit des supplications de ses lieutenants, Grouchy ne veut pas marcher au canon ; il veut un ordre écrit ; il refuse d'encourir les reproches de l'Empereur. Cependant, à Mont-Saint-Jean, sous les assauts incessants de la cavalerie, de l'infanterie, sous les volées de mitraille et de boulets, les Anglais fléchissent. Seul Wellington ne se départit pas de son flegme. Il se contente de dire : « Il faut que la nuit ou les Prussiens arrivent. » La victoire est à portée de main, Ney galope vers Napoléon, demande des troupes ; il veut assener le dernier coup. « Des troupes ! hurle Napoléon, où voulez-vous que j'en prenne ! Voulez-vous que j'en fasse ? »

À sept heures du soir, comme la nuit tarde à venir, l'Empereur se décide. Oui, Ney a raison. Il faut tenter un ultime effort, faire donner la Garde !... Jamais attaque ne fut plus mal disposée ! Les bataillons gravissent le Mont-Saint-Jean au pas de charge, mais de biais et divisés. Les régiments d'infanterie qui doivent les appuyer se laissent distancer. Les Anglais se ressaisissent, tirent à la cible sur les plastrons blancs. Soudain, Wellington commande la charge. La Garde fléchit. « La Garde recule ! » Ce n'est qu'un cri dans l'armée. À l'instant, la panique s'empare de tout le monde, cuirassiers, chasseurs, voltigeurs, se débandent, les canons cessent de tirer. L'armée n'est plus qu'une horde éperdue. Wellington, toujours d'un parfait sang-froid, soulève son chapeau. C'est le signal de l'attaque générale, ou plutôt de la poursuite. À Plancenoit, Lobau et la Jeune Garde sont submergés. Il ne reste à l'Empereur que trois bataillons de la Vieille Garde et trois bataillons de la Moyenne Garde. Formés en carrés, ils résistent à la cavalerie anglaise. C'est à ce moment de la journée que le général Cambronne lance son mot célèbre, avant de tomber grièvement blessé. Selon le témoignage du lieutenant Chevalier, Napoléon s'est jeté dans un de ces carrés d'où il commande lui-même le feu : « On le supplie de se retirer, mais lui, sans peur et sans crainte, semble vouloir mourir dans ce carré, au milieu de ses braves ; un obus tombe auprès de lui, son cheval recule épouvanté, mais il le tient d'une main ferme et le force à venir près de l'obus. » Tout de même Soult et quelques généraux parviennent à l'entraîner. À la ferme du Caillou, on retrouve un bataillon de chasseurs à pied. Dans la nuit noire, les Prussiens dans le dos, au milieu d'un troupeau de fuyards, on gagne Genappe et, de là, Charleroi. L'Empereur n'a plus pour compagnons que ces généraux qui n'ont pu vaincre et ces débris de la Garde. Il n'a plus que son désespoir…

SEPTIÈME PARTIE

SAINTE-HÉLÈNE

(1815-1821)

I

COMME THÉMISTOCLE

> *C'était un bel Empire ! J'avais quatre-vingt-trois millions d'êtres humains à gouverner, plus que la moitié de la population de l'Europe.*
>
> NAPOLÉON à Gourgaud

Lorsque, le 21 juin, l'Empereur arriva à l'Élysée, il était à bout de résistance, haletant, bien qu'il eût fait le voyage en voiture. Il dit à Caulaincourt :

« L'armée a fait des miracles, mais sur la fin elle fut saisie de panique… Ney s'est conduit comme un fou, il a gaspillé toute ma cavalerie… Je n'en peux plus… J'ai besoin de deux heures de repos avant de pouvoir travailler. »

Pendant qu'il était dans son bain, il continua de s'entretenir avec Caulaincourt, reçut Davout dont, en gesticulant, il éclaboussa l'uniforme. L'un et l'autre s'étonnaient qu'il eût quitté l'armée pour venir à Paris. Mais l'Empereur croyait qu'il n'avait plus d'armée, alors que le corps de Grouchy était intact et que Blücher, assez mauvais stratège, l'avait laissé échapper. Grouchy repassant la frontière pouvait aisément rallier les 30 000 fuyards à la recherche de leurs unités et certes préférait se battre plutôt que de tomber aux mains des Anglais ou des Prussiens. Il était possible, à partir de ce noyau, de reformer promptement une armée. Les Anglais de Wellington avaient trop souffert à Waterloo, leurs pertes étaient trop élevées pour qu'ils fussent à même de tenter quoi que ce fût; par surcroît ils estimaient avoir fait leur part. Quant à Blücher, Ligny l'avait rendu prudent et, à Plancenoit, ses troupes avaient été sévèrement étrillées par la Moyenne Garde. Il restait donc une possibilité d'agir, comme il arrive après les grosses batailles laissant les adversaires à bout de souffle. Or Napoléon, ayant été battu à Waterloo, contre toute attente et malgré l'acharnement de ses soldats, ne pouvait pas concevoir que Grouchy, le médiocre, ait pu se tirer si facilement d'affaire. Il le croyait captif ou en fuite. Sa nouvelle erreur fut de se souvenir, un peu trop, de 1814: pendant qu'il dirigeait l'admirable campagne de France et battait les uns après les autres ses adversaires, qu'avaient fait les Chambres? Elles avaient prononcé sa déchéance, pactisé avec les Alliés, ouvert les portes de Paris, préparé le retour de Louis XVIII, et cela avec la complicité, ou la neutralité, des maréchaux! Après Waterloo, l'Empereur, connaissant le mauvais esprit des députés, pouvait tout craindre, à moins qu'il ne fût sur place. D'où ce retour précipité dans la capitale. Quel était son plan? Avertir les Chambres du désastre de Waterloo, leur démontrer que rien n'était encore perdu, à condition qu'on lui donnât des moyens immédiats: car, dans peu de jours, il faudrait faire face à l'invasion du territoire. Il espérait que ces grands bourgeois (pairs et députés) avaient la fibre assez patriotique pour l'aider une fois encore. C'était, il faut en convenir, d'une déconcertante naïveté.

Davout, qui n'avait pas quitté la capitale par suite de ses fonctions de ministre, était au fait de l'opinion. Si la population parisienne ignorait le désastre de Waterloo et, venant d'apprendre la victoire de Fleurus-Ligny, se croyait en sécurité, il n'en était pas de même des Chambres. Dès le 20 juin, Fouché connaissait la défaite et entrait en action. On pouvait tout redouter de ce défroqué. Davout conseillait de prendre, toutes affaires cessantes et sans consulter personne, la mesure qui s'imposait, à savoir l'ajournement des Chambres. Il ne s'agissait point de leur demander des pouvoirs exceptionnels, qui seraient refusés par elles en dépit de la situation, mais de les imposer à la nation qui approuverait ! Selon lui, non seulement les Chambres s'opposeraient à une dictature militaire, mais il était probable qu'elles en reviendraient à la solution de 1814. Il fallait donc se hâter de ne pas laisser le temps à Fouché de corrompre ses collègues. Napoléon tergiversa. Une fois de plus, sa volonté flanchait au moment décisif. Malgré l'avis de Davout, il convoqua diverses personnalités pour les consulter. Ses vrais amis – ou simplement les vrais patriotes – comme Regnault, Lucien, Carnot, partageaient l'opinion de Davout. Lucien était même disposé à rejouer son rôle du 18 Brumaire en cas de nécessité. Le vieux Carnot, rajeuni par le péril, disait : « La patrie est en danger ! » L'Empereur s'obstinait dans son étrange respect de la légalité. Il voulait bien d'une dictature militaire, mais à condition que les Chambres y consentissent, ce qu'il estimait « plus utile et plus national ». Et pourtant, il restait logique et paraissait déterminé : « Si l'on m'avait repoussé lorsque j'étais à Cannes, je l'aurais compris. Mais maintenant j'appartiens à ce que l'ennemi attaque. Donc j'appartiens aussi à ce que la France doit défendre. Si elle me livre, elle se livre elle-même, elle s'avoue vaincue, elle encourage l'ennemi. Ce n'est pas la liberté qui peut me renverser, mais la peur ! »

L'ignoble Fouché était tout à sa vocation de maître trompeur et de policier mégalomane. Il déclarait aux libéraux que Napoléon n'était point revenu à Paris pour demander des pouvoirs exceptionnels mais pour dissoudre les Chambres. Poussant en avant le beau La Fayette, défenseur pour ainsi dire professionnel de la liberté et tout heureux de rentrer en scène, fût-ce pour provoquer une catastrophe, il obtint que les députés se déclarassent en permanence. Cette manœuvre était illégale, car, aux termes de l'Acte additionnel, précisément, les Chambres n'avaient pas le droit de se déclarer inamovibles ! Mais l'Empereur ne sut pas réagir, et dès lors, Fouché put œuvrer contre lui sans rien risquer, sauf l'invasion de la France! Il dupa la gauche en laissant entendre qu'il travaillait pour le duc d'Orléans et pour une monarchie constitutionnelle, alors qu'il négociait le retour de Louis XVIII avec les royalistes. Il désarma les bonapartistes en leur promettant que les Chambres, en cas d'abdication de l'Empereur, proclameraient Napoléon II et désigneraient un Conseil de Régence. Car son but n'était autre que d'obtenir l'abdication ou de faire voter la déchéance à n'importe quel prix et, on le répète, sans se soucier le moins du monde des intérêts de la patrie. Tous n'étaient pas dupes de ses manœuvres. Carnot, parlant de l'Empereur, déclarait:

« Je ne suis pas sûr de ce qu'il fera et pourra faire. Ce que je sais, c'est que je le considère maintenant comme notre unique ressource et, pour moi, je le regarde comme mon père!

— Quant à moi, rétorqua Barras (du moins l'affirme-t-il dans ses *Mémoires*), je ne vais pas à son égard jusqu'à la tendresse filiale: je le crois un père fort peu tendre envers les enfants qui l'aiment autant que vous. Ce qui me semblerait plus pressé que tout, ce serait de faire abstraction de l'individu et de ne voir que la patrie amenée au bord de l'abîme.

— Bonaparte est la patrie même: voilà pourquoi les étrangers lui en veulent tant. »

Fouché, comme Barras, faisait abstraction de l'individu! Au contraire du vieux Carnot, il affirmait que l'étranger n'en voulait nullement à la France, mais exclusivement à la personne même de l'Usurpateur: Napoléon évincé, rien ne s'opposerait plus à la paix; une prompte décision des Chambres éviterait donc l'invasion du territoire; le maintien de Napoléon ferait par contre courir les plus grands périls à la nation.

Il ne restait alors à Napoléon d'autre alternative que de recommencer le 18 Brumaire en faisant arrêter Fouché, La Fayette et leurs complices et de disperser les députés hostiles. Autour de l'Élysée, la foule criait: « Vive l'Empereur! », « Donnez-nous des armes! ». Ils étaient ainsi plusieurs dizaines de milliers, sortis, non des beaux quartiers ni des palais, mais de leurs mansardes obscures, de leurs faubourgs, ouvriers, journaliers, petits tâcherons, menus artisans, pauvres étudiants, jeunes écervelés fous de leur jeunesse, brûlant d'agir, ayant, comme toujours, de la générosité à revendre, se moquant bien de Fouché, des pairs, des députés, de cette marionnette ridée de La Fayette. Lucien disait :

« Entendez-vous le peuple ? Un mot de vous et vos ennemis sont abattus ! »

Mais Napoléon ne dit pas le mot. Il voulait rester « légal », ne pas être le roi de l'émeute. Il ne sut pas, ou ne voulut pas, comprendre que cette foule n'était point celle de 1793, mais la patrie reprenant son souffle, se ressaisissant devant le danger commun et qu'à ses yeux il était moins un empereur que Napoléon, chef qu'elle s'était donné, alors qu'il avait cru imposer son pouvoir. Il était alors la Patrie incarnée.

Voulut-il, malgré tout, et comme il le prétendit ensuite, épargner à la France une guerre civile qui eût ajouté aux malheurs de l'invasion ? Mais était-ce bien jugé, y aurait-il eu la révolution ? En face de lui, les Chambres comptaient si peu dans l'opinion ; elles avaient été élues par un si petit nombre de votants ! Mais Napoléon, à force d'hésiter et de consulter, tantôt résolu à tenter le coup de force et tantôt résigné au pire, leur laissa le temps de débattre des formes qu'il convenait de donner à son abdication. « Pas d'abdication ! » hurlaient les manifestants, massés rue Saint-Honoré, certains agitant des branches vertes. « Les ministres sont des traîtres ! Dissolution de la Chambre ! À bas les Bourbons ! » L'Empereur écoutait ces cris avec indifférence. En lui, le ressort était brisé. Lentement, inexorablement, sa volonté d'agir cédait la place au dégoût. Après une nuit de tourments intérieurs, pendant laquelle, une dernière fois, il pesa le pour et le contre et se mesura à sa destinée, il fit appeler Lucien et lui dicta l'acte d'abdication en faveur de Napoléon II. Non seulement il renonçait au pouvoir, mais il s'offrait « en sacrifice à la haine des ennemis de la France ».

Fouché touchait au but, il devenait l'arbitre de la situation. On s'empressa d'instituer un gouvernement provisoire dont il fut le président. Quelle revanche pour cet ancien massacreur, pour ce policier si longtemps humilié par Napoléon ! Et quelle victoire : tout de même un peu obscurcie par l'invasion du territoire, Anglais et Prussiens marchant vers la capitale sans rencontrer de résistance... Mais Fouché se souciait davantage de la foule de la place Vendôme et de la rue Saint-Honoré, des désordres possibles, de l'indécente popularité de l'ex-empereur. Il le fit prier par Davout de quitter Paris afin d'éviter les désordres, en faisant appel à cet esprit de sacrifice qui avait eu des résultats si heureux. Démarche superflue, car Napoléon préparait déjà son départ pour Malmaison. Il triait et brûlait ses papiers, pendant que l'on bouclait les bagages. Carnot vint prendre congé.

« N'allez pas en Angleterre, conseilla-t-il. Vous avez excité trop de haine là-bas. Vous y seriez insulté par les boxeurs. Partez sans perdre de temps pour l'Amérique. De là-bas, vous ferez encore trembler vos ennemis. Si la France doit retomber sous le joug des Bourbons, votre présence dans un pays libre fortifiera la volonté de la nation. »

Mais Napoléon a déjà demandé des frégates pour se retirer en Amérique, bien qu'il hésitât entre ce pays et l'Angleterre dont il admirait, depuis sa jeunesse, la constitution.

Le 25 juin, sortant de l'Élysée par une porte dérobée, il monta en voiture avec ses derniers fidèles, et partit pour Malmaison où l'attendait sa belle-fille, l'ex-reine Hortense. Dans cette demeure, il avait vécu ses journées les plus heureuses, au temps du Consulat. Joséphine y était morte, d'une maladie subite, pendant qu'il était à l'île d'Elbe. Tout en ce lieu embelli par elle, la maison comme les jardins et le parc, rappelait son immatérielle présence associée aux années glorieuses, et ce charme que Napoléon n'avait retrouvé en aucune femme. Triste et désabusé, il errait par les pièces remplies de souvenirs. Un étrange calme lui était revenu, depuis que sa lutte intérieure avait cessé, qu'il avait lui-même tranché le nœud du destin. L'avenir ne l'intéressait que par intermittences : tout ce qui ne regardait pas cette gloire à laquelle il avait tant sacrifié ne l'intéressait pas réellement ; il n'avait jamais cessé d'être, malgré les apparences, la victime de sa gloire et de son goût pour celle-ci. Il s'attardait à Malmaison, bien que ses amis l'invitassent à se hâter, lui montrant les dangers auxquels il s'exposait, redoutant qu'il ne fût bientôt plus qu'un captif. Ils avaient raison, mais l'ex-empereur feignait la confiance. Dès que le gouvernement provisoire aurait accordé les frégates, on partirait pour l'Amérique. Mais qui avait suggéré à Napoléon de s'embarquer sur ces frégates, ancrées dans la rade de l'île d'Aix et surveillées par une croisière anglaise ? Fouché avait envoyé des instructions au préfet maritime de Rochefort pour que les frégates fussent mises à la disposition de « Napoléon Bonaparte », mais, en même temps, il avait demandé des passeports aux Anglais. Autrement dit, il les avait informés des intentions de Napoléon et du lieu d'embarquement. Quant aux deux frégates, elles n'étaient autorisées à partir qu'à condition d'avoir le passage libre. On aperçoit le piège ! Par surcroît de précautions, il expédia le général Beker à Malmaison, sous le prétexte de veiller à la sécurité de Napoléon, mais dans le but de surveiller ses faits et gestes. Dès lors, l'ex-empereur fut captif de Fouché qui se flattait ou de le livrer aux Alliés ou d'en faire une monnaie d'échange, au cas où ses négociations auraient mal tourné. Indifférent à ce machiavélisme, Napoléon ne se pressait pas de partir ; il persistait à miser sur « l'honneur français », comme si Fouché pouvait avoir un honneur, lui qui détenait alors tous les pouvoirs !

Ce fut alors que Lavalette vint l'informer du retour à Paris du corps d'armée de Grouchy, des cavaliers de Vandamme, de ce qui restait de la Garde et des corps de Drouet d'Erlon et de Reille échappés de Waterloo. Il lui apprit encore que l'avant-garde prussienne approchait. Ces nouvelles surprenantes transformèrent en un instant Napoléon. Il se retrouva tel qu'il était, profondément. Beker le vit apparaître soudain chapeauté et botté, dans l'uniforme de colonel de chasseurs, le visage illuminé de joie et le regard vif.

« Général, dit-il de sa voix nette, la situation de la France, les cris des soldats réclament ma présence pour sauver la patrie. »

Il renvoya donc Beker à Paris signifier au gouvernement que Blücher venait de commettre une faute énorme en se séparant des Anglais; qu'il était désormais facile de l'anéantir, puis de se retourner contre Wellington quand il daignerait se présenter. Il offrait pour cette ultime occasion son épée de général et s'engageait, la victoire acquise, à partir pour l'Amérique. Cette victoire rendrait évidemment les négociations moins coûteuses pour la patrie, et plus honorables. Mais Fouché se moquait bien de la destruction de Blücher, et Beker revint à Malmaison avec une réponse négative et l'ordre de partir sans délai.

« Ils ont encore peur de moi ! dit Napoléon. Je voulais faire un dernier effort pour le salut de la France. Ils ne l'ont point voulu... »

Il changea de tenue, endossa une redingote marron, coiffa un chapeau rond (sa garde-robe avait toujours été misérable !) et passa quelques instants dans la chambre où Joséphine était morte. Devant le lit soutenu par des cygnes dorés, cet homme dur pleura. Puis il prit congé d'Hortense qui, pour viatique, lui donna le collier de diamants qu'il lui avait jadis offert. C'était le 29 juin 1815.

Accompagné de Bertrand et de Savary, par Rambouillet, Tours, Poitiers et Niort, il gagna Rochefort et s'installa à la préfecture maritime, pour y attendre les « passeports » et le reste de sa suite. Le préfet réunit les officiers de marine, dont les commandants de deux frégates (*La Saale* et *La Méduse*). Il ne ressortit rien de cette réunion. Sinon que la croisière anglaise venait brusquement de resserrer sa surveillance, et pour cause ! On proposa divers projets d'évasion à Napoléon qui n'y donna pas suite, mais décida d'embarquer à bord des frégates. L'attitude suspecte du commandant de *La Saale* l'incita ensuite à débarquer à l'île d'Aix. Deux clans s'étaient formés dans son entourage: l'un proposant de demander l'hospitalité à l'Angleterre, l'autre réclamant le départ immédiat pour l'Amérique en forçant le blocus anglais, à la vérité moins redoutable que les marins ne l'avaient annoncé. Le 10 juillet, Napoléon envoya Las Cases et Savary à bord du vaisseau anglais *Bellerophon* commandé par Maitland, avec pour mission de demander si les sauf-conduits pour l'Amérique étaient arrivés. Maitland, ravi de l'aubaine, amusa les deux Français et se rapprocha de l'île d'Aix. L'ex-roi Joseph survint alors et, fort courageusement, offrit de se substituer à son frère, lequel eût pris place sur le corsaire rapide nolisé à son intention, car lui aussi voulait se retirer en Amérique. Napoléon refusa. Il réunit un semblant de conseil: on disputa sur les réponses, dilatoires et fallacieuses, faites par Maitland aux émissaires français. Mais, d'ores et déjà, la décision de Napoléon était prise. L'anglophilie de sa jeunesse refaisait surface, mais, surtout, en se rendant aux Anglais, il croyait n'être point séparé de ses derniers fidèles, ne pas exposer certains de ceux-ci à la vindicte des Bourbons. Le 15 juillet, il dicta au général Gourgaud cette lettre (datée par erreur du 13) au prince-régent d'Angleterre: « Altesse royale. En butte aux factions qui divisent mon pays et à l'inimitié des plus grandes puissances de l'Europe, j'ai terminé ma carrière politique et je viens comme Thémistocle m'asseoir au foyer du peuple britannique. Je me mets sous la protection de ses lois, que je réclame de Votre Altesse royale, comme du plus puissant, du plus constant et du plus généreux de mes ennemis. »

Le 16 juillet, il partit de l'île d'Aix et monta à bord du *Bellerophon*. Il y avait une semaine que Louis XVIII, revenu de Gand, s'était réinstallé aux Tuileries, grâce à Fouché qui, en récompense, serait bientôt chassé de France par son royal protégé!

À bord du vaisseau anglais, Napoléon fut parfaitement traité. Il n'était pas une prévenance dont il ne fût l'objet de la part de Maitland et de son équipage. Il restait persuadé que l'Angleterre l'accueillerait avec honneur : tout au plus, selon lui, serait-il en résidence surveillée en quelque confortable manoir des environs de Londres. Quant aux généraux de sa suite, tout aussi anglomanes, ils partageaient ses illusions. Certains d'entre eux se voyaient déjà reçus dans la meilleure société, voire décorés d'ordres anglais (dont ils avaient la candeur de s'informer). Mais, lorsque le *Bellerophon* eut mouillé l'ancre à Plymouth, ce fut une autre chanson. Toute communication avec la terre fut interdite du jour au lendemain, l'attitude de Maitland et de ses officiers se modifia. Les protestations de Napoléon, le subterfuge (l'*Habeas corpus*), qu'il tenta d'utiliser pour débarquer, furent inutiles. On le transféra à bord du *Northumberland*. On réduisit sa suite. On fouilla ses bagages dans le but de s'emparer de son or. L'ex-empereur n'était plus qu'un prisonnier de guerre, avant de devenir un déporté politique. Le 9 août, le *Northumberland*, à la tête d'une véritable division navale, appareilla à destination de Sainte-Hélène, petite île perdue dans l'Atlantique sud. Seuls avaient été autorisés à suivre l'Empereur, les époux Bertrand et Montholon, Las Cases et son fils, le général Gourgaud, le valet de chambre Marchand et quelques domestiques de la Maison. La traversée fut sans histoires, mais d'une monotonie accablante, car l'amiral avait allongé la route par crainte d'une attaque de navires corsaires. Le seul fait qui vaille d'être retenu[1], c'est la résolution prise par Napoléon, à la prière de Las Cases, d'écrire ses *Mémoires*. Il en dicta plusieurs chapitres à bord de l'anglais et, dès lors, par une extraordinaire mutation psychologique, il échappa à son infortune : l'empereur déchu redevenait l'écrivain de sa jeunesse, tout à sa documentation et à ses dictées. Le 14 octobre, Sainte-Hélène apparut.

---

1. Georges Bordonove a plus spécialement étudié cette période dans *Napoléon en route vers Sainte-Hélène*, Vies quotidiennes, Hachette, 1977.

II

L'ARGILE HUMAINE

Le plus puissant souffle de vie qui anima jamais l'argile humaine...

CHATEAUBRIAND

Tout a été dit, ou presque, sur le séjour de Sainte-Hélène ; tout a été disséqué, analysé, commenté. Il est même possible, par les *Mémoires* ou les *Journaux* de Bertrand, de Gourgaud et de Marchand, de connaître, quasi jour par jour, les occupations de Napoléon. Les fragments de la vaste histoire de son règne qu'il projetait d'écrire, à bord du *Northumberland*, ont été maintes fois réédités. La moindre de ses pensées a été pieusement recueillie par ses compagnons. Le plus ordinaire de ses propos a été aussitôt pris en note. Bertrand et Marchand ont décrit les phases de son agonie avec une minutie presque gênante par sa précision. Les médecins O'Meara, Autommarchi n'ont pas voulu être en reste. Les Anglais ont bien entendu tenté de se justifier. De cet amas prodigieux de documents, que reste-t-il ? Une seule constatation : c'est qu'à Sainte-Hélène Napoléon a repensé « Napoléon », coulé sa propre statue dans le bronze des mots, érigé le plus fantastique piédestal jamais sorti d'une main humaine et fixé pour la postérité cette image que, tout au long de sa carrière, il n'a cessé d'améliorer. Ce talent d'écriture qu'il avait laissé de côté depuis le siège de Toulon et qui avait fourni à son ambition naissante son premier aliment, il le retrouva dans sa force, dans ses possibilités illimitées, à bord de cette baille de *Northumberland*, puis dans cette ancienne écurie de Longwood, transformée en résidence par d'imbéciles geôliers. Un talent amplifié par l'âge et la réflexion, aussi par l'extraordinaire expérience de cette vie ! N'ayant plus pour jouer « le violon du pouvoir », il eut celui du verbe, non moins puissant, non moins capable de modulations sans pareilles, et plus durable. Il en joua en virtuose, avec l'aide, il est vrai, de ses compagnons et surtout de Las Cases.

Ses journées, au moins dans la première partie de la captivité, étaient parfaitement réglées. Bertrand continuait ses fonctions de grand-maréchal du « palais ». Gourgaud s'occupait de l'écurie : il avait la haute main sur les frères Archambault, les autres cochers, les chevaux et la calèche. Las Cases, ci-devant conseiller d'État, « administrait » le mobilier de la Couronne (les reliques emportées en hâte de Malmaison). Montholon était Chambellan. Marchand, premier valet, dirigeait la domesticité et la cuisine. Mais, de plus, chacun d'eux coopérait à l'œuvre commune, dépouillait les journaux, réunissait la documentation, écrivait sous la dictée du maître. Infatigable, Napoléon les occupait tous, composait à haute voix plusieurs chapitres par jour, relisait, corrigeait ou recommençait les dictées de la veille. Le reste de la journée était consacré à la promenade, à la réception des visiteurs (qui, du moins au début, venaient nombreux à Longwood, moins par sympathie que pour satisfaire leur curiosité), aux dîners où les femmes devaient paraître en décolleté et les hommes en grand uniforme, aux soirées enfin partagées entre les parties de cartes, les lectures et les entretiens. Accessoirement, mais avec une constance significative, Napoléon menait, par personne interposée, la lutte contre son « geôlier », le sinistre Hudson Lowe, un imbécile doublé d'un psychopathe que sa mission remplissait d'effroi. Tout était prétexte à l'ex-empereur pour formuler des reproches : l'indiscrétion des sentinelles anglaises autour de Longwood, l'exiguïté et l'insalubrité de cette maison, la mauvaise qualité du vin, l'espionnage à peine déguisé, mais principalement le fait qu'on ne lui donnât pas son titre d'empereur, que l'on s'obstinât à le traiter en simple général Bonaparte, comme si l'Empire n'avait jamais existé ! Et sans doute la mesquinerie de cette lutte est-elle pénible à constater, amoindrit-elle le prestige de l'illustre captif. Mais, si l'on y regarde de plus près, on comprend que, pour Napoléon, il ne s'agissait pas de revendiquer un titre périmé, qu'il se moquait de la qualité du vin, voire des espions de Lowe ou des balourdises de ce dernier. Il fallait que la captivité de Sainte-Hélène se convertît en martyre aux yeux de la postérité ; que la perfidie des Anglais s'aggravât de mauvais traitements, prît un caractère déshonorant. Le martyre infligé à l'ex-empereur ? Mais c'était le ciment du piédestal ! Il appelait à la fois la colère et la pitié et trouverait dans la mort du héros, au terme d'une agonie solitaire, sa conclusion dramatique. Car Napoléon préparait l'avenir de l'Aiglon et il savait ne pouvoir compter que sur lui-même pour frayer le chemin à Napoléon II. Les Bonaparte n'étaient désormais plus rien, quoique libres et riches : Madame Mère était à Rome avec Louis ; Lucien, Pauline, Élisa également en Italie ; Jérôme en Westphalie près de sa femme ; Caroline, veuve de Murat, en Autriche ; Joseph en Amérique et Marie-Louise en son duché de Parme en compagnie du borgne Neipperg. Quant au Roi de Rome, on l'avait transformé en duc de Reichstadt ; il se prénommait Franz ! Mais, dans le salon de Longwood, Napoléon avait deux portraits de lui et il voulait croire que le duc autrichien saurait redevenir français et fils de son père quand l'heure sonnerait. D'où que les dictées de Sainte-Hélène revêtent un double caractère : elles sont pour le jeune prince une sorte de bréviaire de l'homme d'État, quintessence d'une expérience unique en son genre, et je dirais plus : un manuel du coup d'État, car Napoléon a traité avec dilection tout ce qui regarde la Révolution, le Directoire et le début du Consulat. Mais, sur un autre clivage, les dictées s'adressent à l'opinion : celle des vieux soldats, des survivants de la Grande Armée, dont il devinait la nostalgie, l'amertume, et celle des jeunes qui, élevés dans les rumeurs des armes, ne savaient à quoi employer leurs élans. L'Empire, en dépit d'une succession jamais vue de victoires, s'était soldé par un cuisant échec. Il convenait donc de faire oublier les pertes humaines et l'amoindrissement du territoire. D'où la thèse, constamment soutenue et développée, selon laquelle le Premier Consul comme l'Empereur s'étaient trouvés « acculés » à des guerres sans fin par l'Angleterre. Le Premier Consul croyait, de bonne foi, que la paix d'Amiens ouvrait enfin une ère de bonheur (mais nous savons ce qu'il faut penser de cette « bonne foi »). C'est l'Angleterre qui l'a rompue. De même que, par ses subsides et ses promesses, elle n'a cessé de nouer des coalitions contre la France, de pousser les peuples à nous combattre : l'Autriche et la Russie en 1805, la Prusse en 1806, l'Autriche en 1809, et la Russie en 1812, ensuite toutes ces puissances en 1813, 1814, et 1815. Trop fréquemment, et il le regrettait ! Napoléon avait ménagé les vaincus, alors qu'il pouvait les rayer de la carte, comme l'Autriche et la Prusse. Il les avait laissé subsister parce que ses intentions étaient en réalité pacifiques. C'est donc à tort qu'on l'accusait d'être un conquérant insatiable. Ce qu'il voulait, dans un premier temps, ce n'était rien moins que parachever l'unité des peuples dispersés par l'histoire mais parlant la même langue et répondant aux mêmes critères ethniques : « Une de mes plus grandes pensées avait été l'agglomération, la concentration des mêmes peuples géographiques qu'ont dissous, morcelés les révolutions et la politique. » Dans un second temps, fédérer les peuples européens à la manière américaine, car toute guerre entre ces peuples est en fait intestine, fratricide. Ce que l'on a pris pour de l'ambition n'était que la juste appréciation d'un inévitable avenir, en somme une vue prophétique !

Quant à la France elle-même, il l'avait sauvée de l'anarchie et par conséquent d'une perte assurée, car les rois n'auraient eu de cesse, sous l'impulsion de l'Angleterre, de la démembrer. On a taxé de despotisme l'indispensable remise en ordre de la nation. La couronne, il ne l'a usurpée à personne, il l'a ramassée dans le ruisseau et c'est le peuple qui l'a placée sur sa tête. D'ailleurs quel rapport y avait-il entre Napoléon empereur et les rois héréditaires ? « Souverain, déclarait-il à Bertrand, j'ai conservé une âme républicaine. » Non seulement il a ouvert la porte au seul mérite, mais il a conservé des doctrines révolutionnaires ce qu'elles avaient de positif et d'essentiel : en premier lieu l'égalité.

S'il a créé des distinctions, Légion d'honneur et titres nobiliaires, c'est que les Français en étaient aussi friands que d'égalitarisme. Il a cherché par tous les moyens à régénérer le peuple, en gommant les factions politiques, les souvenirs encore tout proches de luttes sanglantes et stériles, en amalgamant dans une société nouvelle et dynamique ce qui représentait le passé et ce qui forgeait l'avenir. « Je voulais, disait-il, tout concilier. J'avais ouvert une grande route, j'y protégerais tous ceux qui marchaient, qu'on eût combattu avec Condé, été vendéen ou chouan, qu'on eût été régicide ou septembriseur. Beaucoup de gens n'ont pas compris que je n'avais qu'un but : tout réunir, tout concilier, faire oublier toutes les haines, rapprocher, rassembler tant d'éléments divergents et en recomposer un tout : une France, une patrie. »

Est-ce tout à fait par hasard que Las Cases commit une imprudence et se fit prendre par les agents de Lowe qui l'expulsa de Sainte-Hélène ? En tout cas, il emportait en Europe la matière de cette bombe à retardement que serait le *Mémorial*, miroir du Napoléon de Sainte-Hélène. En rédigeant cet énorme recueil de récits napoléoniens, de réflexions et de pensées, avec un art consommé de propagandiste politique, Las Cases rendit le plus signalé service à son maître. Tout est dans cet ouvrage, le pacifiste, le souverain républicain, l'internationaliste, l'ami du peuple, le père du soldat, le surhomme rendu à l'humain mais grandi, transcendé par son abaissement, le prophète politique et l'artiste de l'histoire, aussi habile à l'écrire qu'à la faire, toujours égal à lui-même ! Le germe du bonapartisme en tant que parti, qu'on ne s'y trompe pas, se trouve dans le *Mémorial*. D'où son succès énorme, fracassant, mais qui servait la gloire de Napoléon et préparait les lendemains. C'est une bible politique. Il y manquait toutefois la conclusion...

Las Cases parti (fin décembre 1816 !), restaient Gourgaud, Montholon et Bertrand, avec lesquels Napoléon poursuivit ses travaux, ses dictées. Mais l'enthousiasme et l'affabilité de Las Cases lui manquaient. Gourgaud était d'un caractère instable, pleurant ou criant au moindre prétexte, et jaloux de l'amitié de l'Empereur. Bertrand avait toute la raideur un peu terne d'un militaire zélé. Montholon était un courtisan, mais, sous ses courbettes, Napoléon discernait un insupportable appétit de richesses. Marchand ne sortait pas encore de son rôle de valet modèle, par discrétion. Les dames Bertrand et Montholon ne songeaient qu'à partir en emmenant leurs époux. Napoléon se demandait, par moments, qui consentirait à rester près de lui si la captivité se prolongeait. Son humeur s'assombrissait et sa santé, sous l'effet du climat humide et chaud, commençait à s'altérer. En février 1818, Gourgaud s'en alla ; il n'en pouvait plus. Puis le médecin O'Meara fut renvoyé par le gouverneur, sous le prétexte d'être trop attaché au général Bonaparte. Le 2 juillet 1819, ce fut le tour de Mme de Montholon, désireuse de revoir ses enfants laissés en Europe. Et Mme Bertrand allait aussi s'embarquer, l'année suivante, en emmenant son mari, lorsque l'état de Napoléon s'aggrava brusquement. En juillet 1820, il subit une première attaque du mal qui devait l'emporter: sans doute une variété d'hépatite, et non pas ce cancer de l'estomac dont était mort Charles Bonaparte et qui eût donné bonne conscience aux Anglais ! Il se remit au bout de quelques jours, mais resta extrêmement faible et garda « une face de suif ». Dès lors, lui si actif s'attarda au lit, grelotta au moindre courant d'air (or le plateau de Longwood était largement éventé), et délaissa le travail. Le 4 octobre, il se rendit dans une plantation voisine pour y déjeuner. Après le repas, il eut peine à monter à cheval et à regagner Longwood. Il tenait les paupières closes et sa peau était grise. Il s'alita, avec une douleur lancinante («un coup de canif») dans le flanc droit. Personne ne s'inquiétait vraiment, et Lowe, avec son âme basse, refusait de croire à autre chose qu'à une maladie diplomatique. Le 10 octobre, en sortant d'un bain trop chaud, Napoléon perdit connaissance. Autommarchi, médecin improvisé, lui posa des vésicatoires. Ce remède soulagea le malade, brièvement. Dès cette période, il commença à mourir, sans que personne s'en rendît nettement compte. Il s'alimentait de moins en moins, pour éviter les vomissements. Croyant avoir l'estomac atteint, il ordonna à Autommarchi de l'ouvrir après sa mort, afin d'informer Napoléon II et que ce dernier se prémunît contre un mal peut-être héréditaire. Mais cet ignorant d'Autommarchi ne le prenait pas au sérieux, un médecin! Cependant le malade disait à ses amis:

« Le lit est devenu pour moi un lieu de délices. Je ne l'échangerais pas pour tous les trésors du monde. Quel changement! Combien je suis déchu!... Il faut que je fasse un effort lorsque je veux soulever mes paupières... Mes forces, mes facultés m'abandonnent... Je végète, je ne vis plus. »

Pendant le mois de décembre, l'agonie s'accentua. Ce fut le moment que choisit Lowe pour mettre un navire à la disposition des époux Bertrand. Tout de même, le grand-maréchal, quelque vives que fussent les plaintes de sa femme, eut la dignité de refuser. Le 1er janvier, naguère si gai malgré le malheur, Napoléon dit à Marchand qu'il n'aurait pas longtemps à attendre, que la fin approchait.

À partir de là, le mal fit des progrès rapides. Les douleurs que le malade ressentait dans la région de l'estomac lui faisaient l'effet de « coups de rasoir », le laissaient exsangue et privé de souffle. Des fantasmes traversaient son crépuscule d'âme: Joséphine, Marie-Louise et le Roi de Rome, le duc d'Enghien, puis le Roi de Rome à nouveau... Le 13 avril, il dicta un long testament, en s'efforçant de n'oublier personne, pas même ses vieux soldats auxquels il léguait ses « économies »:

200 millions qui ne leur seront jamais distribués. Le 15, il s'astreignit à recopier le document de sa main. Le 17, il dicta à Montholon les admirables pages que sont les *Conseils* à son fils. On voudrait pouvoir ici en donner l'analyse détaillée ! Il conseillait à Napoléon II de ne pas venger sa mort, de ne pas chercher à l'imiter, mais au contraire, en régnant par la paix, d'achever son œuvre :

« … J'ai été obligé de dompter l'Europe par les armes, aujourd'hui il faut la convaincre. J'ai sauvé la Révolution qui périssait, je l'ai lavée de ses crimes, je l'ai montrée resplendissante de gloire, j'ai implanté en France et en Europe de nouvelles idées, elles ne sauraient rétrograder. Que mon fils fasse éclore tout ce que j'ai semé… » Pour gouverner la France, il lui conseillait aussi de s'appuyer sur les masses, de ne pas diviser l'opinion, de ne pas la prendre « à rebours » et de rechercher les hommes utiles où qu'ils se cachent. Il lui conseillait enfin de faire l'Europe, en se laissant porter par la liberté : « Mes ennemis sont les ennemis de l'humanité ; ils veulent enchaîner les peuples ; le rôle du futur empereur doit être de briser ces chaînes. » La dernière recommandation de Napoléon était que son fils médite souvent l'histoire, source de toute philosophie.

Par la suite, profitant des rares rémissions de son mal, il redemanda son testament, y ajouta des codicilles, donna ses dernières instructions aux exécuteurs testamentaires : Bertrand, Montholon et Marchand. Puis ce fut le naufrage. Napoléon le Grand ne fut plus qu'un corps crucifié par la souffrance, tourmenté par la sottise des médecins, avec par moments des affleurements de lucidité. « Que d'idées sur un si grand changement ! note Bertrand dans son cahier. Les larmes m'en sont venues aux yeux en regardant cet homme si terrible, qui commandait si fièrement, d'une manière si absolue, supplier pour une cuillerée de café, sollicitant la permission, ne l'obtenant pas, revenant et toujours sans succès, toujours sans humeur… Il avait, à présent, la docilité d'un enfant. Voilà le grand Napoléon : misérable, humble… » – homme, serait-on tenté d'ajouter !

Il était parfois si pâle, et tellement immobile, les yeux fermés, presque sans souffle, qu'on le croyait mort. L'abbé Vignali voulait rester seul avec lui. Bertrand s'y opposait, disant qu'il ne fallait pas donner à penser qu'un homme si fort « mourait comme un capucin ». Les médecins disputaient aigrement sur le traitement convenable, car on avait fini par appeler Arnott, médecin anglais et espion du gouverneur, en renfort. Arnott l'emporta et fit administrer du calomel au moribond. Il y eut une amélioration passagère. Napoléon recouvra sa lucidité, ne souffrit plus. Mais, dans la nuit du 4 au 5 mai, son pouls s'affaiblit brusquement. Tous s'émurent, se rassemblèrent dans la misérable chambre, autour du petit lit de campagne aux rideaux de serge verte. L'Empereur était entré dans le coma. De ses yeux fixes, déjà voilés, s'échappait de loin en loin une larme. Sa respiration était à peine marquée. Elle cessa tout à fait, à cinq heures, cependant qu'un orage éclatait sur l'Océan.

III

LA *REVUE NOCTURNE*

Dès lors la légende put prendre son vol, poètes, romanciers, historiens, musiciens, peintres, graveurs, sculpteurs, fabricants de chansons, d'images et d'objets populaires, cinéastes et dialoguistes se relayant jusqu'à nos jours, pour la porter, l'amplifier, la magnifier et l'élever à la hauteur d'un mythe, adversaires et partisans finalement confondus dans une passion commune. C'est un phénomène rare que d'être mort et d'émerger ainsi à chaque génération, sous un masque nouveau, sans cesser pourtant d'être égal à soi-même ! Que d'être poussière – et peu importe le dôme doré des Invalides, ce n'est qu'un tombeau parmi les autres – et de rester non seulement vivant dans la mémoire des hommes, mais présent, comme si cette poussière recelait on ne sait quelle inextinguible parcelle de feu ! Dans combien de siècles Napoléon passera-t-il encore cette *Revue nocturne* chantée par l'Autrichien Zedlitz, et qui reste sans doute l'œuvre la plus saisissante qu'il ait inspirée ? La gravure la plus connue de Raffet, celle où les cavaliers défunts tourbillonnent comme des feuilles mortes autour du fantôme de l'Empereur dressé sur un cheval opalescent, en est l'illustration exacte :

> *La nuit, vers la douzième heure, le tambour quitte son cercueil, fait la ronde avec sa caisse, va et vient d'un pas empressé.*

Ses mains décharnées agitent les deux baguettes en même temps :

il bat ainsi plus d'un bon roulement, maint réveil et mainte retraite.

La caisse rend des sons étranges, dont la puissance est merveilleuse ;

ils réveillent de leurs tombes les soldats morts depuis longtemps.

Et ceux qui, aux confins du Nord, restèrent engourdis dans la froide neige, et ceux qui gisent en Italie où la terre leur est trop chaude.

Et ceux que recouvre le limon du Nil ou le sable d'Arabie ; tous sortent de la tombe et prennent en main leurs armes.

Et, vers la douzième heure, le trompette quitte son cercueil, sonne du clairon, va et vient sur son cheval impatient.

Puis arrivent sur des coursiers aériens tous les cavaliers morts depuis longtemps : ce sont les vieux escadrons sanglants couverts de leurs armes diverses.

Les blancs crânes luisent sous les casques ; les mains qui n'ont plus que leurs os dressent en l'air les longues épées.

Et, vers la douzième heure, le général en chef sort de son cercueil ;

il arrive lentement sur son cheval, entouré de son état-major.

Il porte le petit chapeau, un habit sans ornements ; une épée pend à son côté.

La lune éclaire d'une pâle lueur la vaste plaine. L'homme au petit chapeau passe en revue ses troupes.

Les rangs lui présentent les armes ; puis l'armée tout entière s'ébranle et défile musique en tête.

Les maréchaux, les généraux se pressent en cercle autour de lui ; le général en chef dit tout bas un seul mot à l'oreille du plus proche.

Ce mot vole à la ronde de bouche en bouche et résonne bientôt jusque dans les rangs les plus éloignés : le cri de guerre est : France ! Le mot de ralliement est : Sainte-Hélène !

C'est la grande revue des Champs Élyséens, que le César défunt passe vers la douzième heure de la nuit.

Et c'est l'heure aussi de passer l'ultime revue des faits et gestes, écrits et paroles de Napoléon, et de se demander ce que cet homme fut pour garder pareille emprise sur les esprits, non seulement en France, mais en Angleterre, en Allemagne, en Belgique, en Hollande et ailleurs. Les cavaliers défunts de Zedlitz et de Raffet ne rappellent cependant que trop la multitude des soldats fauchés en pleine force par l'ambition et l'égoïsme d'un conquérant avide d'égaler César et Alexandre le Grand ! Mais fut-il animé du seul esprit de conquête, aveuglé par la seule passion de la gloire ? Les guerres incessantes qu'il a faites, avec ce qu'elles comportaient de massacres, de destructions de villes (Moscou, Smolensk, Saragosse, tant d'autres...), de pillages, de contributions, de réquisitions, de charges supportées par les peuples, a-t-il été le seul à les vouloir ou les a-t-il suscitées ? On peut admettre qu'en prenant le pouvoir, il héritait des guerres de la Révolution et mettait le doigt dans un engrenage qui le broya. On peut de même objecter que, si les peuples supportaient effectivement le fardeau de la guerre, ils en retiraient des compensations certaines. Si Napoléon n'avait été qu'un seigneur de la guerre, il serait relativement facile de lui demander compte de ses méfaits. D'autant que leur inutilité saute aux yeux ! Pourquoi ce tumulte, ces ravages, ces innocents sacrifiés, puisque l'Empire s'effondra au premier souffle de l'adversité et qu'il n'en resta rien qu'un grandiose souvenir ? Puisque, après Waterloo, il n'y avait plus qu'un prestige aboli, des trophées abattus, une gloire déjà flétrie, un territoire envahi, menacé même de démembrement, une France plus petite que celle du Directoire, par surcroît suspecte aux yeux de l'Europe !

Mais en Napoléon, le général – on l'a suffisamment montré – se doublait d'un administrateur et d'un législateur. Il était, au plein sens du terme, un empereur, c'est-à-dire un général civil, un fondateur, un constructeur, un organisateur. Il a, à sa manière, révolutionné l'Europe. Il est en effet hors de doute que, sans lui, le volcan de la Révolution se fût définitivement éteint ; que les grands principes qui avaient soulevé le peuple français en 1789 n'eussent pas franchi le Rhin : encore leurs effets se seraient-ils rapidement effacés. C'est, au reste, cela que les rois ne pouvaient pardonner à l'Empereur. Ce qui l'empêcha d'entrer dans leur « cercle », ce qui leur portait ombrage, c'étaient – si exorbitante que paraisse une telle affirmation ! – les principes inclus dans le Code civil, en particulier l'égalité qui menaçait de s'étendre à l'Europe, ce qu'elle fit en effet. Que sanctionnait donc le Code aux yeux des rois, futurs adhérents de la Sainte-Alliance ? L'abolition du servage et de la tutelle des nobles, la suppression des privilèges, l'égalité devant la loi. Dès 1806, le Code était appliqué en Italie du Nord et dans le pays de Bade, en 1808, en Pologne ; en 1809, en Hollande. Il le fut également en Bavière, avec quelques remaniements, dans le grand-duché de Berg et dans le royaume de Naples. On oublie trop aisément que, la France et l'Angleterre exceptées, l'Europe vivait alors dans une quasi-féodalité, notamment en Allemagne : le servage, à peine amoindri, y subsistait, sclérosant le peuple. Or, partout où passait l'Empereur, l'antique ségrégation sociale s'effaçait. La Prusse elle-même ne put y échapper : en 1807, Frédéric-Guillaume dut libérer la classe paysanne et lui accorder le droit de propriété. Semblablement, l'Espagne rebelle évolua vers le libéralisme. Quant à la Russie, elle fut peut-être la plus touchée : dès 1815, le tsar Alexandre fit face à de graves mutineries ; l'Ukraine appelait Napoléon « son libérateur », et les moujiks commençaient à rêver de leur affranchissement. C'était un germe révolutionnaire qu'apportait l'Empereur dans toutes ses conquêtes. Karl Marx écrivait : « Si Napoléon était resté vainqueur en Allemagne, avec son énergique formule, il eût évincé, pour le moins, trois demi-douzaines de pères-du-peuple-bien-aimés… Deux ou trois décrets de Napoléon auraient entièrement fait disparaître la fange médiévale de la corvée et de la dîme, toute l'économie féodale et patriarcale… »

Par ailleurs, s'il est vrai que l'Europe souffrit du blocus continental, elle y gagna l'accroissement de sa production d'acier, l'implantation de nombreuses industries calquées sur les fabriques anglaises. S'il est non moins exact que, dans sa lutte contre l'Angleterre, Napoléon avantagea trop le commerce français, par contre il fit profiter les pays satellisés d'améliorations et de travaux gigantesques pour l'époque, souhaités depuis longtemps : en sorte qu'une partie des impôts retournaient ainsi aux contribuables. À Sainte-Hélène, il résumait ainsi son œuvre de constructeur, sans rien ajouter à la réalité :

« Vous voulez connaître les trésors de Napoléon ? Ils sont immenses, il est vrai ; mais ils sont exposés au grand jour. Les voici : le beau bassin d'Anvers, celui de Flessingue, capables de contenir les plus nombreuses escadres et de les préserver des glaces et de la mer ; les ouvrages hydrauliques de Dunkerque, du Havre, de Nice ; le gigantesque bassin de Cherbourg ; les ouvrages maritimes de Venise, les belles routes d'Anvers à Amsterdam, de Mayence à Metz, de Bordeaux à Bayonne ; les passages du Simplon, du Mont-Cenis, du mont Genèvre, de la Corniche, qui ouvrent les Alpes dans quatre directions… les routes des Pyrénées aux Alpes ; de Parme à La Spezzia, de Savone au Piémont ; les ponts d'Iéna, d'Austerlitz, des Arts, de Sèvres, de Tours, de Roanne, de Lyon, de Turin, de l'Isère, de la Durance, de Bordeaux, de Rouen, le canal qui joint le Rhin au Rhône par le Doubs, unissant les mers de Hollande avec la Méditerranée ; celui qui unit l'Escaut à la Somme, joignant Amsterdam à Paris ; celui qui joint la Rance à la Vilaine, le canal d'Arles, celui de Pavie, celui du Rhin ; le dessèchement des marais de Bourgoing, du Cotentin, de Rochefort… La construction du Louvre, des greniers publics, de la Banque, du canal de l'Ourcq ; la distribution des eaux dans la ville de Paris, les nombreux égouts, les quais, les embellissements et les monuments de cette grande capitale; les travaux pour l'embellissement de Rome, etc. Voilà qui forme un trésor de plusieurs milliards qui durera des siècles. » Un trésor vraiment européen, pourrait-on ajouter; encore l'Empire ne dura-t-il que dix années traversées de guerres incessantes !

Il faut toutefois reconnaître que l'Empereur manqua souvent de souplesse dans sa volonté d'uniformisation. Il eût fallu montrer moins de hâte et davantage de persuasion pour soumettre l'Europe aux mêmes lois et aux mêmes mesures, pour restaurer les nationalités et les confédérer en une sorte d'union analogue à celle des États unis d'Amérique. À tout le moins annonça-t-il la venue de la Confédération européenne, en a-t-il préparé l'éclosion. Il apparaît désormais certain qu'à peine de s'étioler et de disparaître, l'Europe devra en effet se confédérer, adopter les mêmes lois, les mêmes mesures, ainsi que Napoléon le voulait. Son seul tort fut de venir trop tôt, de penser en homme du XXe siècle, alors qu'il vivait au début du XIXe, de voir trop loin, d'aller trop vite.

Ainsi, pour peu que l'on prenne de la hauteur et que l'on embrasse d'un regard la carrière de cet homme, on voit bien qu'on peut indifféremment l'accuser d'avoir été le fléau de l'Europe ou le feu qui l'a régénérée. On voit aussi que sa vie se divise en deux tranches : le Consulat qui le révéla comme le modèle des hommes d'État, et l'Empire où, après avoir atteint le faîte de la puissance, il perdit brusquement le merveilleux équilibre qui avait assuré ses succès. Pendant des années, ce cerveau, unique en son genre, « pensait » pour 85 millions d'habitants. D'où un surmenage nerveux, physique, intellectuel, sur lequel les historiens ne mettent peut-être pas assez l'accent. Or, toujours vainqueur et précédent en tout, il finit, alors que l'usure le gagnait, par préférer des machines humaines à des collaborateurs capables d'initiatives, et par se croire invincible. Dédaignant les avis de ses lieutenants comme de ses conseillers civils, il n'eut plus dès lors confiance qu'en lui-même, en son génie, en ce qu'il appelait son « Étoile ». À mesure que cette admirable intelligence se déséquilibrait, les chimères l'emportaient en elle sur les réalités, et l'imagination sur la logique. À partir du moment où Napoléon se crut, sincèrement, entièrement, de la race des Césars, c'est-à-dire d'une nature différente de celle des autres hommes, il n'y eut plus de frein pour ralentir sa course vers l'abîme. En même temps grandissaient en lui la tentation de la guerre, l'étrange amour qu'il avait du spectacle frénétique des batailles. Il avait l'impression, dans cette vaste rumeur, de se surpasser, ou de retrouver son être secret. Depuis toujours les deux hommes, ou plutôt les deux tendances qu'il portait en lui, n'avaient cessé de s'affronter : l'organisateur et le démiurge possédé par la passion guerrière. À peine eut-il vaincu la Prusse (ou, mieux, ce qu'il croyait être l'armée du Grand Frédéric !) qu'il s'abandonna à la tentation, on veut dire à l'esprit de conquête.

Talonné par les intrigues de l'Angleterre et les coalitions qui en étaient le résultat, poussé par son propre appétit de gloire et de conquête, il allait toujours plus loin, plus haut dans la démesure, accumulant les risques, prenant insensiblement la mentalité d'un joueur conforté par sa réussite et ne s'occupant plus, jusqu'à l'échec final, qu'à améliorer son image. Ni méchant ni cruel, au contraire traversé parfois de sentiments de compassion, il avançait comme une force aveugle, faisant fond sur une clairvoyance de plus en plus trompeuse, s'obstinant à convaincre son entourage du bien-fondé de ses entreprises et, pour son malheur, non moins habile à s'en persuader lui-même : de sorte qu'on ne peut suspecter sa bonne foi quand il prétend se justifier.

Cependant quelles que fussent son intelligence, son expérience, sa supériorité, Bonaparte ne serait pas devenu Napoléon sans l'intervention de ce hasard en lequel il ne croyait pas, tout en étant superstitieux comme un Romain ! Il semble pourtant que cette carrière prodigieuse ait été moins soumise au hasard qu'à cette vieille loi qui veut que l'histoire progresse par bonds, séparés par des siècles d'inertie et de sclérose. Les hommes d'une époque ne sont que les sécrétions de celle-ci, bonne ou mauvaise, calme ou tumultueuse, atonique ou dynamique: leur génie personnel, leur aptitude à prendre le vent ou à dominer l'événement ne sont que les moyens de leur réussite. Sans la Révolution, Bonaparte eût pris sa retraite comme maréchal de camp, avec un peu de chance. Or la Révolution le fit empereur; c'est en ce sens qu'il est son «enfant» et son continuateur légitime. Nonobstant son goût de l'ordre et de la discipline, son despotisme si l'on veut, il a bouleversé politiquement la vieille Europe en répandant partout un levain de liberté, dont les effets médiats et immédiats ont déterminé son évolution. Il a été, pour reprendre un cliché rebattu, la Révolution bottée. Mais ce rôle, il n'eût pu le remplir si la nation française n'avait été elle-même consciente de porter le flambeau de la liberté: si dans sa générosité et sa fierté, elle ne s'était qualifiée elle-même de Grande Nation.

Est-il certain que, dès sa prise de pouvoir – comme il l'a affirmé parfois, en rêvant à voix haute! –, Napoléon ait conçu le projet grandiose de maîtriser l'Europe pour la régénérer? Quand on étudie son comportement d'homme d'État, on reste frappé par une double constatation: son goût de la minutie, sa recherche du détail et, plus encore, ses aptitudes à s'adapter à une situation nouvelle et ses dons d'improvisateur. On garde l'impression nette qu'il ne sait pas toujours où il va, chaque victoire servant de prétexte et de tremplin à la conquête suivante, chaque traité de paix portant en germe le conflit du lendemain, cet enchaînement inexorable se brisant de lui-même lorsque l'ambition excéda par trop les moyens. C'est probablement ce que Napoléon voulait exprimer quand il se comparait à un rocher lancé dans le ciel, ou quand il déclarait à Las Cases:

«Le vrai est que je n'ai jamais été maitre de mes mouvements; et que je n'ai jamais été réellement tout à fait moi.

«Je puis avoir eu bien des plans; mais je ne fus jamais en liberté d'en exécuter aucun. J'avais beau tourner le gouvernail, quelque forte que fût la main, les lames subites et nombreuses l'étaient plus encore, et j'avais la sagesse d'y céder plutôt que de sombrer en voulant y résister obstinément. Je n'ai donc jamais été véritablement mon maître, mais j'ai toujours été gouverné par les circonstances ; si bien qu'au commencement de mon élévation, sous le Consulat, de vrais amis, mes chauds partisans, me demandaient parfois, dans les meilleures intentions et pour leur gouverne, où je prétendais arriver ; et je répondais toujours que je n'en savais rien. Ils en demeuraient frappés, peut-être mécontents, et pourtant je leur disais vrai. Plus tard, sous l'Empire, où il y avait moins de familiarité, bien des figures semblaient me faire encore la même demande, et j'aurais pu leur faire la même réponse. C'est que je n'étais point le maître de mes actes, parce que je n'avais pas la folie de vouloir tordre les événements à mon système ; mais au contraire je pliais mon système sur la contexture imprévue des événements ; et c'est ce qui m'a donné souvent des apparences de mobilité, d'inconséquence, et m'en a fait accuser parfois, mais était-ce juste ? »

Et de même quand il avouait : « Une puissance supérieure me pousse à un but que j'ignore ; tant qu'il ne sera pas atteint, je serai invulnérable, inébranlable ; dès que je ne lui serai plus nécessaire, une mouche suffira pour me renverser. »

Dans une lettre à Joséphine, écrite en 1796, cette étrange expression vint sous sa plume : « Je rentre dans mon âme. » Cette « âme » qui ne pouvait sentir rien de médiocre, n'enfanter que des projets grandioses, ne rêver que d'immortalité, portait en effet en elle une force terrible, force qu'elle percevait confusément. Pendant des années, elle parvint à la contenir, puis, la griserie de la gloire aidant, finit par se dissoudre en elle, au point de n'être plus que cette force même, mais le sachant ! La fascination qu'il continue d'exercer tient peut-être d'abord au fait que cet homme s'est peu à peu connu lui-même et accepté, dans sa démesure. C'est ce qui le rend à la fois si grand et si proche des autres hommes. Ses talents exceptionnels comme ses faiblesses prennent valeur d'exemple. Quelque forte que soit sa densité, elle n'en reste pas moins humaine, en sorte que chacun peut se chercher en lui et trouver quelque motif d'autosatisfaction, ou quelque raison d'espérer. « Un abrégé du monde », disait Goethe. Mais chaque homme est aussi un abrégé du monde et un univers à soi-même. Toutefois Napoléon fut l'un des très rares hommes dont la destinée s'accomplit à l'échelle du monde et sans lesquels ce dernier ne serait pas ce qu'il est. D'où ce crépuscule toujours ardent !

« Marchez à la tête des idées de votre siècle,
Ces idées vous suivent et vous soutiennent.
Marchez à leur suite, elles vous entraînent.
Marchez contre elles, elles vous renversent. »

NAPOLÉON

BIBLIOGRAPHIE

ABRANTÈS (duchesse d') : *Mémoires ou souvenirs historiques sur Napoléon*. Paris 1831-1835.

ARTOM (Guido) : *Napoléon est mort en Russie*. Laffont, Paris 1969.

AUBRY (Octave) : *Napoléon*. Flammarion, Paris 1936.

AUBRY (Octave) : *Écrits de Napoléon*. Buchet-Chastel, Paris 1969.

BAINVILLE (Jacques) : *Napoléon*. Fayard, Paris 1931.

BARRAS : *Mémoires*, publiés par George Duruy. Hachette, Paris 1896.

BECAT (Pierre) : *Napoléon et le destin de l'Europe*. Dargaud-Meyer, Paris 1969.

BERGERON (Louis) : *L'Épisode napoléonien, aspects intérieurs 1799-1815*. Le Seuil, Paris 1972.

BERTRAND (général) : *Cahiers de Sainte-Hélène*, annotés par Paul Fleuriot de Langle. Flammarion, Paris 1949-1951.

BESSAND-MASSENET (Pierre) : *De Robespierre à Bonaparte*. Fayard, Paris 1970.

BONAPARTE (prince Napoléon Louis) : *Des idées napoléoniennes*. Paris 1839.

BOUISSOUNOUSE (J.), voir Villefosse.

BOURDON (Jean) : *Napoléon au Conseil d'État*. Berger-Levrault, Paris 1963.

BOURRIENNE (de) : *Mémoires de M. de Bourrienne sur Napoléon, le Directoire, le Consulat, l'Empire et la Restauration*, Paris 1829.

BRICE (médecin général R.): *Le Secret de Napoléon*. Payot, Paris 1936.
CALMETTE (Joseph): *Napoléon*. Éditions de Paris, Paris 1952.
CASTELOT (André): *Bonaparte, Napoléon*. Librairie académique Perrin, Paris 1968.
CAULAINCOURT (général): *Mémoires du général Caulaincourt, duc de Vicence*, publiés par G. Hanoteau. Paris 1933.
CHAPTAL (comte): *Mes souvenirs sur Napoléon*. Plon, Paris 1893.
CHATEAUBRIAND: *De Buonaparte et des Bourbons*, Œuvres, tome VI, Mélanges historiques et politiques. Paris 1838.
CHATEAUBRIAND: *Mémoires d'outre-tombe*. Gallimard, Paris 1946.
CHATEAUBRIAND: *Napoléon par Chateaubriand*, introduction de Christian Melchior Bonnet. Albin Michel, Paris 1969.
COLIN (capitaine G.): *L'Éducation militaire de Napoléon*. Chapelot, Paris 1900.
CONSTANT: *Mémoires intimes de Napoléon Ier*. Mercure de France, Paris 1967.
DANSETTE (Adrien): *Napoléon, vues politiques*. Sequana, Paris 1939.
DECHAMPS (Jules): *Sur la légende de Napoléon*. Champion, Paris 1931.
DÉRIÈS (Léon): *Le Régime des fiches sous le Premier Empire*. Revue des études historiques, Paris avril-juin 1926.
DESMAREST (P.M.): *Quinze ans de Haute Police sous le Consulat et l'Empire*, édition annotée par Léonce Grasilier et précédée d'une étude sur Desmarets par Albert Savine. Garnier, Paris 1900.
DOLLY (Charles): *Itinéraire de Napoléon Bonaparte*. Paris 1842.
FAIN (baron): *Mémoires*. Plon, Paris 1908.
FOUCHÉ: *Mémoires*, publiés par A. de Beauchamp. Paris 1824. Édition par L. Madelin, Paris 1945.

GANIÈRE (docteur Paul) : *Sainte-Hélène*. Librairie académique Perrin, Paris 1964.
GOURGAUD (général baron) : *Sainte-Hélène, journal inédit de 1815 à 1818*, préface et notes du vicomte de Grouchy et d'Antoine Guillois. Flammarion, Paris.
GODECHOT (Jacques) : *Les Institutions de la France sous la Révolution et l'Empire*. Presses universitaires de France, Paris 1951.
GUILLEMIN (Henri) : *Mme de Staël, Benjamin Constant et Napoléon*. Plon, Paris 1959.
GUILLEMIN (Henri) : *Napoléon tel quel*. Trévise, Paris 1969.
HAUTERIVE (Ernest d') : *Napoléon et sa police*. Flammarion, Paris 1943.
JOUX (Pierre de) : *La Providence et Napoléon*. Librairie protestante, Paris 1808.
LACHOUQUE (commandant Henry). *Les Derniers Jours de l'Empire*. Arthaud, Paris 1965.
LACHOUQUE (commandant Henry) : *Napoléon, vingt ans de campagne*. Arthaud, Paris 1969.
LACOUR-GAYET (G.) : *Napoléon, sa vie, son œuvre, son temps*. Hachette, Paris 1921.
LAS CASES (comte de) : *Mémorial de Sainte-Hélène*. Paris 1824 ; Le Seuil, Paris 1968.
LEFEBVRE (Georges) : *Napoléon*. Presses universitaires de France, texte revu et mis à jour par Albert Soboul, Paris 1965.
LUCAS-DUBRETON (J.) : *Napoléon*. Fayard, Paris 1942.
LUCAS-DUBRETON (J.) : *Le Culte de Napoléon 1815-1848*. Albin Michel, Paris 1960.
LUDWIG (Émile) : *Napoléon*, traduit de l'allemand par A. Starn. Payot, Paris 1928.
MANCERON (Claude) : *Austerlitz*. Laffont, Paris 1960.
MANCERON (Claude) : *Napoléon reprend Paris*. Laffont, Paris 1965.
MARBOT (général baron de) : *Mémoires*. Paris 1891.
MASSIAS (baron) : *Napoléon jugé par lui-même, par ses amis et ses ennemis*. Paris 1823.
MASSON (Frédéric) : *Napoléon et sa famille*, 13 volumes. Albin Michel, Paris 1899-1919.

MASSON (Frédéric) et BIAGI (Guido) : *Napoléon, manuscrits inédits 1786-1791*. Albin Michel, Paris 1927.
MÉLITO (comte Miot de) : *Mémoires*. Paris 1858.
MÉNEVAL (baron de) : *Mémoires*. Paris 1843-1847.
MISTLER (Jean) : *Napoléon et l'Empire* (ouvrage collectif). Hachette, Paris 1968.
MOLLIEN : *Mémoires d'un ancien ministre du Trésor public*. Paris 1837.
NAPOLÉON : *Mémoires pour servir à l'histoire de France sous Napoléon écrits à Sainte-Hélène par les généraux qui ont partagé sa captivité*. Paris 1823 (et 1830).
NAPOLÉON : *Mémoires et Œuvres*, annotés par Tancrède Martel. Albin Michel, Paris 1926.
NORVINS : *Histoire de Napoléon*. Paris 1839.
Norvins : *Manuscrit venu de Sainte-Hélène*, publié à Londres en 1817. Gallimard, Paris 1974.
OLLIVIER (Albert) : *Le Dix-Huit Brumaire*. Gallimard, Paris 1959.
PASQUIER : *Histoire de mon temps*, mémoires publiés par le duc d'Audiffret-Pasquier. Paris 1893-1895.
PÉRIVIER (A.) : *Napoléon journaliste*. Plon, Paris 1918.
PERNOUD (Régine) : *Histoire de la bourgeoisie en France*. Paris 1962.
PIÉTRI (François) : *Napoléon et les israélites*. Berger-Levrault, Paris 1965.
PONTEIL (Félix) : *La Chute de Napoléon Ier et la crise française de 1814-1815*. Aubier Montaigne, Paris 1943.
PONTEIL (Félix) : *Napoléon Ier et l'organisation autoritaire de la France*. Armand Colin, édition mise à jour, Paris 1965.
RÉMUSAT (Mme de) : *Mémoires de Madame de Rémusat (1802-1808)* publiés par son petit-fils. Calmann-Lévy, Paris 1893.
ROBIQUET (J.) : *La Vie quotidienne au temps de Napoléon*. Hachette, Paris 1963.
ROEDERER (Pierre Louis) : *Conversations avec Bonaparte*. Horizons de France, Paris 1942.
ROSEBERY (Lord) : *Napoléon, la dernière phase*, traduit de l'anglais par Augustin Pilon. Hachette, Paris 1906.
ROVIGO, voir Savary.

SAVANT (Jean): *Napoléon raconté par les témoins de sa vie*. Buchet-Chastel, Corréa, Paris 1954.

SAVARY (duc de Rovigo): *Mémoires du duc de Rovigo pour servir à l'histoire de l'Empereur Napoléon*. Paris 1828.

SÉGUR (général comte de): *Histoire et mémoires*. Firmin Didot, Paris 1873.

SOBOUL (Albert): *Le Directoire et le Consulat*. « Que sais-je ? », Presses universitaires de France, Paris 1967.

SIX (Georges): *Les Généraux de la Révolution et de l'Empire*. Bordas, Paris 1947.

STENDHAL: *Napoléon*.

TALLEYRAND: *Mémoires, publiés par le duc de Broglie*. Paris 1891-1892.

THIEBAULT (général, baron): *Mémoires*. Édition abrégée, Hachette, Paris 1962.

TULARD (Jean): *L'Anti-Napoléon*. Paris 1965.

TULARD (Jean): *Napoléon*. Fayard, Paris 1977.

VANDAL (Albert): *L'Avènement de Bonaparte*. Nelson, Paris.

VILLEFOSSE (L. de) et J. BOUISSOUNOUSE: *L'Opposition à Napoléon*. Paris 1969.

VOX (Maximilien) : *Napoléon : correspondance, six cents lettres de travail (1806-1810)*. Gallimard, Paris 1948.

VOX (Maximilien): *Conversations avec Bonaparte*. Planète, Paris 1967.

WORONOFF (Denis): *La République bourgeoise, de Thermidor à Brumaire 1794-1799*. Le Seuil, Paris 1972.

NOTICES BIOGRAPHIQUES

ARCHIDUC CHARLES (Charles de Habsbourg, dit), 1771-1847. Frère cadet de l'empereur d'Autriche François II, il manifesta de réels talents de stratège. Se retira après son échec de Wagram.

AUGEREAU (Pierre François Charles), DUC DE CASTIGLIONE, 1757-1816. Général, se distingua à Castiglione et à Arcole. Fut envoyé par Bonaparte pour exécuter le coup d'État de Fructidor. Difficilement rallié à l'Empire par suite de ses opinions républicaines, il fut nommé maréchal en 1804 et reçut le titre de duc de Castiglione en 1806. Extraordinaire entraîneur d'hommes, il lâcha l'Empereur après Leipzig et s'abstint de défendre Lyon en 1814. Rallié aux Bourbons.

BAGRATION (Petr Ivanovitch, prince), 1765-1812. Général russe qui combattit Napoléon à Austerlitz, Eylau, Friedland et la Moskowa.

BARCLAY DE TOLLY (Mikhaïl Bogdanovitch, prince), 1761-1818. Général russe, participa à la campagne de France comme feld-maréchal.

BARRAS (Paul, vicomte de), 1755-1829. Officier, conventionnel, ce révolutionnaire à talons rouges vota la mort de Louis XVI. Représentant du peuple dans le Midi, il distingua le jeune Bonaparte au siège de Toulon. Ses exactions en Provence le firent rappeler à Paris. Pour sauver sa tête, il fut l'un des promoteurs de la journée du 9 thermidor. Investi du commandement des troupes de Paris, il sauva la Convention en vendémiaire, avec l'aide de Bonaparte. Devenu directeur, il ne sut pas dominer la situation politique et fut joué par son ex-protégé le 18 brumaire. Contraint à renoncer à la vie publique, il rédigea des *Mémoires* passablement orientés.

BEAUHARNAIS (Eugène de), 1781-1824. Fils du général de Beauharnais guillotiné en 1793 et de Joséphine, future impératrice, il devint aide de camp de son beau-père. Colonel à 21 ans, général à 23, il fut fait prince, puis archichancelier de l'Empire et vice-roi d'Italie. Marié, en 1806, à la princesse Augusta de Bavière, il servit fidèlement Napoléon, malgré le divorce et le remariage de celui-ci. Toutefois, après la campagne d'Allemagne (1813), il se réfugia chez son beau-père, le roi de Bavière, qui le nomma duc de Leuchtenberg et prince d'Eichstadt.

BEAUHARNAIS (Hortense de), 1783-1837. Sœur d'Eugène de Beauharnais, elle fut prise en affection par Napoléon qui lui fit épouser Louis Bonaparte en 1802. Reine de Hollande, elle obtint la séparation, lorsque Louis renonça au trône. Elle est la mère du futur Napoléon III et du frère adultérin de celui-ci, le duc de Morny. Elle a laissé d'intéressants *Mémoires*.

BEAUHARNAIS (Mme Joséphine de), voir JOSÉPHINE.

BENNIGSEN (Leonti Leontievitch), 1745-1826. Général russe, vaincu à Eylau et à la Moskowa, vainqueur de Napoléon à Leipzig.

BERNADOTTE (Charles Jean-Baptiste), 1763-1844. Fils de magistrat, il prit part aux guerres de la Révolution (surnommé sergent « Belle-Jambe »), fut remarqué par

Bonaparte pendant la première campagne d'Italie et promu général. Au retour d'Égypte, il accusa cependant Bonaparte de désertion et lui manifesta son hostilité en plusieurs occasions. Mais, ayant épousé Désirée Clary, ex-fiancée de Napoléon et belle-sœur de Joseph Bonaparte, il poursuivit une brillante carrière : maréchal et gouverneur du Hanovre en 1804, puis prince de Pontecorvo, puis élu par la Diète, en 1810, prince royal de Suède et adopté par le roi Charles XII. En 1812, il s'allia avec la Russie et combattit contre la France à Leipzig. Il vint ensuite à Paris dans l'espoir de succéder à Napoléon ! Rentré en Suède, il devint roi en 1828.

BERTHIER (Louis Alexandre), PRINCE DE NEUCHÂTEL et de WAGRAM, 1753-1815. Major général de la garde nationale, il s'attacha à la fortune de Bonaparte en Italie et participa à toutes les campagnes de l'Empire en qualité de chef d'état-major général. Rallié aux Bourbons, nommé pair de France, il se réfugia à Bamberg, où il mourut accidentellement.

BERTHOLLET (Claude, comte), 1748-1822. Savant, ami de Lavoisier, connu pour ses travaux de chimie, fondateur avec Monge de l'École polytechnique, il accompagna Bonaparte en Égypte.

BERTRAND (Henri Gatien, comte), 1773-1844. Officier du génie, fit toutes les campagnes de l'Empire ; général de division en 1807 ; gouverneur des provinces illyriennes en 1811 ; grand-maréchal du palais en 1813 ; suivit Napoléon à l'île d'Elbe et à Sainte-Hélène ; auteur des *Cahiers de Sainte-Hélène* ; député de Châteauroux en 1830.

BESSIÈRES (Jean-Baptiste), DUC d'ISTRIE, 1768-1813. Maréchal en 1804, il s'illustra en Espagne et à Wagram. Tué à Lützen. C'était le Bayard de la Grande Armée.

BLÜCHER (Gebhard Leberecht, prince Blücher von Wahlstatt), 1742-1819. Généralissime de l'armée prussienne.

BONAPARTE (Charles-Marie) 1746-1785. Marié à Letizia Ramolino, père de Napoléon. Après avoir étudié le droit à Rome et à Pise, fut assesseur à la juridiction d'Ajaccio. Lieutenant de Paoli dans la lutte de celui-ci pour l'indépendance de la Corse, il se rallia au parti de la France et occupa diverses fonctions.

BONAPARTE (Madame Letizia), voir RAMOLINO.

BONAPARTE (Joseph), 1768-1844. Frère aîné de Napoléon, boursier du roi, d'abord destiné à l'Église, entra au barreau. Marié à Julie Clary (sœur de Désirée, future reine de Suède), il profita de l'ascension de Napoléon et fut successivement commissaire des guerres à l'armée d'Italie, ambassadeur à Rome, prince d'Empire, grand électeur, roi de Naples (1806), roi d'Espagne (1809), lieutenant-général de l'Empire (1814), président du Conseil des ministres en l'absence de l'Empereur (1815). Après Waterloo, il se réfugia aux États-Unis.

BONAPARTE (Jérôme), 1784-1860. Élevé par Napoléon, Jérôme fut le marin de la famille. Commandant d'un brick à 18 ans, il abandonna son bâtiment pour épouser Elisabeth Patterson à Baltimore. Divorcé par ordre de l'Empereur, il fut nommé prince et contre-amiral. Napoléon le maria avec Catherine de Wurtemberg et lui donna le royaume de Westphalie. Chassé de sa capitale en 1813, il prit part à la bataille de Waterloo, puis se réfugia en Italie. Il est l'aïeul de l'actuel prince Napoléon.

BONAPARTE (Louis), 1778-1846. Aide de camp de Napoléon en Italie et en Égypte, il reçut, après brumaire, le commandement d'un régiment de dragons. Marié à Hortense de Beauharnais, il ne cessa de manifester une extrême instabilité de caractère. Roi de Hollande en 1806, il entra en conflit avec son frère et renonça au trône en 1810. Réfugié en Suisse, il réapparut à Paris en 1814, puis repartit définitivement en exil après Waterloo.

BONAPARTE (Lucien), 1775-1840. Jacobin prononcé, il fut président de la société populaire de Saint-Maximin et épousa la fille d'un aubergiste, Christine Boyer. Élu député des Cinq-Cents, il devint président de cette assemblée et joua un rôle déterminant dans le coup d'État du 18 Brumaire. Nommé ministre de l'Intérieur, il fut ensuite envoyé comme ambassadeur à Madrid (1802). Veuf, il se remaria clandestinement avec Alexandrine de Bleschamps, elle-même veuve du spéculateur Jouberthon, et refusa de divorcer. Ayant rompu avec Napoléon, il s'exila en Italie où il prit le titre de prince de Canino. Réconcilié avec son frère en 1815, il reprit du service et, après Waterloo, vécut en Italie.

BONAPARTE (Pauline, princesse BORGHÈSE), 1780-1825. Mariée au général Leclerc, elle le suivit à Saint-Domingue où il mourut en 1802. Rentrée en France, elle épousa le prince Borghèse et obtint en 1806 le titre de duchesse de Guastalla. Elle resta fidèle à Napoléon à l'heure des revers. Après Waterloo, elle s'installa à Rome, au palais Borghèse.

BONAPARTE (Maria Annunziata, dite Caroline, princesse MURAT), 1782-1839. La plus jeune des sœurs de Napoléon. Séduite par la faconde et le panache de Joachim Murat, elle l'épousa en 1800. Devenue grande-duchesse de Berg, puis reine de Naples (1806), elle poussa Murat, par égoïsme et ambition, à trahir Napoléon et, après la mort tragique de son époux, vécut en Italie sous le nom de comtesse de Lipona (anagramme de Napoli).

BONAPARTE (Maria Anna Élisa, Madame BACCIOCHI), 1777-1820. Aînée des sœurs Bonaparte, elle épousa en 1797 un officier corse, Félix Bacciochi. Napoléon la nomma princesse de Lucques et de Piombino (1809) et grande-duchesse de Toscane (1809). De même que Caroline Murat, elle trahit son frère. Après Waterloo, elle vécut en Italie sous le pseudonyme de comtesse de Campignano.

BOULAY DE LA MEURTHE (Antoine Joseph), 1761-1840. Député aux Cinq-Cents, se rallia au Consulat et à l'Empire. Conseiller d'État, il fut l'un des rédacteurs du Code Napoléon.

BOURMONT (Louis Auguste Victor, comte de Ghaisne de), 1773-1846. Ancien chef chouan, il se rallia à l'Empire, fut promu général, et déserta avant Waterloo.

BOURRIENNE (Louis Antoine Fauvelet de), 1769-1834. Condisciple de Napoléon à Brienne, devint son secrétaire en 1797. Disgracié en 1802, il fut nommé chargé d'affaires à Hambourg et rappelé en 1813. Auteur de *Mémoires* un peu trop « arrangés ».

BRUEYS (François Paul), 1753-1798. Amiral vaincu par Nelson à Aboukir.

BRUNE (Guillaume), 1763-1815. Général en 1793, il s'attacha à Bonaparte et fut fait maréchal en 1804. Disgracié en 1807, il ne reprit du service qu'en 1815 et fut massacré pendant la Terreur blanche.

CADOUDAL (Georges), 1771-1804. Général breton, dirigea inlassablement les mouvements de chouannerie. En 1800, il rencontra Bonaparte. En 1803, venant d'Angleterre, il débarqua à Biville et noua un vaste complot visant à abattre le Premier Consul. Arrêté en 1804, il fut condamné à mort et guillotiné avec la plupart de ses complices.

CAMBACÉRES (Jean-Jacques Régis de), DUC DE PARME, 1753-1824. Conventionnel, député aux Cinq-Cents, ministre de la Justice sous le Directoire, il fut élu deuxième consul. Sous l'Empire, il devint archichancelier, puis président du conseil de régence (en 1814).

CARNOT (Lazare Nicolas Marguerite), 1753-1823. Capitaine du génie, il fut élu député à l'Assemblée législative, puis à la Convention. Régicide, membre du Comité de salut public, puis du Directoire, il dut s'exiler en Allemagne lors de l'épuration de fructidor. Ministre de la Guerre en 1800, il s'opposa au Consulat à vie et resta sans emploi jusqu'en 1814. Ministre de l'Intérieur pendant les Cent-Jours.

CARTEAUX (Jean-François), 1751-1813. Artiste peintre, il joua quelque rôle lors de la prise des Tuileries ; fut envoyé à l'armée des Alpes, puis à Toulon en 1793. Gouverneur de la principauté de Piombino en 1804.

CAULAINCOURT (Armand, marquis de), DUC DE VICENCE, 1773-1827. Aide de camp de Bonaparte, il fut nommé grand écuyer et duc de Vicence en 1808. Ambassadeur en Russie de 1807 à 1811, il fut en outre chargé de négocier avec les Coalisés. Ministre des Relations extérieures en 1813 et 1815. A laissé de remarquables *Souvenirs*.

CHAPTAL (Jean-Antoine), COMTE DE CHANTELOUP, 1756-1832. Célèbre chimiste, professeur à l'école de médecine de Montpellier, directeur de la poudrière de Grenelle en 1793, conseiller d'État, ministre de l'Intérieur en 1801, créateur de l'école des arts et métiers, sénateur et comte de l'Empire.

CLAUSEWITZ (Karl von), 1780-1831, général prussien, célèbre stratège.

CONSTANT DE REBECQUE (Benjamin), 1767-1830. Installé à Paris en 1796, ami de Mme de Staël, ce Suisse fut nommé membre du Tribunal « épuré » en 1802, il entra dans l'opposition et fut exilé : rallié à Louis XVIII, il rédigea néanmoins l'Acte additionnel de 1815 ; banni de France après Waterloo.

CONSTANT (Constant WAIRY, dit), 1778-1830. Valet de chambre de l'Empereur, de 1800 à 1814. Ses *Mémoires* ont été rédigés par Villemarest.

DAUNOU (Pierre), 1761-1840. Oratorien, devenu Conventionnel, puis membre du Tribunat. Il participa à l'élaboration des constitutions de l'an III et de l'an VIII.

DAVOUT (Louis Nicolas), DUC D'AUERSTAEDT, PRINCE D'ECKMÜHL, 1770-1823. Ancien élève de l'école militaire de Paris, il embrassa les idées nouvelles et devint rapidement commandant des grenadiers de la Garde. Maréchal en 1804, il se distingua à Austerlitz, à Auerstaedt, à Eckmühl, à Wagram. Ministre de la Guerre pendant les Cent-Jours. Disgracié par les Bourbons.

DECRES (Denis, duc), 1760-1820. Contre-amiral en 1798, ministre de la Marine pendant l'Empire.

DESAIX (Louis Charles Antoine des AIX, chevalier de VEYGOUX, dit), 1768-1800. D'une famille royaliste, il adhéra aux idées nouvelles et s'attacha à Bonaparte. En Égypte, on le surnomma « le Sultan juste ». Il décida de la victoire de Marengo, où il fut tué.

DROUET D'ERLON (Jean-Baptiste, comte), 1765-1844. Général commandant un corps d'armée à Waterloo.

DROUOT (Antoine, comte), 1774-1847. Général d'artillerie, surnommé « le Sage de la Grande Armée ».

DUCOS (Pierre Roger), 1747-1816. Conventionnel, Directeur, fut nommé consul provisoire, puis sénateur et comte de l'Empire.

DUGOMMIER (Jacques François COQUILLE, dit), 1738-1794. Député de la Martinique à la Convention, il devint général en 1792, dirigea le siège de Toulon, puis commanda l'armée des Pyrénées-Orientales et fut tué en Catalogne.

DUMERBION (Pierre Jadar), 1734-1797. Capitaine des grenadiers en 1789, servit sous Biron à l'armée d'Italie en 1792, fut promu général de division en 1793, enleva les forteresses de Saorgio, Lanosca, les cols de Feneste et de Cassario. Les attaques de goutte dont il souffrait l'obligèrent à se retirer du service.

DUROC (Géraud Christophe Michel DU ROC, dit), DUC DE FRIOUL, 1772-1813. Aide de camp de Napoléon en Italie et en Égypte, il prit part au coup d'État du 18 Brumaire. Chargé de diverses missions diplomatiques en Prusse et en Russie, il fut nommé grand-maréchal du palais en 1805, puis duc de Frioul. Tué par un boulet à Bautzen.

ENGHIEN (Louis Antoine DE BOURBON-CONDÉ, duc d'), 1772-1804. Petit-fils du prince de Condé, il émigra en 1789 et combattit dans l'armée de son grand-père. Après la dispersion de cette armée, il s'installa à Ettenheim où il vécut avec la princesse Charlotte de Rohan-Rochefort. Enlevé sur ordre de Bonaparte, il fut jugé et fusillé à Vincennes.

FAIN (Agathon, baron), 1778-1830. D'abord garde des Archives, il devint secrétaire de l'Empereur en 1806. A laissé de remarquables *Mémoires*.

FESCH (Joseph, cardinal), 1763-1839. Demi-frère de Letizia Ramolino, prêtre avant la Révolution, il prêta serment à la Constitution civile du clergé, puis abandonna la prêtrise pour devenir commissaire des guerres. Réconcilié avec l'Église, il fut nommé archevêque de Lyon, puis cardinal (1803) et ambassadeur à Rome. Ce fut lui qui décida le pape à venir sacrer Napoléon à Paris. Nommé grand aumônier, comte et sénateur, son comportement lors du concile de 1811 mécontenta l'Empereur. Réfugié à Rome après Waterloo.

FLEURY DE CHABOULON (Pierre), 1779-1835. Préfet en 1814, secrétaire de Napoléon en 1815.

FOUCHÉ (Joseph), DUC D'OTRANTE, 1759-1820. Conventionnel, jacobin, il se distingua par l'atroce répression de Lyon en 1793. Ministre de la Police sous le Directoire, il opta pour Bonaparte. Sénateur, il fut fait comte en 1808, puis duc d'Otrante. Disgracié en 1810, il rentra en grâce en 1813. À nouveau ministre, il joua le double jeu, précipita la chute de l'Empire et prépara le retour de Louis XVIII.

GASPARIN (Thomas Augustin de), 1750-1793. Capitaine au Royal-Picardie, devint député de l'Assemblée législative et membre du comité militaire, puis conventionnel et membre du Comité de salut public. Représentant du peuple à Toulon, il fit adopter le plan de Bonaparte, lui ouvrant ainsi la carrière.

GAUDIN (Martin Michel Charles), DUC DE GAÈTE, 1756-1841. Ministre des Finances de 1799 à 1814, créateur de la Cour des comptes.

GÉRARD (Étienne, comte), 1773-1852. Général, il tenta vainement de décider Grouchy à marcher au canon, à Waterloo. Maréchal sous Louis-Philippe.

GOHIER (Louis), 1746-1830. Député à la Législative, ministre de la Justice en 1793, Directeur, démissionnaire après brumaire.

GOURGAUD (Gaspard, baron), 1783-1852. Polytechnicien, officier d'artillerie, fit la plupart des guerres de l'Empire. Officier d'ordonnance de Napoléon en 1811, lui sauva la vie à Brienne en 1814; promu général de brigade la veille de Waterloo, suivit l'Empereur à Sainte-Hélène; rentré en France en 1821, il reprit du service après 1830; aide de camp de Louis-Philippe, commandant de l'artillerie de Paris, lieutenant-général (1835), pair de France. Auteur du *Journal de Sainte-Hélène*.

GOUVION-SAINT-CYR (Laurent, marquis de), 1764-1830. Maréchal en 1812. Rallié aux Bourbons.

GROUCHY (Emmanuel, marquis de), 1766-1847. Maréchal avant Waterloo, on l'accusa, peut-être à tort, d'avoir provoqué la défaite de Napoléon.

HOCHE (Louis Lazare), 1768-1797. Général en chef de l'armée de Moselle et vainqueur des Austro-Prussiens, dénoncé par Pichegru, il fut emprisonné par Robespierre et sauvé par thermidor. Il se battit ensuite contre les chouans vendéens et bretons, notamment à Quiberon. Après l'échec de l'expédition d'Irlande, il commanda l'armée de Sambre-et-Meuse et vainquit les Autrichiens à Neuwied et Altenkirchen. Mort, opportunément, de maladie, en Allemagne.

JOSÉPHINE (l'IMPÉRATRICE), 1763-1814. Née Marie-Josèphe Rose Tascher de La Pagerie, d'une famille de petits gentilshommes installés à la Martinique, elle épousa à 15 ans le vicomte Alexandre de Beauharnais. Deux enfants naquirent de cette union: Eugène et Hortense. Incarcérée pendant la Terreur, Joséphine fut sauvée par thermidor et connut une existence difficile, jalonnée de nombreuses liaisons. Elle épousa Napoléon en 1796 et fut sacrée impératrice en 1804. Contrainte au divorce en 1808, elle vécut à Malmaison et au château de Navarre. Elle mourut en 1814 après une courte maladie.

JUNOT (Andoche, DUC D'ABRANTÈS), 1771-1813. Sergent dit « La Tempête » à Toulon, il s'attacha à la fortune de

Bonaparte. Promu général en Égypte, il commanda ensuite la place de Paris, puis fut ambassadeur au Portugal (1805). Après Austerlitz, devint gouverneur militaire de Paris. Sa liaison avec Caroline Murat fit scandale. Napoléon l'envoya alors conquérir le Portugal, ce qui valut à Junot le titre de duc d'Abrantès. Chassé par les Anglais, il combattit en Espagne où il accumula les fautes. Après la campagne de Russie, il fut envoyé comme gouverneur des Provinces-Illyriennes, mais Napoléon dut le rappeler en France, car Junot n'était plus qu'un dément. Sa veuve, la duchesse d'Abrantès, laissa des *Mémoires* plus attrayants que solides.

KELLERMANN (François Étienne), 1770-1835. Fils du vainqueur de Valmy, général de division après Marengo, il prit part à toutes les guerres de l'Empire.

KLÉBER (Jean-Baptiste), 1753-1800. Héroïque défenseur de Mayence, il donna le coup de grâce à la grande armée vendéenne et fut promu général de division. Successeur de Bonaparte en Égypte, il fut assassiné par un fanatique.

KOUTOUZOV (Mikhaïl Ilarionovitch Golenichtchev), 1745-1813. Général russe battu à Austerlitz et à la Moskova. Harcela la Grande Armée pendant la retraite de Moscou.

LANNES (Jean), DUC DE MONTEBELLO, 1769-1809. Héros de Lodi, d'Arcole et de Rivoli, il fut promu général en 1796. Commanda la garde consulaire, s'illustra à Montebello et Marengo. Maréchal en 1804, il se signala dans toutes les batailles. Tué à Essling.

LAPLACE (Pierre Simon), 1749-1827. Physicien et mathématicien, il fut ministre de l'Intérieur sous le Consulat, puis sénateur et comte de l'Empire.

LAREVELLIÈRE-LEPEAUX (Louis Marie de), 1753-1824. Député aux états généraux, conventionnel, girondin et régicide, proscrit sous la Terreur, président du Conseil des Anciens et Directeur (1795). Fondateur de la théophilanthropie, religion nouvelle.

LASALLE (Antoine Charles Louis, comte de), 1775-1809. Général de cavalerie, tué à Wagram.

LAS CASES (Emmanuel, comte de), 1766-1842. Officier émigré, rentra en France après brumaire, chambellan de l'Empereur en 1809, l'accompagna à Sainte-Hélène. Chassé de cette île en 1816. Auteur du *Mémorial de Sainte-Hélène*.

LAVALETTE (Antoine Marie Chamans, comte de), 1769-1830. Directeur des postes. Condamné à mort après Waterloo, il s'évada de la Conciergerie avec la complicité de sa femme.

LEBRUN (Charles François), DUC DE PLAISANCE, 1739-1824. Député aux états généraux, emprisonné sous la Terreur, il fut ensuite membre du Conseil des Anciens et nommé troisième consul. Sous l'Empire, il devint architrésorier et administrateur de la Hollande. Nommé pair de France par Louis XVIII, il fut grand maître de l'Université pendant les Cent-Jours.

LECLERC (Charles Victor Emmanuel), 1772-1802. Il se lia avec Bonaparte au siège de Toulon. Promu général, il épousa Pauline Bonaparte. Brumairien notoire, il reçut le commandement de l'expédition de Saint-Domingue, où il mourut de la fièvre jaune.

LEFEBVRE (François Joseph), DUC DE DANTZIG, 1755-1820. Ancien sergent, général de division en 1794, maréchal en 1804, sénateur, duc de Dantzig en 1807, commandait la Vieille Garde. Son épouse, Catherine Hubscher, fut la fameuse « Madame Sans-Gêne ».

LETOURNEUR (Louis François), 1751-1817. Ancien officier, député à la Législative et à la Convention, régicide, membre du Comité de salut public, il devint Directeur en 1795, puis préfet sous le Consulat, et enfin, conseiller à la Cour des comptes.

LOBAU (Georges MOUTON, comte de), 1770-1838. Aide de camp de Napoléon à partir de 1805, il prit part à toutes les campagnes de l'Empire. Général de division en 1807, maréchal en 1831 et pair de France.

LOWE (sir Hudson), 1769-1844. Geôlier de Napoléon à Sainte-Hélène.

MACDONALD (Étienne Jacques Joseph Alexandre), DUC DE TARENTE, 1765-1840. Maréchal après Wagram.

MACK (Karl, baron von Leiberich), 1752-1828. Général autrichien, vaincu à Ulm en 1805, condamné à vingt ans de prison, puis gracié.

MALET (Claude François de), 1754-1812. Général, destitué en 1807, auteur de la conspiration de 1812.

MARBEUF (Louis Charles René, marquis de), 1736-1788. Maréchal de camp envoyé en Corse après la cession de cette île à la France, il soutint une lutte difficile contre les partisans de Paoli, dont il finit par triompher. Nommé gouverneur de la Corse, il protégea la famille Bonaparte et fit, notamment, entrer Napoléon à l'école de Brienne.

MARCHAND (Louis Joseph), 1791-1876. Valet de chambre de Napoléon, il accompagna son maître à l'île d'Elbe et à Sainte-Hélène. Il a laissé des *Mémoires* sur les dernières années de l'Empereur.

MARET (Hugues Bernard), DUC DE BASSANO, 1763-1839. Secrétaire d'État sous l'Empire, puis ministre des

Relations extérieures, et enfin ministre secrétaire d'État. Ce fut surtout un grand commis.

MARIE-LOUISE (l'IMPÉRATRICE), 1791-1847. Fille de l'empereur d'Autriche François II et de Marie-Thérèse de Naples, elle épousa Napoléon en 1810. Mère du Roi de Rome, elle fut régente en 1813-1814. Elle se réfugia à Vienne en 1814 et fut dès lors quasi prisonnière des Habsbourgs. Elle épousa Neipperg qui lui donna trois enfants, puis son intendant, le comte de Bombelles. Son père lui avait donné le duché de Parme.

MARMONT (Auguste Frédéric Louis VIESSE DE), DUC DE RAGUSE, 1774-1852. Il s'attacha à Bonaparte lors du siège de Toulon, le suivit en Italie et en Égypte, se distingua à Marengo, puis à Ulm. Gouverneur de Dalmatie, duc de Raguse, il ne fut nommé maréchal qu'en 1809. Envoyé en Espagne, pour remplacer Masséna, il fut vaincu aux Arapiles (1812). Il signa la capitulation de Paris en 1814 et fut accusé de trahison. Le verbe « raguser » passa dans le vocabulaire des bonapartistes. Marmont justifiait ainsi sa conduite : « Tant qu'il a dit "Tout pour la France", je l'ai suivi avec enthousiasme. Quand il a dit "La France et moi", je l'ai suivi avec zèle. Quand il a dit "Moi et la France", je l'ai suivi avec dévouement. Il n'y a que quand il a dit "Moi sans la France" que je me suis détaché de lui. » Mais Napoléon n'a jamais dit « Moi sans la France »...

MASSÉNA (André), DUC DE RIVOLI, PRINCE D'ESSLING, 1756-1817. Général en 1793, il décida des victoires de Dego, Lodi et Rivoli et fut surnommé « Enfant chéri de la victoire ». Vainqueur des Russes à Zurich (1799), il défendit glorieusement Gênes contre les Autrichiens. Bien qu'opposé au 18 Brumaire, il fut promu maréchal en 1804. Envoyé au Portugal, les Anglais le battirent. Disgracié, il fut dès lors tenu à l'écart par Napoléon. Se rallia aux Bourbons.

MÉLAS (Michael, baron de), 1729-1806, général autrichien, vaincu à Marengo.

MÉNEVAL (Claude François, baron de), 1778-1850. Secrétaire de Napoléon en 1802. A laissé des *Mémoires*.

METTERNICH-WINNEBURG (Klemens Wenzel Nepomuk Lothar, prince de), 1773-1859. Diplomate autrichien, ambassadeur à Paris de 1806 à 1809, ministre des Affaires étrangères, il joua un rôle important au Congrès de Vienne.

MIOT (André François, comte de Mélito), 1762-1842. Diplomate, conseiller d'État, ministre de l'Intérieur à Naples, il a laissé de remarquables *Mémoires*.

MOLÉ (Louis Mathieu, comte), 1781-1855. Descendant du célèbre Molé, conseiller d'État en 1806, préfet, directeur des Ponts et Chaussées, et Grand Juge en 1813.

MONTHOLON (Charles Tristan, comte de), 1783-1853. Chambellan de Napoléon, général, diplomate, il accompagna l'Empereur à Sainte-Hélène. A laissé des *Mémoires*.

MOREAU (Jean Victor), 1763-1813. Général en 1793, il conquit la Hollande avec Pichegru et commanda ensuite l'armée de Rhin-et-Moselle chargée de marcher sur Vienne. En 1800, il remporta sur les Autrichiens la victoire d'Hohenlinden. Compromis dans le complot Pichegru-Cadoudal, il s'exila en Amérique. En 1813, il se mit au service du tsar, participa à la campagne de Saxe et fut tué par un boulet français.

MURAT (Joachim), 1767-1815. Fils d'un aubergiste, il servit dans un régiment de cavalerie, avant d'embrasser avec ardeur la cause de la Révolution. Distingué par Bonaparte le 13 vendémiaire, il devint son aide de camp et épousa l'une de ses sœurs.

Stimulé par l'ambitieuse Caroline, il accumula dès lors titres et bénéfices : prince d'Empire, maréchal, grand aigle de la Légion d'honneur, grand-duc de Berg (1806). Envoyé en Espagne, il joua un rôle déterminant dans l'abdication du roi Charles et provoqua la fameuse émeute du Dos de Mayo, amorce d'une guerre interminable. Roi de Naples, à la place de Joseph Bonaparte, il ne servit plus Napoléon qu'à contrecœur et abandonna les débris de la Grande Armée après la campagne de Russie. Après Leipzig, il tenta de s'allier aux Coalisés, mais ne put sauver son trône. Il finit par tomber aux mains des troupes de Ferdinand de Naples, le roi restauré, et fut fusillé.

NELSON (Horatio, vicomte), 1758-1805. Amiral anglais, vainqueur à Aboukir et à Trafalgar.

NEY (Michel), DUC D'ELCHINGEN, PRINCE DE LA MOSKOVA, 1769-1815. Prodigieux soldat, dont on ne saurait résumer les faits d'armes, il resta fidèle jusqu'au bout à Napoléon. Fusillé par les Bourbons après Waterloo.

OUDINOT (Nicolas Charles), DUC DE REGGIO, 1767-1847. S'illustra à la tête de ses grenadiers à Austerlitz, Friedland, Essling et Wagram. Maréchal en 1809.

PAOLI (Pascal), 1725-1807. Élu chef de la Corse, il lutta vainement pour l'indépendance. Exilé en Angleterre, il revint en Corse en 1790 où il exerça une dictature de fait, avant de rompre avec la Convention en 1793 et de proclamer l'union de la Corse et de la Grande-Bretagne après avoir chassé de l'île les partisans de la République (dont les Bonaparte). Aspirant en vain au titre de vice-roi, il repartit pour l'Angleterre en 1795 et mourut en exil.

PHÉLIPPEAUX (Antoine Le Picard de), 1768-1799. Condisciple de Napoléon à Brienne, fervent royaliste, il organisa l'évasion de la prison du Temple du commodore Sydney Smith qu'il accompagna en Syrie. Il défendit victorieusement Saint-Jean-d'Acre assiégée par Bonaparte.

PICHEGRU (Jean-Charles), 1761-1804. Répétiteur à Brienne, il fut nommé commandant en chef de l'armée du Rhin en 1793. Il conquit la Hollande en 1794. Contraint de démissionner par suite de sa collusion avec les royalistes, il fut ensuite élu aux Cinq-Cents et porté à la présidence de cette Assemblée. Déporté en Guyane après fructidor, il s'évada et passa en Angleterre. Compromis dans le complot de Cadoudal, il fut arrêté et, probablement, étranglé dans sa prison.

PONTECOULANT (Louis Gustave LE DOULCET, comte de), 1764-1853. Ancien officier, conventionnel, régicide, représentant en mission à l'armée du Nord, puis membre du Conseil des Cinq-Cents, il fut ensuite préfet de la Dyle et sénateur (1805). Il vota la déchéance de Napoléon en 1814 et fut nommé pair de France par Louis XVIII.

POZZO DI BORGO (Charles André), 1764-1842. Procureur-syndic de la Corse, secrétaire de Paoli, il dut s'expatrier en 1796 et, devenu rival du clan Bonaparte, il ne cessa, par ses missions secrètes, de lutter contre Napoléon. Nommé général par le tsar Alexandre en 1813, il rentra en France avec les Coalisés, devint leur commissaire près du gouvernement provisoire, puis ambassadeur en Russie.

RAMOLINO (Marie Letizia), 1750-1836. D'une ancienne famille originaire d'Italie, elle épousa Charles Bonaparte à 16 ans et prit part à la lutte pour l'indépendance de la Corse. Mise à la tête des établissements de bienfaisance de Paris, elle ne joua qu'un rôle modeste et s'attacha surtout à maintenir la cohésion au sein du clan Bonaparte. Réfugiée à Rome en 1814, elle sollicita en vain des coalisés l'autorisation de rejoindre Napoléon à Sainte-Hélène.

RAPP (Jean), 1772-1821. Général de division, pair de France, se distingua au siège de Danzig en 1812. Pair de France et premier chambellan de Louis XVIII.

RÉAL (Pierre François), 1757-1834. Substitut du procureur de la Commune, accusateur public en 1792, il fut arrêté sous la Terreur et sauvé par thermidor. Conseiller d'État, il collabora étroitement avec Fouché. Ministre de la Police pendant les Cent-Jours.

REILLE (Honoré Charles Michel Joseph, comte), 1775-1860. Général de division en 1807, se distingua à Wagram et en Espagne. Pair de France en 1819, maréchal en 1847 et sénateur sous le Second Empire.

RÉMUSAT (Claire Élisabeth Gravier de Vergennes, comtesse de), 1780-1821. Épouse de Auguste de Rémusat, préfet du palais (1802) et chambellan de Napoléon en 1804, elle a laissé de curieux *Mémoires*, souvent entachés de partialité.

REUBELL ou REWBELL (Jean-François), 1747-1807. Député aux états généraux, conventionnel, montagnard, anticlérical acharné, puis membre du Conseil des Cinq-Cents et Directeur, il abandonna toute fonction publique après brumaire.

ROBESPIERRE (Augustin Bon Joseph, dit ROBESPIERRE JEUNE), 1764-1794. Frère de Maximilien Robespierre, il fut conventionnel et représentant en mission, notamment à Toulon et à l'armée d'Italie ; il se lia d'amitié avec Bonaparte. Exécuté avec Maximilien dont il voulut partager le sort.

ROEDERER (Pierre Louis, comte de), 1754-1835. Conseiller au parlement de Metz, député aux États généraux, jacobin, procureur-syndic de la Seine, il incita Louis XVI à se réfugier à l'Assemblée en 1792. Devenu suspect en 1793, il vécut dans la clandestinité jusqu'à thermidor. L'un des artisans du coup d'État du 18 Brumaire, il fut conseiller d'État, sénateur (1802), ministre des Finances du roi Joseph à Naples (1806), administrateur du grand-duché de Berg (1810).

ROI DE ROME (Napoléon François Charles Joseph Bonaparte), 1811-1832. Fils de Napoléon et de Marie-Louise, il fut emmené à Vienne en 1814 et reçut de François II le titre de duc de Reichstadt. Mort phtisique.

SALICETTI (Christophe), 1757-1809. Avocat au Conseil supérieur de la Corse, député aux États généraux, fit décréter la Corse partie intégrante du territoire français. Conventionnel, régicide, il fut chargé, avec Barras et Fréron, de diverses missions dans le Midi, notamment à Toulon. Commissaire à l'armée d'Italie, il fut élu député de la Corse, au Conseil des Cinq-Cents, s'opposa au 18 Brumaire, remplit néanmoins plusieurs missions diplomatiques en Italie. Il devint ensuite ministre de la Police du royaume de Naples sous Joseph et Murat.

SAVARY (Anne Jean Marie René), DUC DE ROVIGO, 1774-1833. Aide de camp de Desaix, puis de Bonaparte, il fut surtout chargé de missions diplomatiques ou policières. Ministre de la Police à la suite de Fouché, il se révéla plus brutal qu'efficace et ne sut pas prévenir la conspiration de Malet. A laissé des *Mémoires*.

SCHARNHORST (Gerhard von), 1755-1813. Général prussien, tué à Lützen.

SCHERER (Barthélemy Louis Joseph), 1747-1804. Général, commandant des armées des Pyrénées-Orientales, puis d'Italie, il fut ministre de la Guerre en 1797, reprit le commandement de l'armée d'Italie en 1799, se fit battre à Magnano et se retira définitivement.

SCHWARZENBERG (Karl Philipp, prince zu), DUC DE KRUMA 1771-1820. Général autrichien et diplomate, vainqueur de Napoléon à Leipzig.

SIEYÈS (Emmanuel), 1748-1836. Ancien vicaire général de Chartres, il publia le libelle célèbre « Qu'est-ce que le Tiers état ? » Député aux états généraux, conventionnel, régicide, il se fit une spécialité de doctrinaire de la Révolution. Suspect sous la Terreur, il fut député aux Cinq-Cents, puis ambassadeur à Berlin et enfin Directeur. Il joua un rôle important dans la préparation du 18 Brumaire, ce qui lui valut d'être nommé consul provisoire, avant d'être définitivement écarté du pouvoir. Fut fait comte d'Empire.

SOULT (Nicolas Jean de Dieu), DUC DE DALMATIE, 1769-1851. Général à Fleurus, maréchal en 1804, il se battit plusieurs années en Espagne contre Wellington. Rallié à Louis XVIII, il fut chef d'état-major de Napoléon à Waterloo. Ministre de la Guerre, ministre des Affaires étrangères et président du Conseil sous Louis-Philippe.

STAËL-HOLSTEIN (Germaine NECKER, baronne de), dite Mme DE STAËL, 1766-1817. Fille du ministre Necker, elle épousa le baron de Staël. Femme de lettres, elle tenait un salon politique et chercha à devenir l'égérie de Bonaparte. Déçue dans ses aspirations, elle entra dans l'opposition et fut exilée jusqu'à la fin de l'Empire. Elle était l'amie de Benjamin Constant.

STEIN (Karl, baron von), 1757-1831. Ministre prussien, il contribua au redressement de son pays et à la victoire des coalisés.

TALLEYRAND-PÉRIGORD (Charles Maurice, prince de), 1754-1838. Évêque d'Autun en 1788 ; il fut élu aux états généraux et abandonna la prêtrise. Envoyé en mission en Angleterre, il dut se réfugier en Amérique et ne rentra en France qu'en 1796. Il fut ministre des Relations extérieures de 1797 à 1799. Il joua dans l'affaire du duc d'Enghien un rôle déterminant. Vice-grand électeur en 1807, il poussa Napoléon à la conquête de l'Espagne. À Erfurt, il trahit son maître et, dès lors, attendit cyniquement sa chute. Envoyé par Louis XVIII au congrès de Vienne, il parvint à replacer la France au rang des grandes puissances. Il servit ensuite les Bourbons et les d'Orléans.

TALLIEN (Thérésa DE CABARRUS, Mme), 1773-1835. Arrêtée à Bordeaux, elle fut sauvée par Tallien, alors représentant en mission. Arrêtée de nouveau, elle échappa de peu à la guillotine : grâce à Tallien et à la réaction thermidorienne. Elle épousa ensuite son sauveur, se lia avec Barras, devint une « merveilleuse ». On la surnommait « Notre-Dame de Thermidor ».

THIEBAULT (Paul, baron), 1769-1846. Général en 1800, il prit part aux guerres de l'Empire et combattit notamment en Espagne. Ses *Mémoires* sont à consulter, malgré leur partialité.

VANDAMME (Dominique), 1770-1830. Général.

VILLENEUVE (Pierre Charles de), 1763-1806. Contre-amiral en 1796, prit part à la bataille d'Aboukir. Promu vice-amiral, il fut chargé par Napoléon de couvrir le débarquement en Angleterre. Vaincu par Nelson à Trafalgar, il fut renvoyé en France par les Anglais et se suicida.

WALEWSKA (Marie Leczinska, comtesse), 1786-1817. Patriote polonaise, elle devint la maîtresse de Napoléon en 1807 et lui donna un fils. Elle épousa le général d'Ornano en 1816.

WELLINGTON (Arthur WELLESLEY, duc de), 1769-1852. Général anglais, il vainquit Junot à Vimeiro, Marmont aux Arapiles, Soult à Vitoria et Napoléon à Waterloo.

WURMSER (Dagobert, comte de), 1724-1797. Général autrichien, battu par Pichegru en Alsace en 1793, puis par Bonaparte en Italie, en 1796.

TABLE

6288

Composition Chesteroc International Graphics
Achevé d'imprimer en Europe (France)
par Maury-Eurolivres à Manchecourt
le 10 décembre 2004.
Dépôt légal décembre 2004. ISBN 2-290-31923-6
1er dépôt légal dans la collection : juin 2002

Éditions J'ai lu
84, rue de Grenelle, 75007 Paris
Diffusion France et étranger : Flammarion